刑事の絆

警視庁追跡捜査係

堂場瞬一

ハルキ文庫

角川春樹事務所

目次

刑事の絆

警視庁追跡捜査係

第一章

「大友《おおとも》が撃たれた？」

西川《にしかわ》大和《やまと》が声を張り上げた。顔だけではなく受話器を摑《つか》んだ手までが白くなり、目の下が引き攣《つ》っている。沖田《おきた》大輝《だいき》も慌てて立ち上がった。撃たれた？　どこで？　どういうことだ？　瞬時に疑問が頭の中で爆発したが、どこから確かめたらいいのか分からないほど混乱している。

西川は相手の声に耳を傾けながら、無言を貫いていた。馬鹿野郎、こういう時は復唱するか、スピーカーフォンにしろよ。お前だけが聞いていたら、他の人間には事情が分からないじゃないか。

西川がようやく受話器を置いた。手がはっきりと震えている。

「どうなってるんだ？」沖田はデスクに身を乗り出すようにして嚙《か》みついた。

「現場は日比谷公園。詳しい状況はまだ分からない」

「テツは無事なのか？」

「救急車で搬送中だ。まだ何とも……」西川が力なく首を振る。

「出るぞ！　現場だ」沖田は椅子《いす》の背に引っかけていたコートを摑んだ。

「ちょっと待て！」珍しく西川が声を張り上げる。「お前が行っても何にもならない」

「冗談じゃない。仲間が撃たれて、何でお前は平気なんだ？」

「物事には順番がある」

「ふざけるな！　仲間が撃たれたんだぞ！」

「それは分かってる」西川が表情を硬くする。「だけど、勝手に飛び出して行っても——」

「とにかく、俺は行くからな」

「待てよ！」

西川の言葉を無視して、沖田は部屋を飛び出した。沖田は、捜査一課の強行班で大友と机を並べていたこともある。気安い仲なのだ。大友は沖田より何歳か若いが、不思議な魅力を持った男で、被害者にしろ犯人にしろ、彼の前では何故《なぜ》か喋《しゃべ》ってしまうという、羨《うらや》むべき能力の持ち主である。刑事なら誰でも、命と引き換えにしてもこういう能力が欲しいものだ。何かと話題になるイケメンでもあるのだが、性格が穏やかなので、同僚から恨まれることも少ない。

他の刑事たちと違うのは、妻を交通事故で亡くし、男手一つで小学生の男の子を育てていることだ。そのために、時間が自由にならない捜査一課から刑事総務課に異動したぐらいである。その能力を惜しんで、今でも上層部が特別な捜査に駆り出すことがあるのだが……。

冗談じゃない。テツ、お前、いったい何をやらかしたんだ？　エレベーターを待ちながら、沖田は怒りで胸が破裂しそうになってくるのを意識した。白昼堂々、しかも警視庁の目と鼻の先にある日比谷公園で刑事を撃つとは、犯人はどういう了見なのだ。大友の容態も気になる。搬送中ということは、詳しい状況はまだ分からないのだが……。

死ぬなよ、と歯ぎしりしながら祈った。普段は決して祈るようなことはしない沖田だが、今日ばかりは違う。お前、子どもがいるんだからな。子どもを一人きりにするようなことになったら、俺が許さない。ぶっ飛ばしてやる——気づくと沖田は、エレベーターの扉に拳《こぶし》を叩《たた》きつけていた。周りにいる他の職員が、驚いたように沖田を見る。沖田は右の拳を胸に抱えこみ、痛みに耐えながら、いつまで経《た》っても来ないエレベーターの扉を睨《にら》み続けた。早くしろ。あいつが死んでしまう！

警視庁と日比谷公園は、アメリカ風の言い方では一ブロックしか離れていない。間に法務省や東京地検の建物を挟んでいるだけで、直線距離にして百五十メートルほどだ。公園そのものは広大で——確か東京ドームの四倍ほどあるのではないか——入り口も何か所もある。現場がどこか分からないまま飛び出したので、沖田はとにかく早く公園の中に入ろうと、桜田門の交差点の信号が赤に切り替わるのを無視して強引に突っ切り、そのまま全力疾走で祝田橋交差点も渡った。北西側の角から公園に入り、現場を探す。付近に警察官の姿は見当たらず、信じられないことにテニスをしている人が何人もいた。冗談じゃない、ここで発砲事件があったんだぞ……封鎖しないと、公園の利用者も被害に遭うかもしれない。早く現場を探し出さないと、と焦りながらも、沖田は携帯電話を取り出して西川の席に電話をかけた。

「おい、公園が封鎖されてない！」

「何だって？」仰天した西川の声がひっくり返った。

「早く公園全体を封鎖させろ。呑気《のんき》にテニスなんかやってる人がいるぞ」

「分かった、手配する――現場は鶴《つる》の噴水の近くだ」

「何だ、それ」

「野音の前。公園の南寄りだ」

無言で電話を切り、沖田はダッシュした。公園内の道路はカーブを描きながら複雑に入り組んでいるのだが、とにかくひたすら南の方へ向かう。クソ、それにしても日比谷公園は広い……いつまで経っても問題の噴水に辿《たど》りつけないような気がした。途中、ようやく制服警官の姿を見つけてバッジを突きつけ、胸ぐらを摑まんばかりの勢いで詰め寄る。

「おい、大友はどこで撃たれた！」

若い制服警官は、沖田の勢いに気圧《けお》されたのか、言葉を発することもできず、ただ南の方を指差すだけだった。自分が向かっていたのは、方向的には間違っていない、と沖田は確信する。すぐにまた走り出そうとしたが、制服警官がのんびりしているように見えたので、怒鳴りつけた。

「もっと緊張しろ！　銃を持った犯人が近くにいるんだぞ！」

それでようやく事の重大さに気づいたのか、制服警官の顔が一瞬で蒼《あお》くなる。おどおどと拳銃《けんじゅう》に手を伸ばしたので、沖田は「抜くなよ」と忠告してからまた走り出した。まったく、最近の若い制服組は……今日は「今年一番の寒さ」と言われているのに、早くも汗が滲《にじ》んでくる。自席で摑んだコートはまだ手に持ったままだが、羽織る必要もなかった。

　鶴の噴水を周回する道路を回って行くと、異様な光景に出くわした。制服組だけでなく、スーツ姿、コート姿の警察官が付近を埋め尽くしている。知った顔も知らない顔もいた。私服組に混じって、鑑識も既に出動している。その数、百人ぐらいになるのではないか。一つの事件の発生現場としては異例の大人数で、褒められたことではない。人が多ければ多いほど、現場を荒らしてしまうからだ。ただし発砲事件なので、薬莢《やっきょう》などを探すためには人海戦術が必要になる。痛し痒《かゆ》しだな、と沖田は歯嚙みした。

　頭に血が昇る。クソ、大友が撃たれた場所——事件の中心はどこなんだ。現場を記憶に刻みたいと願う反面、自分はここにいてはいけない、という冷静な判断も脳裏に浮かぶ。この現場が、今後さらに大混乱するのは間違いなく、自分がそこに乗っかって仕事をしようとしても上手《うま》くいかないだろう。むしろ聞き込みに回るべきではないか。この現場で一番大事なのは、秩序の回復だ……刑事が撃たれたとなったら、当然捜査一課は総出になる。一課長が直接指揮するのが一番だが、姿は見当たらなかった。誰でもいい、とにかく偉い人に仕切ってもらわないと。

　ふと、刑事部参事官の後山《あとやま》の姿を見つけた。一人ぽつんと、野外音楽堂の前に立っている。何をしているかは分からないが、ちょうどいい。この男より偉い幹部というと、刑事部では部長しかいない。仕切りを任せるには最適の人物だ。沖田は躊躇《ちゅうちょ》せずに彼の下へ駆け寄った。

「参事官！」

後山がのろのろと顔を上げる。自分より何歳か年下のこのキャリアは、ひどく頼りなく見えた。この寒さにもかかわらず額には汗が滲み、顔色が悪い。唇も白くなり、細かく震えていた。だいたい、一人でここにいるのが変なのではないか？　参事官が現場に出るとしたら、誰かおつきの者がいて当然のはずなのに。

「捜査一課追跡捜査係の沖田です」

「ああ」後山がぼんやりとうなずいた。

「大友が――」そこまで言って、沖田は声を失った。後山のコートの袖《そで》から手にかけてが、血で汚れているのだ。仰天して唾《つば》を呑《の》み、「怪我《けが》されたんですか？」と慌てて訊《たず》ねる。

「いや」

「しかし、血が――」

「これは、大友さんの血です」

「どういうことですか」沖田は目を細めた。事情がさっぱり分からない。後山は明らかに動転して我を失っていた。こういう時は、一発頬《ほお》を張ってやれば目が覚めるんだがと思いながら、「参事官！」と大声で叫ぶ。それで後山は、ようやく我に返った。

「……失礼」一つ咳払《せきばら》いをして、真《ま》っ直《す》ぐ沖田の目を見詰める。「大友さんとここで会っていたんです。別れた直後に銃声が聞こえて……」

「あいつは大丈夫なんですか」

「後ろから胸を撃たれました」

　沖田は、喉《のど》に大きな固まりを詰めこまれたような息苦しさを感じた。ここは都会の真ん中、まさに東京の中心と言ってもいい場所で、近くに病院はいくらでもある。何とか助かる——そう信じたかった。

「どうなんですか？　生きてるんですか？」

「私が助けた時には、呼吸はありました」

　それで沖田は胸を撫《な》で下ろしたが、まだ安心はできない。後山のコートに付着した血痕《けっこん》から判断すると、かなりの出血量なのは間違いない。処置が遅ければ、命に関《かか》わるような怪我だ。何でこんなことに……気持ちは急《せ》いたが、それでも刑事としての本能が勝る。相手がキャリアの上司だろうが関係ない。後山からできるだけ情報を引き出してやろう。

「犯人はどうしたんですか？」

「私が駆けつけた時には、もう姿を消していました」

「見ていないんですか」

「残念ながら」

　後山が首を振り、沖田は犯人についてこれ以上追及するのは無理だと判断した。一般人が相手なら、もっと徹底して揺さぶるのだが……素人は、一瞬の出来事をすぐには思い出せないからだ。特に、誰かが撃たれたような状況だと、目撃者自身が茫然《ぼうぜん》自失になってしまい、記憶を呼び起こすのに長い時間がかかることがある。しかし後山は、現場経験が少ないキャリアとはいえ、訓練を受けた警察官である。「見ていない」と言えば、その言葉を信用するしかない。

「犯人はどっちへ逃げたんですか」

「直接見てはいませんが、南の方でしょう。野外音楽堂か図書館の方……そうでなければ、私の視界に入るはずです」

「分かりました。そっちの捜索を強化します」

沖田は一時後山から離れ――視界の隅には入れたままにした――西川に電話を入れた。

「大友は、後山参事官と会っていて、別れた後に撃たれたらしい」

「ああ、後山さんが、今の大友の守護者なんだな」

守護者――その言葉の意味は、沖田にもすぐに分かった。本来裏方である刑事総務課の大友を捜査の現場に引き出すのは、正規の手順ではできない。その命令を下せるのは、かつての一課長で大友の上司だった福原《ふくはら》――以前は刑事部指導官、現在は第三方面本部長だ――と、その後釜《あとがま》に座った参事官の後山だけである。現場からすれば、刑事総務課の人間がいきなり捜査に入ってきて引っ掻《か》き回されているように感じるものだが、表立って文句が出ないのは、「権力者の命令」という事情が背景にあるせいだ。

沖田は、手短に状況を説明した。

「とにかく、何とか仕切る方法を考えてくれ。現場に人はたくさんいるんだけど、頭がいないんだ」

「分かった。離れた場所の方が客観的にできるからな。で、どうする？」

「公園の南側を重点的に警戒してくれ。公園を出たらすぐに千代田線の出入り口があるから、犯人はそこから逃げた可能性が高い」

「車もだな……周辺の道路で検問を始めてもらう」

「ああ」既に手遅れだが、と沖田は半ば諦《あきら》めかけた。日比谷公園は都会の真ん中にあって、当然交通の便もいい。一番近い千代田線に乗ってしまえば、その後はどこにでも逃げられる。車ならば尚更《なおさら》だ。「とにかく頼む。それと、誰が捜査の指揮を執ることになるか、決まったのか？」

「河本《かわもと》管理官」

殺人や強盗などを扱う強行班ではなく、誘拐事件などを担当する特殊班の管理官だ。事態の特異性に鑑《かんが》み……ということだろう。沖田としては、特に相性の問題はない男だ。ニュートラル。この捜査に組みこまれることがあれば、素直に命令に従える。

「突っ走るなよ。うちとしては、まだどうするか決まってないからな」

西川が釘《くぎ》を刺す。それはそうだ。追跡捜査係は、基本的に「生の事件」は扱わない。発生から時間が経ち、捜査が滞っている事件のてこ入れをするのが仕事なのだ。だが今回は、事が事である。現職の警察官が、白昼の日比谷公園で撃たれる――捜査の人手はいくらあっても足りないだろう。

「鳩山《はとやま》係長を脅して、うちも手伝うようにしろよ」

「そうだな……」

西川の反応は鈍い。沖田は舌打ちしてからまくしたてた。

「おい、これは普通の事件じゃないんだぞ。俺たちの仲間が撃たれたんだ」

警官殺しの捜査に刑事たちが躍起になるのは、内輪意識の発露というだけではない。治安に対する直接の挑戦だからだ。携帯電話をきつく握り締めたまま、沖田は溜息《ためいき》をつき、体の力を少しだけ抜いた。警官「殺し」？　違う。大友は死んでいない。死ぬようなことはないはずだ、と自分に言い聞かせた。

「それで、テツはどこに運びこまれた？」

「神谷町《かみやちょう》病院だ」

「よし、俺は一度、病院へ向かう」近い。救急車なら、ここから五分とかからないだろう。手当は早ければ早いほどいい。「テツの様子を見てから、どうするか決めるから」

「どうするって……お前一人で決められるわけじゃないぞ」

「いいから！」沖田は怒りを爆発させた。「この件では、誰の指図も受けないからな！」

公園を飛び出し、すぐにタクシーを拾った。神谷町なら、桜田通りをひたすら南下していけばいい……焦る気持ちを封じこめようと、沖田はきつく腕組みをした。

病院内も、制服私服を問わず、警官でごった返していた。考えることは誰でも同じか……大友が緊急手術を受けていることだけは分かったが、容態がはっきりしない。誰かが「出血多量」と言ったので思わず詰め寄ったが、その男も詳しい事情は知らないようだった。「適当なことを言うな！」と怒鳴りつけ、またも壁に拳を叩きこんでから廊下のベンチに腰を下ろす。頭から湯気が立ち上っているのではないかと思った。

手術室の方から、一人の男がやって来た。大友と同期で捜査一課にいる柴克志《しばかつし》。顔は蒼《あお》醒《ざ》め、目つきは暗い。その表情を見た瞬間、沖田は決して安心できない状況だと悟った。

「柴！」

呼びかけると、柴が迷惑そうに目を細める。だが、声の主が沖田だと分かると、頭を下げた。沖田は彼の下に駆け寄り、説明を求めた。他の警察官たちも、自然に彼の周りに集まって来る。

「どうなんだ？　手術は？」

「銃弾が左胸に留まっています。出血もひどい」

「クソ、助かるんだろうな！」

柴を脅しても何にもならないと思いながら、沖田は彼の両肩を摑んで揺さぶった。柴は目を逸《そ》らし、返事をしない。

「どうなんだよ！　助かるって言えよ」

「いい加減なことは言いたくないんで」柴がぼそりと言った。

「冗談じゃない。医者はちゃんとやってるんだろうな」

「向こうはプロですよ」柴が体を揺すって、沖田の縛《いまし》めから逃れた。「信じましょう」

「そんな呑気なこと言ってて大丈夫なのかよ……おい、テツの血液型は？」

「Bです」

「よし」沖田は気合いを入れて拳を固めた。沖田もB型である。周囲を見回し、「B型の奴は手を挙げろ！」と叫んだ。ばらばらと手が挙がったのを見て、「すぐに輸血だ。死ぬギリギリまで血を抜くからな！」と続けた。

「沖田、落ち着け！」

ドスの利いた低い声に、沖田は凍りついた。この声は……振り向くと、元捜査一課長にして現第三方面本部長、福原の姿があった。さすがに沖田も、直立不動の姿勢になってしまう。かつては沖田にとっても直属の上司だったのだ。福原がゆっくり近づいて来て手を振り上げ、沖田の頭を真上から平手で叩く。ぴしりと鋭い音がして、沖田は我を取り戻した。

「病院ででかい声を上げるんじゃない。他の患者さんや職員の人に迷惑だぞ」

「……オス」

「座れ」

福原に指示され、先ほどまで座っていたベンチに腰を下ろした。福原は座らず、沖田の前に立った。真上から押さえつけられた感じになり、動けなくなってしまう。

「お前たち――お前が慌てても何にもならん。こういう時こそ落ち着け」

「……分かりました」

「今、ご家族がこっちに向かっている。お前らが病院で取り乱していたら、心配するだけだぞ。とにかく落ち着いて対応しろ。輸血のための血液が必要なら、病院の方から言ってくるはずだから、余計なことはするな」

福原が背筋を伸ばし、近くにいる仲間たちの顔をぐるりと見渡した。第三方面本部長というと、警視庁でノンキャリア組がたどり着く最高位と言っていいが、今の彼が放っているのは、地位によるオーラではない。捜査一課長時代の迫力が蘇《よみがえ》ってきたようだった。

沖田はふっと息を零《こぼ》した。確かに福原の言う通りで……今自分たちが焦ったり怒ったりしても何にもならない。病院の処置を信じて待つだけだ。そして大友が無事に生還すれば、怒りをぶつける相手を見つける――犯人を探す。いつもやっていることではないか。もちろん今回は、特別な気持ちで取り組むことになるだろうが。

気持ちを鎮めようと床を見る。ふいに、福原がサンダルを履いていることに気づいた。これは……一人で第三方面本部の執務室にいる時はサンダル履きなのだろう。靴に履き替える暇もなく飛び出して来たということか。落ち着きを失っているのは福原も同じだ。だいたい、第三方面本部はここからかなり離れた目黒と世田谷の境にある。にもかかわらず、これだけ早く到着したことこそが、彼の焦りの現れだ。

よし、俺は俺で、やるべきことをやるだけだ。沖田は気合いを入れて立ち上がった。立ち上がってもやることがないのは分かっていたが、座ったままだと気持ちが空回りするだけである。

福原に靴のことを言うべきか、迷う。まあ、本人も当然気づいているだろうが……そのうち、靴を持った部下が慌てて駆けつけてくるはずだ。

ふと不安になる。百戦錬磨の福原ですら、慌てふためく状況。おそらく捜査一課――刑事部全体が泡を食って浮ついているはずだ。こういう時、往々にして捜査は上滑りし、肝心なことを見逃してしまう。誰か、事件と距離を取って冷静なままでいる人間が必要なのだが……。

西川。

いる。

手術は長引いた。福原が得意の外交力を発揮し――いつの間にか部下が持って来た靴に履き替えていた――逐一状況を確認したが、やはり詳しい状況は分からない。病院に来てから一時間、沖田は煙草《タバコ》を吸うのも忘れ、立ったり座ったりを繰り返していた。しまいには腕組みをしたまま、廊下を行ったり来たりし始める。自分の足音を聞き、床と睨み合いをし、時が過ぎるのをただじりじりと待った。

事態が変化したのは、大友の家族が病院に駆けつけた時だった。ランドセルを背負ったままの小学生の男の子と、着物姿の初老の女性。息子と義母だろう、と見当をつける。声をかけなくてはと思ったが、足が止まってしまい、言葉も出てこない。他の連中も同じようだったが、一人福原だけが急いで二人に駆け寄ると、ひざまずくようにして、息子と視線を合わせた。息子は蒼い顔で、今にも泣き出しそうだったが、必死に堪《こら》えて福原の声に耳を傾けている。沖田は胸が詰まる思いに苦しみながら、三人の様子から目を逸らすまいと努めた。

「終わった」

誰かがぽつりとつぶやく。刑事たちが一斉に手術室の方を見る。確かに「手術中」の赤いライトは消えていた。しばらくしてドアが開く。最初に出て来た看護師は、廊下を埋めつくさんばかりに集まっている刑事たちを見て一瞬その場で凍りついたが、すぐにうつむいて歩き出した。その後に、ストレッチャーが続く。沖田は、大友の顔を直接見たいという欲求と必死に戦った。ここで全員が殺到すれば、大騒ぎになって大友の容態に悪影響を与えかねない。

その場に立ち止まったまま、ストレッチャーが近づいて来るのをひたすら待った。我慢しきれず、息子が駆け寄って行く。福原がその後に続いた。

「パパ！」と叫ぶ声が、不気味に静まり返った廊下に冷たく響き渡る。

ストレッチャーがゆっくりと近づいて来た。息子はスキップするように伸び上がりながら、必死で大友の顔を覗《のぞ》きこんでいる。義母が息子の脇に回り、肩を抱いて庇《かば》うようにした。表情が厳しく引き締まり、決然とした心中を窺《うかが》わせる。福原がストレッチャーの反対側へ回り、三人で挟みこむ格好で進んで行く。全員声もなく、ストレッチャーの小さな車輪が回る音だけが、やけに大きく響いた。

自分の前を通り過ぎる時、沖田は大友の姿をしっかりと目に焼きつけた。酸素マスクをつけたまま、点滴の管が何本も体につながっている。顔色は蒼白《そうはく》で、唇にも色がない。しかし胸がちゃんと上下しているのを見て、少しだけ気持ちが落ち着いた。大丈夫。息をしている限り、お前は死にはしないよ。さっさとこっちへ戻って来い。お前を撃った犯人を捕まえる時には、現場にいてもらわないと困るんだぜ。お前の手で犯人に手錠をかけるんだ。それが最高の治療になるはず……。

誰もその場を離れなかった。情報を欲しがっている。手ぶらで帰るのは、刑事にとって狩りが不調に終わったに等しい。このまま戻れば、今夜の食事にも困ることになるのだ。

十分後、福原が戻って来た。表情は険しいが、顔にはいくらか赤みが射《さ》している。それを見て、状況は悪くないはずだ、と沖田は自分を納得させようとした。

廊下に集まっていた刑事たちが、自然に四人ずつ並んで整列する。福原はその前に立って向き合う格好になった。まるで強行班時代だ、と沖田は妙に懐かしく感じた。これから特捜本部で訓示を受けるような……福原が休めの姿勢を取ったので、全員がそれに倣う。

福原はすぐに、低くよく通る声で説明を始めた。

「取り敢《あ》えず、手術は無事に成功した」全員の頭にその言葉が染み渡るのを待ってから続ける。「銃弾は背中の左側から入って、胸に残っていた。摘出手術は成功。現在、バイタルは安定している。肺が少し損傷しているが、後遺症は残らないだろうという見立てだ。しばらく麻酔で眠らせておくそうだ」

刑事たちの頭が一斉にゆらりと動いた。安堵《あんど》の吐息が漏れ出る。しかし福原は、依然として険しい表情を崩さない。

「ここへ駆けつけてくれた諸君らの気持ちには感謝する。それを忘れないで欲しい。仲間が撃たれるのは、自分が撃たれるのと同じぐらい辛《つら》いことだ。だからやることは一つ……俺が言わなくても分かってるな？」

控え目だが、芯《しん》の通った「オス」の合唱。沖田は、腹の中に熱い塊が生まれたように感じた。

「諸君のことだから、俺は何も心配していない。ついでに言えば、俺は今、捜査の指揮を執る立場でもない……だが、この件に関しては、お前らがサボったりヘマしたら、ケツを蹴飛《けと》ばしてやる。しっかり覚悟してやれ！」

もう少し高い声での「オス」の合唱。それが合図になったように、刑事たちが散って行った。沖田は敢えて気持ちを押さえ、福原に近づいた。

「ご苦労だった」福原が表情を引き締めてうなずく。

「課長——本部長こそ、お疲れ様でした」

「お前は、ここに来てると思ったよ」福原の表情がわずかに緩む。ふっと疲れた溜息を漏らし、ベンチに腰を下ろす。沖田を見上げると「座らんか」と言ってきたが、沖田は首を横に振って断った。いくら何でも、第三方面本部長の横に座るのは恐れ多い。福原はそれ以上何も言わず、後頭部を壁につけた。ゆっくりと目を閉じたが、すぐに誰かに声をかけられたように見開く。

「本庁から来たのか」

「一度現場に行って来ました。参事官がいましたよ」

「ああ……テツは、あいつと会った直後に撃たれたらしいな」

「冗談じゃない」沖田は右の拳を左の掌《てのひら》に叩きつけた。「どこのどいつがやったのか知らないけど、必ず見つけて痛い目に遭わせてやりますよ」

「お前の係が手を出す案件じゃないぞ」

「何言ってるんですか。さっき気合いを入れたばかりでしょう？　あれは、俺にもしっかり捜査しろってことですよね」

福原が口を閉ざし、沖田の顔を見詰める。ふっと笑みを漏らし、「俺には止める権利はないよ」と言った。それが、自分が動く裏づけになるわけではないのだが、沖田はある種の許可を得た、と自分を納得させた。この件に関しては早い者勝ちだ。一番早く犯人を割り出した人間が一番偉い。競い合う気持ちが強ければ強いほど、早く犯人へ辿りつけるだろう。これからできる捜査本部には組み入れられないよう、気をつけないと……密《ひそ》かに一人で動き回り、普段自分たちを「尻拭《しりぬぐ》い係」と馬鹿にしている一課の他の係の連中にほえ面かかせてやりたい。

もちろん、大友の敵を討つのが一番大事だが。

「変な欲を出すなよ」沖田の下心に気づいたのか、福原が釘を刺す。

「とんでもない」

「お前の考えてることぐらい、お見通しだ。この一件ではチームワークが大事だぞ。独りよがりの捜査では、絶対に上手くいかない」

「了解です」言っておきながら、沖田は心の中で舌を出した。譲れないこともある。

「この事件、どういうことだと思う？」福原が訊ねる。

「分かりません。強盗ではないと思いますけどね……真昼間から、日比谷公園で拳銃強盗をやろうとする人間はいないでしょう」

「となると、怨恨《えんこん》の線か」

「あいつを恨んでいる人間なんか、いるんですか？」福原の言葉に対して、素直にはうなずけなかった。人当たりのいい大友のことだ、逮捕した人間からも恨みを買うとは思えない。取り調べの過程を通じて相手の気持ちを解きほぐし、「仏」にしてしまうのだから。

「まずいないだろうが、人間、どこで恨みを買っているか分からない。あいつが担当した事件の洗い直しも必要だぞ。そういうのは、追跡捜査係が得意とするところだろうが」

「そうですね……私生活ではどうなんでしょうか」

「あいつには、私生活はないも同然だ。息子のことを除いては」

「奴ほどのイケメンなら、女絡みのトラブルがあっても不思議じゃない感じですがねえ」

「それは邪推だ」厳しい口調で福原が否定する。「あいつは普段から子育てに追われてるんだぞ？　女関係でトラブルが起きる暇もない」

「そうですか……」沖田は唇を噛んだ。あらゆる事件で、男女関係は常に大きな原因になるのだが。

「しかし現段階では、あらゆる可能性を否定するな」

「そうですね……家族はどうなんですか？」

「見ての通りだ。息子もしっかりしてるし、奥さんの母親も気丈な人だ。家族に関しては心配ないだろう」

「奴の実家、どこでしたっけ？」

「長野だ。もう連絡は行っているはずだから、いずれ家族がこっちに来ると思う」

「じゃあ、家族の方は心配ないですね」

「ああ。だからお前の役目は――」

「チームワークを乱さないで、さっさと犯人を捕まえること」福原の言葉を遮って言い、沖田はにやりと笑った。大友が危機的状態を脱したせいか、猟犬の本能が呼び起こされている。

「分かってるならさっさと行け」

福原がうなずきかけたのをスタートの合図と判断し、沖田は膝《ひざ》にくっつきそうな勢いで頭を下げた。

　その場を離れたが、何の情報もない状態で動き出すのは危険だ、と判断する。まずは一度本庁へ戻って、捜査の状況を把握しよう。実際、強行班から正式に応援依頼があったら、それに乗って動かなければならない。何も知らないでは済まされないのだ。

　患者でごった返す待合室に出て、落ち着け、と自分に言い聞かせる。今の自分はアクセルをベタ踏みにしたアメ車のようなものだ。目の前に急カーブが現れたら、間違いなくスリップする。自販機を見つけ、熱い缶コーヒーを買った。本当は泥のように濃いブラックコーヒーが欲しいところだが、ここでは望めない。一口飲んで周囲を見回した時、大友の義母が自販機の方に近づいて来るのに気づく。特に動揺した様子はなく、自販機でミネラルウォーターを二本買った。ボトルを取り上げ、顔を上げた瞬間に沖田と目が合う。沖田は反射的に頭を深く下げ、「捜査一課の沖田です」と名乗った。

「お世話になります」事件のショックをまったく感じさせない落ち着いた声だった。「義母の矢島聖子《やじませいこ》です。この度はご面倒をおかけしまして」

「とんでもない」缶コーヒーを持っているのがひどく間抜けに思えた。「取り敢えず無事でよかったです」

「お陰様で」

「息子さんは――ええと、テツの息子さんは大丈夫ですか」必死に泣くのを堪えていた姿を思い出すと、胸が締めつけられるようだった。

「大丈夫です。何かあるかもしれないということは、普段から言い聞かせていますから」

沖田は思わず眉《まゆ》を上げた。それは教育として正しいのか？　確かに刑事の仕事は危険に直面することもあるが、沖田の感覚ではもっと危険な職業はいくらでもある。警察官の「殉職」は案外少ないものだ。

「それで、あんなにしっかりしていたんですね」そんな教育は間違っている、とは言えずに沖田は話を合わせた。

「本当に、ご心配をおかけして」聖子が頭を下げた。

「いえ……あの、必ず犯人は捕まえます。絶対に逃がしません」

「ありがとうございます。ご無理はなさらないように」

「無理します。あいつのためなら、無理できます」

聖子が、沖田の顔をまじまじと見た。何を馬鹿なことを——とでも言いたげだったが、さすがにそんなことは口にしない。

「大事なことなんです」沖田はついむきになって言った。「仲間がひどい目に遭った時には、必ず落とし前をつけないといけないんです。それが警察ですから」

「そうですか」

最近何かトラブルは、と訊ねようとして、沖田は口をつぐんだ。いくら何でも、この状況で聴くのは間が悪過ぎる。だが、聖子の方で先に口を開いた。

「一つだけ、気になることがあるんですが」

「何ですか」沖田は思わず一歩詰め寄った。

「最近……先月ですけど、誰かに跡をつけられたことがあったようなんです。その時に、同僚の女性刑事の方が怪我をされて」

「ああ……はい。その件は聞いています」負傷したのは、大友の同期の高畑敦美《たかはたあつみ》だ。犯人は未《いま》だに分かっていないはずだが……その件が、今回の事件に関連しているのだろうか。

「気になるのは、それぐらいでしょうか」

「失礼ですけど、私生活では本当に問題はなかったですか？」向こうが先に話したのだから構わないだろうと考え、沖田は訊ねた。

「思い当たる節はないですね」

「そのストーカーも、プライベートな問題絡みじゃないんでしょうか……女性の関係とか」

「残念ながら、それは私には分かりません」聖子が首を振った。「ずっとお見合いを勧めているんですよ？　でも、いつも断って……子どものことを考えているからだと思いますが」

沖田は黙ってうなずいた。自分が、逆の意味で同じような問題を抱えているが故に。沖田は、離婚して一人で子育てをしている女性とつき合っている。結婚願望はそれなりにあるのだが、息子のことを考えると、結婚した方がいいのかどうか、判断できなくなってしまう。ここしばらく、二人ともその問題の周囲をぐるぐる回っている感じだ。

「特に女性関係はないんですね?」沖田は念押しした。

「どうでしょう。私も、彼の全《すべ》てを知っているわけじゃないですからね」聖子が首を横に振った。「一緒に住んでもいませんから」

「それなら当然ですよね」沖田は同意してうなずいた。「申し訳ないですけど、これからもこういう質問を何回もされると思います」

「分かっています。でもあの人は、私生活がないも同然だから困るんですよ。私は何も、強引にお見合いしろと言っているわけではなくて、誰かつき合っている女性がいるならそれでいいと思っています。でも、本人にはそんな気がないようで」

「息子さんのことを考えているんでしょう」

「それもそうですけど、娘のことを今でも思っていてくれるようですから」

沖田は顎《あご》を胸に食いこませるようにうなずいた。亡くなった人の影をいつまでも背負い続けても何も生まれないのだが、過去に縛りつけられる人間がいるのは沖田にも理解できる。

「とにかく、何とかします……他にも何か思い出したら連絡してもらえますか」

沖田は名刺を一枚取り出し、聖子に渡した。聖子がペットボトルを床に置いてから、両手で受け取る。こういう馬鹿丁寧な人もまだいるんだ——と沖田は感心した。

最後は無言で会釈を交わし合う。何を言われたわけでもないが、沖田は強烈なプレッシャーを感じ始めていた。この女性は、芯に非常に強い物を持っている。それを軽く見てはいけない。

「特捜にならない？」本部へ戻った途端に聞かされて、沖田は声を張り上げた。西川がうんざりした表情で肩をすくめる。沖田がこうやってむきになるのはいつものことで、慣れているはずなのだが。西川はボールペンを右手に取り、左の拳にこつこつと叩きつけた。沖田は座るのも忘れていた。

「特捜の要件を満たさないからな」

「おいおい、刑事が撃たれたんだぞ？　ただの発砲事件とは訳が違うだろうが」

「それは分かってる」

「だったらどうして――」

「大友は死んでない。そういうことだ」

「何だよ、その官僚主義的判断は」

文句を言いながら、西川の冷静な態度にも一理ある、と沖田は思った。特捜本部は通常、殺人事件で、発生時に犯人が割れていない時に設置される。殺人未遂で特捜本部が立ったという話は沖田も聞いたことがなかったが、この件は絶対に特捜にしなくては……かけられる予算も人員も、通常の捜査とは桁《けた》違いなのだ。当然捜査員の気合いも違う。

沖田は音を立てて椅子に腰を下ろした。ワイシャツの胸ポケットから煙草を取り出し、デスクに放《ほう》り投げる。吸えないのは分かっていたが、目につくところにあると何となく安心できる。

「で、うちは?」沖田は西川を睨みつけながら言った。

「特に声はかかっていない」

「それでいいんですか、係長」

沖田は、鳩山に視線を向けた。鳩山は巨体を震わせるようにして首を横に振り、「呼ばれていないからな」と短く言った。

「ここは、積極的に出て行くべきでしょう」

「こういう件では、命令がなければ動けない」

鳩山の徹底した官僚主義に、沖田は思わずかちんときた。これだけの事件なのだ、命令があろうがなかろうが、自分から手を挙げて捜査に首を突っこんでいくべきだ。

「もしかしたら、もう犯人の目星がついているとか?」

「それはない」西川が割りこんだ。「今のところは完全に白紙だ」

「だったら――」

「馬鹿か、お前は」

西川が冷たく言って眼鏡を直した。それでも気持ちは落ち着かないようで、眼鏡を外してハンカチで丁寧に――必要以上に丁寧に拭《ふ》き始める。こういう時は何か悪巧みをしているのだと、沖田は経験的に知っている。

「何が馬鹿だよ」

「呼ばれてなければ、誰かの命令に従うことはないだろう。こっちの裁量で捜査ができる」

「やる気なのか？」少し訝《いぶか》りながら沖田は訊ねた。西川は、同僚が撃たれたにしては、あまりにも落ち着いていた。

「当たり前だ」

「そうか」沖田は拳を固め、デスクを小突いた。「これがどういう事件か、分かってるよな」

「当然。仲間が撃たれて、指をくわえて捜査を見ているわけにはいかない。俺も、あいつとはいろいろ仕事をしたんだ」

「奴が一課にいた頃は被《かぶ》ってないだろうが」

「総務の研修で、いろいろ相談に乗ったんだ。今、あいつがどういうことで悩んでいるかは、お前よりもよく知ってるぞ」

「なるほど」沖田はうなずき、すぐに表情を引き締めた。西川なら、身近な相談相手として適当だろう。「だったら、もう少しやる気を見せろよ」

「一人ぐらい冷静な人間がいないと、絶対に失敗するぞ」

「まあ、とにかく……」鳩山が苦笑しながら割りこんだ。「この件については正式な協力依頼はない。うちとしてはフリーハンドだ」

「つまり、追跡捜査係として捜査するんですね？」沖田は念押しした。回りくどいことを言わなくても……。

「係としてはしない」鳩山があっさり否定した。

「それじゃ――」

声を張り上げかけたところで、向かいの席に座る西川が首を横に振って「焦るなよ」と言った。

「焦るさ」

「正式だろうが何だろうが、やることに変わりはないだろうが。どんな事件であっても、俺たちのやり方に変わりはない」

「こっそり隠れてやるつもりか」

西川がにやりと笑う。一瞬だけ。「大声を上げるだけが能じゃない」とぽつりと言った。

「しかし――」

「目立たないように、隠れてやればいいんだよ。何か材料が出てきたら、一課の方に流してやる。それでいいじゃないか。いつものやり方だ。誰が犯人を逮捕するかは問題じゃない」

「いや、逮捕する人間は決まってる」沖田は両手をデスクについて身を乗り出した。

「お前、そんなに手柄が欲しいのか?」西川が目を細める。

「テツだ。テツ本人の手で、犯人に手錠をかけさせる」

「おいおい――」

「奴は生きてる。必ず回復する。それなら、奴本人の手でけじめをつけさせるのが大事じゃないか」

「何だよ、その昭和の刑事ドラマみたいな発想は」西川が大袈裟《おおげさ》に両手を広げた。

「昭和だろうが平成だろうが関係ないだろうが。とにかく、やるんだよな?」

「当然」西川がにやりと笑う。

沖田は椅子に背中を押しつけ、一瞬目を閉じた。まったく、こいつらは……ややこしいことをせずに、最初からこう言えばいいのに。しかしあれこれ話し合っている間に、沸騰していた頭が少しだけ沈静化してきたことに気づいた。結局、見透かされているということか。こんな風にマイナス方向に引っ張られれば、俺が冷静になると読まれている。

「で、大友はどんな具合なんだ」

西川の問いかけに、沖田は病院での様子を淡々と説明した。

「全治不明、か」西川が手帳に何か書きつける。

「いや、大したことはないと思う」

「手術に三時間というのは、相当な大怪我じゃないか」西川が反論した。

「日本の医者は、銃創の手当に慣れてないだけだ。手術は成功してるんだから、何の問題もない」

「それでも、しばらくは要注意だな」手帳に視線を落としたまま、西川が言った。「銃創は普通の怪我じゃない。回復には時間もかかる」

「分かってるよ。それで、お前の方はどうなんだ？　ただそこに座って居眠りしてたんじゃないだろうな」

西川は沖田の皮肉に反応しなかった。どうやら彼も仕事モードに入ったようである。手帳を閉じると、顔を上げて真っ直ぐ沖田の目を見据えた。

「捜査は、管理官の峰岸《みねぎし》さんが担当することになった」

「峰岸さん？　河本さんじゃないのか」峰岸は、特殊班ではなく強行班の管理官だ。

「河本さんは、取り敢えず現場の指揮を執っただけで、本格的な捜査は峰岸さんが引き継いだ」

「あの人で大丈夫なのか？」沖田は、捜査一課の管理官の中で一番巨漢の峰岸の顔を思い浮かべた。身長は優に百八十五センチを超え、体重も百キロ以上と噂《うわさ》されている。豪快な風貌《ふうぼう》そのままに、荒っぽい仕事ぶりで知られた男だ。まあ、何とかなるか……と自分を納得させる。状況は分からないことだらけだが、今のところ、それほど難しい事件とは思えない。銃を使った犯罪は日本ではそれほど多くなく、その分足がつきやすい。

「大丈夫だろう」

西川があっさり言ったが、言葉に芯がない。自分と同じ心配をしているのだ、と沖田にはすぐに分かった。

「で、捜査の状況は？」

「ゼロ」

「ああ？」沖田は声を張り上げた。「馬鹿じゃないか？　発生から四時間近く経ってるんだぜ。今まで何をやってたんだ」

「俺に文句を言うなよ」西川が顔をしかめた。「とにかく駅や道路の検問では、何も引っかかってこなかった」

それについては、沖田もほとんど期待していなかった。検問が始まったのは、大友が撃たれてから数十分後である。現場が混乱していたから仕方ないとも言えるが、この出遅れは致命的だ。検問を始めた頃には、犯人は既に東京を出てしまっていたかもしれない。

「銃の方は……これからだな」

「手術で取り出した銃弾を調べるには、時間がかかるだろうな。前歴《まえ》がある銃が使われたとは限らないし」

「となると、やっぱりテツの周辺捜査は必要だな」沖田は顎を撫でた。半日分の髭《ひげ》の感触をしっかりと感じる。

「周辺捜査ねえ……」西川が首を捻《ひね》る。「あいつ、何か問題はありそうなのか」

「ないとは断言できないと思う」沖田は、聖子との会話を思い出していた。「私も、彼の全てを知っているわけじゃないですからね」――それはそうだろう。ましてや家族でない自分たちは、大友のプライベートについて知らないことの方が多いはずだ。

「あいつのプライベートに首を突っこむことになるのかね」西川が低い声で言った。

嫌か……俺は嫌だな。被害者の私生活を調べるのは、捜査の基本である。しかしその対象が見知った人間だと、どうにもやりにくいものだ。特に大友は同僚であり、本当なら、プライバシーを大事にしてやりたい。嫌な部分を知ってしまっても、これまで同様気楽な関係を保っていけるかどうかは分からなかった。貴重な友人を一人失うかもしれない、という想像は恐怖だった。大友にしても、事件の解決は望んでいるだろうが、私生活を引っ掻き回されるのを好むとは思えない。

「嫌がるなよ」沖田の気持ちを読んだように、西川が忠告した。

「お前だって嫌がってるだろうが」

「そりゃそうだ」西川が肩をすくめた。「もちろん、私生活の問題とは限らない。仕事関係のトラブルかもしれないぞ」

「ああ」そちらの方がまだ可能性が高い――むしろそうであって欲しいと沖田は願った。「まず、奴が手がけてきた仕事を洗い出そうぜ。誰かの恨みを買っていないかどうか……しかし、仮に恨んでいる奴がいたとしても、撃つのは大袈裟じゃないか」

「確かに」西川がうなずく。

司法関係者は人の恨みを買いがちだ。犯人やその家族、時には被害者の家族から憎まれることさえある。逮捕した刑事、起訴した検事、判決を下した裁判官――しかし、実際に物理的な復讐《ふくしゅう》を受けた人間はほとんどいないはずだ。少なくとも沖田の記憶にはない。ましてや大友は、あの人柄である。誰かに恨まれているとは考えられない。

沖田は煙草を胸ポケットにしまった。一服して考えをまとめたい。煙草も吸えないこの部屋にいると、どうしても思考が散漫になりがちだ。それと、一課との距離が気になる。追跡捜査係の部屋は一課の大部屋の片隅にあり、背の低い衝立《ついたて》で仕切られているだけである。ここそ仕事をするには向いていないのだ。捜査が停滞している事件の手伝いをする時は、所轄の特捜本部に詰めることが多いから、一課の連中の目を気にすることはないのだが……やはり自分たちは嫌われているのだと意識する。「目の上のたん瘤《こぶ》」と言うべきか。それはそうだろう、と沖田は以前から納得していた。自分たちの仕事には意味があると、自負はしている。冷めた事件を温め直し、どこかに隠れていた犯人を引っ張り出すのは大事な仕事だ。ただし、こちらに引っ掻き回された特捜本部の連中はたまったものではないだろう。事件が解決することは、自分たちのミスや手抜きを指摘されるのとイコールなのだから。

「で、どうする」自分で判断するのを放棄し、沖田は西川に訊ねた。まあ……こいつを司令塔にしておく方が、楽ではある。考える仕事は任せよう。

「仕事関係の洗い出しを先にやろう」西川も結局沖田に同意した。

「プライベートな問題は無視するか？　嫌なのかよ」

「そうじゃない。それを調べるのは相当大変だからだ」西川がうなずく。「仕事の関係だったら、ここで座っていてもある程度は分かる。その中で、問題がありそうな事件を先に洗い出しておけばいいんじゃないかな」

「一応、プライベートな問題も頭に入れておこうぜ。だいたい、ちょっと話を聴くぐらいなら、本庁の中にいてもできるよ。同期とか、仲のいい奴がいるだろう」沖田は、柴の顔を思い浮かべていた。あの男は、大友とよくつるんでいるはずだ。だが、おそらく自ら志願して事件の本筋捜査に参加するだろう。無理に時間を割いてもらうことはできない。

「そうだな。それぐらいはやっておこうか……だいたい、家のことまで考えたら相当大変だ」

「何で」

「分からない？」西川が舌打ちした。「俺らには、私生活なんかほとんどないよな。だけど大友の場合は、子どもの関係がある。学校、父兄とのつき合い——俺らがほとんど知らないそういう世界にも、首を突っこんでいるはずだ」

「ああ、そりゃそうだ」普通の夫なら妻に任せ切りにしておくことも、大友は自分でこなしているはずだ。そちらは当面、目を瞑《つぶ》ろう。瞑るしかない。だいたい、平穏な日々を送っている住宅街の主婦が、いきなり銃を手に入れて大友を襲うようなケースは考えられない。

いや、もしも複雑な不倫関係でも絡めば……沖田はその考えを無理矢理頭から押し出した。大友に限って、そういうことはないような気がする。

亡き妻の幻影に縛られているとしても……大友は基本的に生真面目《きまじめ》な人間だ。危険な恋愛に手を出すとは思えない。

第二章

西川はパソコンの画面を睨《にら》んだ。電話一本で集めたネタが、目の前でしっかりした形を取ろうとしている。

大友がこれまで扱った事件の数々。

警視庁に勤める、あの年齢の警察官にしては少ないかもしれないが、別に彼はサボっていたわけではない。何しろ数年前からは捜査の一線を外れ、刑事総務課にいるのだから。子育てのためなのだが、そのために「現役感」は一気に薄らいでいる。数年間で数件……福原たちに呼ばれて特別に参加した捜査は、年間一件強のペースだ。問題はむしろそれ以前のことかもしれない、と西川は思った。捜査一課、あるいは所轄の刑事課にいた時代に扱った事件の可能性もある。

できるだけ期間を広く取った。最終的には些細《ささい》な、どうでもいいような事件と判断するかもしれないが、現段階ではあらゆる可能性を否定したくない。

何よりも気になったのが、先月大友が手がけていた事件である。非常に複雑な事件だったが……「新エネルギー研究開発」というベンチャー企業が開発したメタンハイドレートの採掘技術を巡って中国とロシアが争い、結果的に二人の犠牲者が出た上に、多くの人間が逮捕された。この捜査に絡んでいった大友は、中心的な役割を果たした。国際的な事件でスケールが大きく、まだ掘り出されていない事情があるのでは……と思った。

逮捕された十六人はそれぞれが既に起訴、あるいは再逮捕されているが、まだ捜査は終わっていない。大友はもう手を引いていたようだが、この事件の関係で狙《ねら》われたのではないだろうか。しかし捜査一課の担当者に話を聴いてみると、「関係者は全《すべ》て逮捕した」。大友に恨みを持っている人間はいても、全員が身柄を拘束されたままで、襲う機会などないのは明白である。ひとまずこの件は棚上げにしていい、と判断した。

外回りをしていた若手の三井《みつい》さやかと庄田基樹《しょうだもとき》が戻って来たので、二人と沖田を誘い、密《ひそ》かに押さえておいた会議室に向かう。鳩山は自席で留守番。全員が出払ってしまうと、隠れて何かこそこそとやっているのでは、と疑われる。鳩山は物理的にも大きなアリバイだ。

小さな会議室に入るとほっとした。西川は、他の三人が座る前に、早くもプリントを配った。大友が担当した事件をリストアップし、発生時間順に並べてある。一番上が、直近の事件――例の産業スパイ事件だが、西川は真っ先に、「この件に絡んだ事件の可能性は低い」と宣言した。誰からも反対の声は上がらなかった。

「そりゃそうだ。関係者全員、留置場の中だからな」腰を下ろしながら沖田が言って、「ただし一つ、気になる件がある」とつけ加えた。

「何だ」

「テツをつけていた奴がいる、っていう話なんだけどな」

「それこそ、何かの事件の関係だと思えないか？」

「まあな……一々全部洗い直すよりも、その線を追った方が早いんじゃないか？」沖田が肩をすくめる。

こいつは相変わらず気が早い……というか短絡的な男だ。一見まったく関係なさそうに見える事実Aと事実Bを強引に結びつけてしまう。それが当たって思わぬ結論が飛び出してくることも多いのだが、とんだ勘違いで終わる場合も少なくない。

一方西川は、沖田のような「勘」に頼ることはない。むしろ「勘」は排除すべき要素だと思っている。偶然では、事件は確実には解決できないのだ。だが今、その件で言い争う気にはなれない。

「分かってる。その線を追いながら、事件の洗い直しをすればいいじゃないか。人手が足りないわけじゃないんだから」

「分かった」分かったと言いながら、沖田はどこか不満そうだった。自分の言い分が百パーセント認められないとこうなる。子どもかよ、と西川は毎回皮肉に思うのだった。

「ちょっといいですか」さやかが発言を求めて手を挙げる。

「ああ」沖田がうなずく。

「つけられていたって、大友さん、ストーカー被害にでも遭ってたんですか？　いかにもありそうですよね」さやかはどこか嬉《うれ》しそうだった。

「何だよ、それ」

「大友さん、イケメンだから。女性から一方的に追いかけ回されることもあるでしょう」

「ああ、もうあいつのイケメン話はいいから。聞き飽きてるんだよ」沖田が面倒臭そうに手を振った。「それに、大友を尾行していたのは男だ」

二人のやり取りを聞きながら、西川はプリントに視線を落とした。これを全部洗い直すとなると、結構な手間である。所轄時代に捕まえたこそ泥までリストに入れるべきだっただろうか、と悩んだ。

「まず、大きく三つに分ければいいんじゃないか」沖田が指摘した。「所轄時代と一課時代、それに刑事総務課に移ってから、特命で動いた事件だ」

「そうだな」西川は同意した。「それぞれの事件で、まず犯人が今どうなってるか、調べよう。手分けして……庄田、お前は所轄時代を調べろ。三井は一課時代だ。俺は最近の——総務課に来てからあいつが手がけた事件を見てみる」

「俺は？」沖田が自分の鼻を指差した。

「お前は、大友をつけ回していた人間のことを調べろよ」

「何で俺が？」

「言い出しっぺだろう」西川は指摘した。

「その件、高畑敦美がよく知ってるんだよな……」沖田の顔が歪《ゆが》んだ。「何しろ、あいつが襲われたんだから」

「もしかしたら、高畑が苦手なのか？」西川は笑いを堪《こら》えきれなくなって、声を漏らした。

「何だよ」むっとした口調で沖田が文句を言った。「俺にだって苦手なタイプはいる」

「分かった。そっちは俺が引き受けるよ。でも、高畑も本筋の捜査の方で忙しくなってるかもしれない」

「そこを何とか」

　無言でうなずき、西川はプリントに視線を落とした。敦美を摑《つか》まえるなら、もっと遅い時間の方がいいだろう。今は、初動捜査でばたばたしているかもしれないし、敦美は宵っ張りで有名なのだ。宵っ張りというか、朝まで平然と酒を吞《の》んでいることで。

気になる事件はいくつかある。ひどい結末を迎えた事件には、特に気を配らなくてはならない。事件は常に丸く綺麗《きれい》に収まるわけではなく、関係者全員に禍根《かこん》を残してしまうこともあるのだ。

「高畑には後で接触するから、それまでこのリストを精査しよう」

「了解」沖田が間延びした口調で言って、プリントを手にした。椅子《いす》を少し後ろに引き、両足をテーブルに乗せる。とんでもなくだらしない仕草だが、放《ほう》っておいた。追跡捜査係の人間ならこういうのには慣れているし、沖田が集中している証拠でもある。

　六歳の男児が誘拐された事件……この事件も終着点は最悪で、後味が悪かった。関係者は全員実刑を受け、服役中。ということは除外していいだろう。アメリカだと、犯罪組織のトップが刑務所の中から指令を出して悪さをすることもあるそうだが、日本ではまず考えられない。もちろん、刑務官が絶対に買収されないわけではないし、実際に不祥事もあるのだが。

放火殺人で、犯人と目された男が事情聴取を受けている最中に自殺し、女性弁護士が突然「自分が犯人だ」と名乗り出てきた事件。これも突拍子もない一件だったが、綺麗に解決はしている。ただし問題の女性弁護士は要注意だな、と頭の中でマークをつけた。刑事責任を問われたわけではないが、今はどうしているのだろう。

大友が学生時代に属していた劇団を舞台に起きた事件はどうだろう。出来の悪いミステリのような物だった、と西川は聞いている——実際、ミステリのような筋書きと結末だった。この事件も解決し、犯人は既に刑務所の中である。劇団関係者への事情聴取は必要だろうか……保留、と西川は結論づけた。非常に特殊な、劇団という閉ざされた世界が舞台になった事件であり、大友だからこそ解決できたとも言えるのだが、彼が恨まれるようなことはなかったはずだ。あくまで探偵としての役割を果たしただけで、個人的に恨まれはしなかっただろう。

老ひったくり犯の逮捕劇が、思わぬ巨大な犯罪につながった事件もある。しかし基本的には大企業を舞台にした、いわゆるホワイトカラー犯罪だったから、血なまぐさい復讐《ふくしゅう》劇は考えられない。もちろん、暴力を振るった人間はいたのだが、そいつらが大友に恨みを抱くとは思えなかった。

となるとやはり、大友をつけ回していた男——その存在が、西川の中で一気にクローズアップされてきた。これらの事件と関係があるかどうかは分からないが、この男を捜すのが、犯人逮捕への近道ではないか。

「どうだ？」

沖田に声をかけられ、西川ははっと我に返った。いつの間にか三十分が過ぎている。沖田が左腕を突き出し、手首の幅ほどもありそうな機械式時計をわざとらしく覗《のぞ》きこんだ。

「黙ってリストを見てるだけじゃ、何も始まらないぜ」

「それぞれ、怪しいと思った事件を挙げてみてくれないか」西川は三人に声をかけた。

「俺は、やっぱり今回の件が捨て切れないな」沖田がまっさきに声を挙げた。「一応、綺麗に片づいているけど、やっぱり怪しい。つけられていた件も、これに関係あるんじゃないか」

「この件に今すぐ首を突っこむのは難しいぞ」西川は指摘した。「特捜は間もなく解散するけど、まだ熱過ぎる」

「分かってるよ。だから取り敢《あ》えずお前の方で、尾行の件だけでも調べてくれよ。高畑に当たってさ」沖田がしつこく懇願を繰り返した。

「お前、それじゃ三十分前とまったく話が変わってないじゃないか」

「精査しても、それぐらいしか引っかからないんだから、しょうがないじゃないか」沖田が唇を尖《とが》らせ、リストをテーブルに放り出した。「まあ……敢えてもう一つ言えば、弁護士の篠崎優《しのざきゆう》かな」

「ああ。彼女は浮いている感じがする。あの事件で、一人だけ刑事処分を受けていないし」例の放火殺人で出頭してきた弁護士だ。

「公務執行妨害でパクっておけばよかったんだ」沖田が乱暴に言い放つ。「弁護士だからって、何でもかんでも好き勝手にできるわけじゃない。思い知らせてやる必要がある」

「分かってるよ」西川は顔をしかめて手を振った。沖田は弁護士が嫌いなのだ。「今も弁護士をやってるかどうか……大きなトラブルに巻きこまれたんだから、辞めてるかもしれない」

「商売替えか？　このご時世に、弁護士を辞めて何になる」

「それが分からないから、調べてくれと言ってるんだ。頼むよ」

「ああ……ちょっと弱いと思うけど」不機嫌そうに言って、沖田が顎《あご》に拳《こぶし》を当てる。またリストの検討に没頭した。

「庄田はどうだ？」

「そうですね……所轄時代には、これといって危険な事件はなかったようですが」

「あんた、しっかり見てるの？」さやかがいきなり食ってかかる。この二人も同期だが、犬猿の仲なのだ——自分と沖田以上に。

「当たり前だ。見てるよ」むっとして、庄田が答える。

「まあまあ」西川は割って入った。「庄田、一応それぞれの事件の容疑者や関係者が今どうなっているか、調べておいてくれ。事情が分からない限り、無視はできない」

「分かりました」

「で、三井は？」

「やっぱり、これといったものはないんですよね」残念そうに言って肩をすくめる。

庄田が嬉しそうに表情を緩めたのを見て、西川は首を横に振って警告した。余計なことを言うな。ここは喧嘩《けんか》する場じゃない。

「だいたい、テツは仕事で敵を作るようなタイプじゃないんだよ」沖田がぽつりと言った。

「そうだな」これには西川も同調せざるを得ない。彼の人当たりのよさはよく知っている。どんなにシビアな取り調べになっても、最後には相手を微笑《ほほえ》ませてしまうタイプだ。希有《けう》な刑事と言ってもいい。

「となると、やっぱり私生活の問題も無視できないんだよなあ」沖田が顎を撫《な》でた。

「まあ、今の段階では、完全には否定しない方がいいだろうな」西川は緩く同調した。

「奴が絡んだ事件のことは調べるけど、状況を見て捜査の方針を早目に変えた方がいいな」

「ああ……」

「捜査本部は、どういう方針で動くんだろう」

「まず、銃弾の捜査だろうな」銃弾は大きな証拠になるから、詳細な検査は必須《ひっす》だ。「それと、向こうは人手があるから、周辺の聞き込みが中心になると思う。真っ昼間の日比谷公園だから、目撃者がいないわけがない」

「だったら、どうして今の段階で見つかってないんだ」

沖田の指摘で、その場の全員が黙りこんだ。彼の疑問には一理ある、と西川も思った。実は当初、百人近い刑事が現場に駆けつけていた。そういう連中は、ただその場でうろうろしていたわけではない。「撃たれた」という話を聞けば、刑事としての本能で聞き込みをしていたはずだ。そして何か成果があれば、とうに西川の耳にも入っていたはずである。わざわざ隠すようなことではないのだ。捜査一課全体が、ある種の躁《そう》状態に陥っているのだし……。

「とにかくそれぞれの担当分について、現在の状況を洗い出す作業を始めてくれ」西川は立ち上がった。「俺は高畑を当たってみる」

「頼む」珍しく、沖田が顔の前で両手を合わせた。

「お前、高畑のこと、そんなに苦手にしてたっけ?」捜査一課に女性刑事はまだまだ少ないということを差し引いても、敦美は目立つ存在ではあるのだが、別に悪い評判は聞かない――やたらと酒好きなことを除いては。

「高畑がというか、でかい女は苦手なんだ」

「そいつは偏見だろう」西川は思わず苦笑した。確かに、学生時代からスポーツで鍛えまくった敦美は、背が高い上にがっしりしているのだが……。

「偏見でも何でもさ……何も、苦手な人間と話さなくてもいいだろう」

「お子様だな、相変わらず」

「煩《うるさ》い」

沖田の怒声を浴びながら、西川は会議室を出た。さて、敦美とどうやって接触するか……まずは電話だな。彼女を摑まえるところから始めよう。

ようやく敦美に会えたのは、午後九時過ぎだった。峰岸が指揮を執るとはいっても、今回は事が事である。他の係の刑事が捜査に志願し、敦美も手を挙げていた。当然、この時間まで動き回っていたのだろう。

夜の捜査会議が終わって一段落してから、彼女からコールバックがあったのだが、声は暗かった。会うのは構わない、しかし庁舎内はやめてくれ、というのが彼女の要望だった。とことん嫌われたものだな、と苦笑する。追跡捜査係の人間と会っているのを見つかるとまずい、というわけか。

会えるなら場所はどこでもいいと言うと、敦美は「まだ食事をしていない」と切り出した。飯ぐらい奢《おご》れということか……西川は既に軽く食べたのだが、つき合うことにした。情報を引き出せるなら、夕飯を二度食べるぐらいは何でもない。

しかし、警視庁の周辺には飲食店がほとんどないのが問題だ。日比谷ないし新橋に出るか、霞《かすみ》が関《せき》ビルの飲食店街を使うぐらいしかない――と思っていたら、敦美は霞が関ビルを指定してきた。一階にステーキハウスがあるから、そこで三十分後に、ということだった。嫌な予感を覚えながら、西川は荷物をまとめた。都心部のステーキハウスには、とんでもない料金を取る店もある。カードのお世話になるしかないか。

西川は、パソコンの画面を睨んでいる沖田に店の名前を告げた。

「知ってるか？」

「知ってる。情報料としては法外だと思うぜ」沖田がにやりと笑った。

「というと？」嫌な予感はさらに膨らむ。

「一人最低一万円。ワインでも呑んだら大変なことになる。嫁さんに怒られるのは覚悟しておくんだな」

「まさか」

「公務員向きの店じゃないよ。それに、当然経費で落ちないからな。官官接待は認められないんだから」

「ちょっとカンパしてくれないか？　うちは何かと金がかかる——」

「それぐらい、自分で何とかしろよ」沖田は素っ気なかった。しかし、次の瞬間にはにやりと表情を崩す。「奥さんにどう言い訳したか、明日の朝聞かせてくれ」

「馬鹿言うな」

コートを摑んで、西川は部屋を出た。何だか気が重い。一日の締めくくりに散財するような習慣はないのだ。

敦美は先に店に来て、バーカウンターについていた。色合いからしてきつそうな酒——

生《き》のバーボンではないかと西川は睨んだ——を前に、カウンターに両腕を置いている。すっかり疲れ切り、顔色が悪かった。

「忙しいところ、悪いね」

西川が声をかけると、つまらなそうに「ああ」と言い、グラスを取り上げて一気に中身を干した。表情には変化がない。普段はこういうペースで、朝まで呑み続けるのだろう。

「ここ、十一時まででした」

「じゃあ、さっさと食べないと」

「席、取っておきましたよ」

「助かる」

広い店内は、九時半という時間にもかかわらず、ほぼ満員だった。庶民の金回りはよくならないと言いながら、こういうところで食事をする人がいかに多いか……日本は本格的に二分化しているのでは、と西川は思った。安いファストフードで食いつなぐ人たちと、こういう店で惜しげもなく金を使う人と。自分は明らかにその中間にいる人間だと思っているが、いわゆる「中間層」が減りつつあるのは事実だろう。

席についた途端、こういうのもアメリカっぽい雰囲気なのだろうか、と西川は訝《いぶか》った。茶色い腰板のある壁。四人がけにしてはゆったりしたテーブルには白いクロスがかかり、三角に折られたナプキンとグラスが二つ、置いてある。照明は薄暗く、落ち着いた雰囲気。大声で話す客は一人もおらず、ナイフが皿に触れる音が、かちかちとやけに大きく響く。

メニューを見た途端に、落ち着かない気分になった。沖田の奴、何が一人一万円だ……三百グラム強のフィレステーキ、七千七百円。二人から三人向けを謳《うた》うポーターハウスステーキは二万五千円だ。前菜を取ってワインを頼み、デザートで締めたら、一人二万円を超えてしまいそうだ。

「西川さん、どうしますか？」呑気《のんき》にメニューを眺めながら敦美が訊《たず》ねた。

「あー、実は飯は済ませているんだ」

「何だ、そうなんですか」顔を上げると、心底がっかりした表情を浮かべる。「リブアイステーキを取って、分けて食べようかと思ったんですけど。ここ、大きい肉の方が美味《おい》しいんですよ」

「俺の年だったら、食べ過ぎじゃないかな」西川は胃の辺りを擦《さす》った。「何も食べないのは申し訳ないから、前菜だけ貰《もら》って格好をつけるよ」

「じゃ、私は肉を食べます。ワイン、いいですか？」

「もちろん」果たしてワインの値段はどんなものか。西川は戦慄《せんりつ》さえ覚えたが、今更メニューを細かくチェックするのもみっともない。表情を硬くしないように意識した。

敦美が店員を呼んだ。この店には何度も来て馴染《なじ》みになっているようで、親しげな態度で料理を注文する。十一オンス——三百十グラムのフィレステーキ、つけ合わせにはグリルしたアスパラガス。ワインは、ハウスワインをグラスで頼んだ。少しだけほっとした西川は、自分用にシーザーサラダと、やはりグラスの赤ワインを注文する。一杯ぐらい呑んだところで、話がぐだぐだになることはあるまい。それにハウスワインなら、それほど高くないはずだ。

　サラダが先に運ばれてきた。瞬時に失敗したな、と判断する。店の雰囲気を見て、高いだけで量はほんのちょっぴりではないかと想像していたのだが、予想よりもずっとたっぷりとしていたのだ。シーザーサラダならではの濃いドレッシングは、胃にもたれるだろう。ワインをちびちび呑み、ロメインレタスを口に運ぶ――合わない。

　敦美のステーキが来た瞬間、西川は目を見開いた。「高い」つまり高さがある。巨大なステーキと言えば、皿一杯に広がっているようなものだろうと思っていたのだが、西川の想像をあっさり覆す一品だった。敦美がナイフを入れると、生々しく赤い断面が姿を現す。

「この店、よく来るのか？」

「大事な時だけですね」肉を口に運びながら敦美が言った。

「大事な時？」

「難しい捜査をしている時とか。少しだけ奢って、自分に気合いを入れるんですよ」

「君は呑む方専門かと思ってたけど」

「ちゃんと働くためには、タンパク質をたっぷり摂《と》るのも大事です」

「それはもっともだ」

　敦美は旺盛《おうせい》な食欲を発揮してステーキを食べ進める。西川は呆気《あっけ》に取られてしまって、サラダをほとんど食べられなかった。

あっという間に完食すると、ウエイターを呼んでまたメニューを貰う。デザートか、と西川は再び戦慄した。今までの料理からすれば、デザートのボリューム、それに値段も想像できる。アイスクリームを添えた焼きたてのアップルパイは美味《うま》いだろうが、腹が膨れた状態で人が食べるのを見るのは苦痛だ。

しかし敦美は、肉の脂を洗い流すためにエスプレッソを頼んだだけだった。ほっとして、西川もコーヒーを注文する。

「で、捜査はどんな具合だ？」

飲み物を前に西川が訊ねると、敦美が急に表情を引き締めた。

「こんな場所で話せませんよ」

「そんなに具体的に聞きたいわけじゃない。百パーセントで言ったらどれぐらいだろう」

「二十」

「そんなに低い？」

思わず言うと、敦美が睨みつけてきた。西川は一つ咳払《せきばら》いをして、「失礼」と謝った。だがすぐに、「世界に誇る警視庁の捜査一課が、そんなに手をこまねくようなことだとは思えないんだ」とつけ加えた。

「目撃者がいないんですよ」

「真っ昼間の日比谷公園で？」

「ちょうどデッドスポットになっている場所なんです。目撃者は……いないわけではないんですけど、どれもはっきりした話じゃないですね。犯人を特定できるまでの材料はありません」

「参ったな」西川は顔を擦った。犯人はよほど入念に下見をしていたのではないか。衆人《しゅうじん》環視《かんし》の場所であっても、人目につきにくいポイントと時間帯を探す……それは少しおかしい、と思った。

「何であの場所だったんだろう」

「さあ」

「相手は、大友の行動パターンを知ってたのか？　それとも尾行していた？」

「テツが、あの直前に後山参事官と会っていたのは知ってますよね」敦美がコーヒーにスプーンを突っこんだ。砂糖もミルクも入れていないが、やたら勢いよくかき回す。茶色い渦《うず》の動きが大きくなり、カップから零《こぼ》れそうになった。ほどなくぴたりとスプーンを止め、カップの中央で立てる。渦の動きが乱されて小さな波が生じたが、すぐに収まった。

「聞いた」

「それはイレギュラーな動きですよ」

「そうだな」後山は、また何か特命を与えるために大友を呼び出したのか、それとも前回の事件での活躍を労《ねぎら》っていたのか。

「つまり、事前にテツの行動パターンを観察していても分からないことです」

「じゃあ、やっぱり犯人は張り込みか尾行をしてたのか」

言いながら、それは難しいだろうと思った。今日、大友は昼過ぎまで庁舎内にいた。犯人はずっと、警視庁の近くで待っていたのだろうか……あの付近では警戒している制服警官が何人もいるから、うろうろしているのも難しいはずだ。

「そうだとは思いますけど、今のところは何とも言えません」

「分かった……ところでしばらく前に、大友は誰かに跡をつけられたそうだな」西川は本題に入った。

「ええ」敦美の顔に緊張感が走る。

「それで、警戒していた君が襲われて負傷した」

「負傷なんて大袈裟《おおげさ》なものじゃないですよ」軽く抗議して、敦美が前髪をさっと上げた。

「傷跡、もう分からないでしょう?」

「ああ」一見した限りでは、綺麗な額だった。

「大した話じゃないです」

彼女がことさら話を小さくまとめようとしているのは理解できた。彼女は自分の力に絶対の自信を持っている。不意を突かれたとはいえ、襲撃され、捕まえられなかったのは、プライドを大いに傷つけられる出来事だったはずだ。

「こいつですけどね」敦美がハンドバッグから一枚の写真を取り出した。

「誰が写した?」

「私です」

「襲われた時に？」

「ただやられてるだけじゃ、悔しいじゃないですか」憤然として敦美が言い放った。「襲撃されたのは先月の夜……十二月で、当然真っ暗だったはずだ。たまたま襲撃犯が街灯の下を通りかかった時にシャッターを切ったのか、比較的はっきりと顔が写っている。

「間抜けな犯人だな。振り向かなければ、顔を見られずに済んだのに」

「呼びかけたら、振り向いたんです」

「素人か？」

「いや……」敦美が唇を引き結んだ。眉根《まゆね》に皺《しわ》が寄っている。「少なくとも、我々に尻尾《しっぽ》を摑ませなかったんですから、素人とは言えないと思いますよ」

「たまたま、かもしれない。この男にとっては幸運が積み重なっただけで」

男――そう、若い男だった。二十代後半か、三十代前半。身長は日本人成年男子の平均ぐらいで、ほっそりとしている。タイトなジーンズと薄手の革ジャンのせいで、その体型はさらに目立っていた。少し怯《おび》えたような表情に見えるが、それは野球帽を目深に被《かぶ》っているせいかもしれない。目の上ぐらいまで、深い陰に隠れている感じなのだ。手ぶら……ではない。右手に何かを持っていたが、そこまでは街灯の灯《あか》りが十分に届かず、はっきりしなかった。

「凶器は何だったんだ？」

「たぶん、ブラックジャック」

「おいおい」西川は眉をひそめた。「よく軽い怪我《けが》で済んだな」

「頭蓋骨《ずがいこつ》は人一倍厚いんです」敦美が苦笑する。

「無茶するなよ」

「無茶してたら、あの時に捕まえてました」敦美はどこまでも口が減らない。そして犯人に対して——自分に対しても明らかに怒っている。犯人を捕まえない限り、その怒りは消えないだろう。

「で、この件の捜査はどうなってるんだ？」

「うちは、基本的には何もしていません」敦美が肩をすくめる。「テツの家を警護すると同時に、所轄の連中も周辺を調べたんですけど、手がかりが何も出てこなかったんですよ。例の事件が急に動き出してしまったし」

「なるほど……」西川は顎を撫でた。些細なことだったかもしれない——当時は。しかし今になれば、これは決定的な問題と言えるのではないか。もしも犯人を割り出していれば、大友が撃たれることはなかったかもしれない。

「そいつがテツを撃ったと思いますか」

「何とも言えない。ただ、今のところ唯一、大友に恨みを持っていそうな人間、ということだ」

「そうかもしれませんね」

「君の方で、何か心当たりはないか？　同期だからよく知ってるだろう」

「仕事の関係じゃないと思いますけどね」敦美が首を傾《かし》げる。「あいつ、人に恨みを買うような人間じゃないし」

「だろうな……でも、何か思い出したら教えてくれ」

「あまり意味はないと思いますが」敦美がエスプレッソを一気に飲み干した。

「プライベートでは？　女性問題とか、どうだろう」大友の義母は否定していた、という話だが。

「ないと思いますけどね……東日《とうにち》の女性記者がしつこくつきまとってますけど、あれはあくまで仕事だと思います。彼女の方でも、特に恋愛感情はないと思いますよ」

「ああ、もしかしたら沢登《さわと》有香《ゆか》か？」

「有名人ですねえ」敦美が苦笑する。

「しばらく前に、失踪課の高城《たかしろ》さんも迷惑したらしい」

「彼女はどこにでも顔を出しますからね。そんなことしてて、社内で問題にならないんでしょうか」

「それは俺たちが心配することじゃないだろう……他にはどうだ？　恋人でも、ガールフレンドでも。独身なんだから、そういう相手がいてもおかしくない」

「どうでしょうねえ」敦美が、空になった小さなカップを受け皿に置いた。「優斗《ゆうと》君の世話で手一杯なはずだし……正直、デートしている暇もないと思いますよ」

「そうか」

「あ、でも」敦美が急に顔を上げ、西川の顔を真っ直《ま》ぐ《す》見た。「もしかしたら……」

「誰かいるのか」

「新エネルギー研究開発の事件で、社内にネタ元を作ったんですよ。本社の広報の女性なんですけど……もしかしたら、その人が」

「君は知ってる？」

「会ったことはあります」

「刑事としての勘で、どうだろう」

「刑事としてじゃなくて、女性として見れば、脈ありという感じですかね」

「どっちが」

「どっちも」

西川は腕組みをした。人のプライバシーに首を突っこむのは好きではないが、やはりこの件は調べておかねばならないだろう。

「トラブルになる可能性、あると思うか？」

「どうでしょう」敦美が腕組みをした。「泥沼になるほど、関係は深くなってないと思いますけど」

「でも、男と女のことは、胃潰瘍《いかいよう》と同じだからな」

「何ですか、それ」敦美が鼻に皺を寄せた。

「胃潰瘍も男女関係も、一瞬でできあがるんだよ」

「福原さんの下手な格言みたいですね」

「確かに、な」西川も思わず笑ってしまった。福原は捜査一課長時代から、格言——というか格言めいた台詞《せりふ》で訓示をするのが好きだった。中には自分のオリジナルもあるらしい。

「でも、どうですかね」敦美がエスプレッソのカップを手に包んだ。小ぶりなカップは、彼女の手の中に完全に隠れてしまう。「テツは慎重な人間ですよ。子どものことがあるから、自分の都合で勝手に突っ走ることはないと思います」

「それは本人にしか分からないからな……いや、でもありがとう」西川はぬるくなったコーヒーを一気に啜《すす》った。「とにかく、調べる糸口ができた」

「気をつけて下さいね」

「何が」

「彼女に話を聴きに行くんでしょう？」

「それはそうだよ。大事な取っかかりかもしれない」

「捜査で重要な役割を果たしてくれました。私たちのネタ元だったんです。会社はガードが固いから、どうしても内部事情が漏れてこないでしょう？」

「だから内通者として使ったわけか」

敦美は素早くうなずき、カップから手を離した。

「それに、彼女はテツのことが気になっていると思います。今日の一件だって、私が連絡した時に、すごくショックを受けてましたから。しばらく言葉が出なかったぐらいで……

そういう時に変なことを聴いたら、ショックがひどくなりますよ」

「分かってる」西川はうなずいた。「沖田は行かせないようにするよ。奴は粗雑《そざつ》だからな」

「当然です」

普通なら噴き出すところなのだが、西川はこれ以上ないほどの真顔でうなずいた。

翌日、西川は朝一番で、丸の内にある新エネルギー研究開発の本社を訪ねた。パートナーはさやか。一番相手に刺激を与えない組み合わせだろう、と考えた。

会社の入っているビルの前に先に着いていたさやかは、寒風にどやされ、背中を丸めていた。それでなくても小さな体が、さらに小柄に見える。コーヒーの一杯も飲んで体を温めたいところだが、丸の内のこの辺りには、気楽にお茶を飲めるような店が見当たらない。

「アポなしで大丈夫ですかね」さやかがいきなり疑問を口にした。

「いなければ出直すさ」西川は腕時計を見た。午前九時。会社の定時は九時から、と敦美から聞いていた。広報部の仕事はどんなものなのか……朝からどこかに出かけているとは考えにくい。それに新エネルギー研究開発は、事件の後始末の最中にある。会社そのものに問題がある事件とは言えなかったが、イメージ低下は著しい。必死にそれを食い止めるために、会社に籠《こも》って対策を練っているのでは、と西川は読んだ。

予想通り、水沼佐緒里《みずぬまさおり》は在席していた。朝一番でいきなり警察官が訪ねて来たので、迷惑そうな口調を隠そうともしない。だが、受付の電話で「大友の件で」と告げると、すぐに出て来てくれた。

多くの会社が入るオフィスビルだが、受付は共通だ。ＩＣチップつきの社員証を翳《かざ》してゲートを開けるタイプ。佐緒里はあまりにも早く飛び出そうとして、ゲートが開くのが間に合わずに膝《ひざ》をぶつけてしまった。顔をしかめ、足を引きずりながら出て来ての第一声は「大友さん、大丈夫なんですか？」だった。

「命に別状はありませんが、まだ意識が戻りません」

その連絡は、朝一番にメールで回ってきたのだった。一課と刑事総務課の人間が、当番制で病院に詰めており、定期的に報告を入れている。

佐緒里が眉をひそめる。両手をきつく握って、胸のところに置いた。唇を引き締め、険しい表情を崩そうとしない。

「少し話を聴かせてもらえませんか」西川は穏やかに切り出した。「時間があれば、お茶でも」

「いえ……中へどうぞ。会議室が使えますから」

「いいですか？」

「ええ」

西川はさやかと視線を交わした。ずいぶん慣れた感じで……実際慣れてしまったのだろう。一月以上も捜査につき合えば、警察の扱い方も覚えてしまうはずだ。

ビル自体が古いので、いくら内装をリニューアルしても、みすぼらしい感じが拭《ぬぐ》えない。

新エネルギー研究開発はワンフロアを借り切っているのだが、会議室は狭く、どこからか隙間風《すきまかぜ》が吹きこんでくる。暖房もあまり効かず、佐緒里が出してくれた熱いコーヒーだけが救いだった。

西川とさやかが並んで座り、佐緒里は向かいに陣取った。依然として表情は硬い。西川は話を切り出す前に、さっと彼女を観察した。すらりと背が高く、すっきりした印象の顔立ちである。化粧は控え目。白いブラウスにグレイのジャケットという地味な格好で、アクセサリーの類《たぐい》は銀色のネックレスしかなかった。こういう女性が大友のタイプなのだろうか、と考える。

「大友の件は、高畑が連絡したんですね？」

「電話がありました」声が震えている。「ニュースでも見ました。でもその後、様子が分からなくて……高畑さんに電話しようとも思ったんですが」

「電話してくれてもよかったんですよ」西川は軽い調子で言った。「高畑は、丁寧に対応する人間ですから」

「ええ、でも……申し訳ないと思ったので。それで、どうなんですか？」

「今朝の段階での容態は、先ほど申し上げた通りです。意識が戻らないのは医者の方でも想定内、ということですから心配はいらないと思います」

「そうですか……」佐緒里が吐息をつく。同時に緊張感も少しは解けたようで、盛り上がっていた肩がわずかに下がった。

西川はちらりとさやかに目を向けた。さやかが、かすかに首を横に振る——彼女は関係ない。結論を出すのが早過ぎると思ったが、西川も同じように感じていた。この慌てよう、それに安堵《あんど》の仕方を見ると、心底大友を心配しているのが分かる。

「実は、ちょっと困っています」西川は打ち明けた。「今回の犯行は、どう考えても恨みによるものです。しかしご存じかと思いますが、大友はああいう人間なので……」

「誰かに恨まれるようなことは、考えられませんよね」

「その通りです」同意して西川はうなずいた。瞬時に、二人の関係はかなり深かったのでは、と想像する。一度や二度会っただけでは、こんな風に言い切れないはずだ。捜査の関係で硬い話をするだけではなく、プライベートな話をする間柄にならないと、こういう風には言えない。

「問題の事件の捜査中……大友とは結構頻繁に会っていたんですか?」

「どれぐらいで頻繁というかは分かりませんけど……何回かは会いました」

「いつも仕事の話で?」

「いえ」佐緒里が低い声で短く否定した。警戒感を露《あらわ》にしている。

どうやら勘の鋭い女性らしい。こちらのわずかな言葉の変化を、敏感に読み取っている。

「食事にでも行きましたか?」西川はわざと明るい口調で訊ねた。「大友のことだから、紳士的だったでしょう」

「そうなんですけど、その時はちょっと落ちこんでいました」

「そうなんですか？」

「一時仕事から外されたみたいで……残念がっていました」

「そんなことがあったんですか？」

「ご存じないんですか？」佐緒里がかすかに目を細める。

「部署が違うもので……でも、意外でした。あいつはいつも、特命を受けて動いています。途中で外れるようなことはないはずなんですけどね」

「動きがなくなったから、と言ってましたよ」

「なるほど」大友の本業は、あくまで刑事総務課の仕事である。後山に引っ張り出されれば、普段の仕事を放り出して現場へ行くことになるが、いつまでも穴を開けているわけにはいかない。

しかしそれが、今回の事件に関係あるか？　ありそうにない。

「他に何か、変わったことはありませんでしたか？」

「いえ……」佐緒里が顎に拳を当てた。「普段の大友さんがどんな人なのか、あまり知りませんから」

西川は素早くさやかと顔を見合わせた。彼女の顔に、軽い失望の色が浮かぶ――この人は、何も知らない。

しばらく話を続けたが、事件につながりそうな情報は出てこなかった。彼女に関してはここまでか……しかし西川としては、最後にこれだけは聴いておかなければならなかった。

「失礼ですが、あなた、大友と交際していたんじゃないんですか」

佐緒里の顔が最初蒼《あお》く、すぐに赤く染まった。冷静さを装った口調で確認する。

「こういう事件の時は、交友関係を調べるのが普通なんですよね？」

「ええ、まあ……捜査の常道《じょうどう》です」

「だったら私に聴くのは筋違いだと思います」

一瞬の沈黙。空気がぴりぴりと帯電したようだった。西川は咳払いし、コーヒーを一口飲んだ。味がぼやけていて、いつ淹《い》れたものか分からない。気まずい雰囲気を打破しようと、淡々と説明した。

「関係者全員に話を聴かなければいけないんです」

「私は関係者なんでしょうか」佐緒里の目が突然潤んだ。「昨日この話を聞いてショックで……でも、私は関係者なんですか？」

「大友の知り合い、という意味では」

佐緒里は納得していない様子だったが、この状況に取り乱したり怒ったりするほど子どもではなかった。両手をきつく握り合わせ、顎に力を入れて、言葉を呑みこんでいる。文句はありそうだが……西川は黙って頭を下げた。終結宣言。佐緒里がほっと息を吐き、表情を緩ませる。

「不快な思いをさせたのなら、申し訳ありません。ただ我々としては、この犯人を逃がすわけにはいかないんです」

「分かります」

「何か分かったら、教えて下さい」西川は手を伸ばし、佐緒里がテーブルに置いたままにしていた名刺を取った。裏に携帯電話の番号を書きつけ、改めて渡す。

「誰がこんなことをやったのか、分からないんですか？」

「残念ながらまだです」

「どうか、よろしくお願いします」佐緒里が頭を下げる。垂れた髪の毛の先が、テーブルに触れた。「絶対に捕まえて下さい」


「彼女、関係ないですね」ビルを出るなり、さやかが結論を口にした。

「関係ないというのは、どういう意味で？」

「両方でしょう」さやかがうなずく。「ええとですね……お互いに好意は持っているかもしれないけど、つき合っているわけじゃない、という感じではないでしょうか」

「友だち以上恋人未満ってやつか」西川はコートの襟を立てた。一月の丸の内では、時に気まぐれなビル風が激しく吹き抜ける。美味いコーヒーが飲みたいな、と心底思った。それはバッグの中に入っているのだが……西川はいつも、自宅で淹れたコーヒーをポットで持ち歩いている。出勤直後、昼食後、それに午後三時に飲めばちょうど空になる量だ。

「そんな感じですね」さやかが背中を丸めて歩き出す。

「だったら、今回の件には関係ないと言っていいだろうな」

「ええ……」さやかの言葉は曖昧《あいまい》だった。

「何か問題でも？」

「まだ完全にリストから外す必要はないと思いますけど、どうでしょう」

「まあ、今の段階ではな……」西川も曖昧に言うしかなかった。もちろん、アリバイを調べるのは簡単だ。昨日の午後、どこにいたか――普通の会社員なら、比較的調べやすいだろう。もちろん、共犯がいたら話は別だ。誰かを使って大友を襲わせるのは、不可能ではない。

しかし、何故《なぜ》？

ふいに、新エネルギー研究開発の事件が、頭の中でクローズアップされてくる。男女関係ではなく、会社の人間としての佐緒里。大友はあの捜査に深くかかわっていたから、会社を――彼女を怒らせるようなことをしてしまったのかもしれない。本人も気づかぬうちに、トラブルに巻きこまれていたとしたら。

いや、やはりあり得ない。先ほどの話の中で、佐緒里は「自分も会社を辞めるかもしれない」と漏らしていた。あの事件でマスコミに突き回され、会社のいい加減な体質にも嫌気がさしたのだ、と。比較的新しい会社だから、「愛社精神」のようなものもないのだろう――つまり、辞めやすい状況だ。

「当面、無視しておいていいだろう」西川は結論づけた。

「そうですね」さやかの声にも張りが戻る。自分でもその結論には達していたのだろうが、西川が口にしたことで自信を深めたようだった。「大友さんの他のプライベートな関係……どうなんでしょう」

「奴のプライベートというと、子どものことだけだよな。ママ友――ママじゃないか、同級生の父兄との関係とか？」

「何か、面倒臭そうですね」さやかが顔をしかめる。

「だけど、ママ友同士の関係は、結構どろどろしたものがあるみたいだぜ」西川も、妻の美也子《みやこ》からそんな話を聞いたことがある。住む場所、家の広さ、父親の職業、子どもの成績……様々な要素が複雑に絡み合い、おかしな力関係が生じるのだ、と。

「それは分かりますけど、大友さんはママじゃないですよ」

「あー、だったら、ママたちの中で、大友の取り合いがあって……」

「西川さん、それじゃ漫画です」さやかがぴしゃりと言った。

「失礼」西川は咳払いをした。確かに想像が勝手に走り過ぎた。しかもおかしな方向へ。

「どうします？　戻りますか」

「そうだな」今のところ、聞き込みをかける相手もいない。一度追跡捜査係に戻って、すり合わせをしよう。

「じゃあ、そこから入りましょう」さやかが、右手前方に聳《そび》える丸ビルを指差した。

「丸ビル、地下鉄につながってたか？」

「何言ってるんですか」さやかが鼻を鳴らした。「東京駅近辺は、大地下街じゃないですか。どこのビルも、どこかの駅にはつながってますよ……それに、とにかく寒いでしょう？」さやかが体を丸めて自分の肩を抱いた。

「そうだな」

信号のない交差点を渡り、ビルの出入り口を目指す。この辺りも、ここ十年ほどで大きく様変わりした。その嚆矢《こうし》となったのが丸ビルの建て替えだったが、西川は一度もこのビルに来たことがない。そもそもこの辺の雰囲気が好きではなかった。霞が関もそうなのだが、生活の臭《にお》いがまったくしないのだ。人はただ、ここで働き、買い物をするだけ。夜間人口はゼロのはずだ。

丸ビルに入ると寒風から遮断され、一息つけた。やはり今年は、寒さが厳しい。それまで風に背中を押されるようにせかせかと歩いていたのに、急に歩調が緩んだのを意識する。入ってすぐが吹き抜けのホールになっていた。イベントなども行われるスペースなのだろう。全面がガラス張りの広々とした空間で、冬の弱い日差しが増幅されているようだった。

「で、どこから下りるんだ？」

「その先のエスカレーターです」

さやかが先に立って、さっさと歩いて行く。どうやら彼女は、ここによく出入りしているらしい。買い物や食事にも便利だし、女性には人気のスポットなのだろう。そういえば彼女は、非番の時は何をしているのか……どんな人間とつき合っているのか、よく出没するスポットはどこなのか、自分は何も知らないのだ、と西川は意識した。そんなものかもしれない。警察は身内意識の強い組織だが、最近は仕事を離れたプライベートなつき合いは減っている――社会全体がそうなのかもしれないが。ネットの普及で、見ず知らずの人の私生活がよく分かるようになった反面、身近な人とのつき合いはむしろ薄くなっている。新しい人間関係の時代が始まっているのだろう、と思うことも少なくない。

携帯電話が鳴り出した。背広のポケットから引っ張り出してみると、沖田からである。さやかに「ちょっと待ってくれ」と声をかけてから電話に出る。

「どうだった？」前置き抜きで、いきなり切り出す。

「薄いな」

「テツの彼女ってわけじゃないんだ？」

「違うと思う。そこまで濃い関係じゃない」

「だったら、除外するか」

「ひとまずそれでいいんじゃないかな」

「よし。こっちへ戻って来るか？」

「そのつもりだ」

「時間はどれぐらいかかる？」

いつにも増して性急だな、と訝った。元々気が逸《はや》りがちな男なのだが、今回は倒れそうなほど前のめりになっている。その気持ちは分からないでもないのだが。

「そうだな……」東京駅から丸ノ内線を利用して、確か二駅。丸ノ内線の霞ケ関駅は桜田門に近い方にあるから、それほど歩かなくて済む。「十分か、十五分」

「分かった。できるだけ急いでくれ」

「どうした」期待に胸が高鳴る。沖田は、常に騒々しい人間だが、理由もなく人を急《せ》かすことはしない。何かあったのだ、と直感した。

「怪しい事件があるんだ。可能性を検討したい」

「分かった」

電話を切り、早足で歩き出す。すぐにさやかを追い抜いた。彼女が怪訝《けげん》そうな口調で、「どうしました?」と訊ねる。西川は一瞬振り向いて「何か手がかりがあったかもしれない」と告げた。さやかの表情がにわかに引き締まる。

「沖田さん、水臭いやないですか。大友さんは知らん仲やないんですよ」電話の向こうで、大阪府警捜査一課の刑事、三輪《みわ》がねちねちとクレームをつけた。

「ああ、悪かった……昨日はばたついてたんだ。連絡できなかったのは申し訳ないけど、分かってくれよ」

「それは分かりますけど、一声かけてくれてもよかったのに。朝刊を見て腰抜かしましたわ」

実際、朝刊での扱いは大きかった。各紙揃《そろ》ったように社会面の左肩で準トップ、四段。やはり、「真昼間」に「刑事」が「日比谷公園」で「撃たれた」と、衝撃的な要素が四つも揃ったからだろう。関西でも同じように大きく扱われたのだろうか。

「で、大友さん、大丈夫なんですか？」

「一命は取り留めた。まだ意識は戻らないけど、取り敢《あ》えず心配はいらないそうだ」

「ああ、よかった」心底安堵《あんど》している様子だった。「先月お会いしたばかりですからね。そんな人がいきなり撃たれたら……目覚めが悪いですわ」

「死んだみたいに言わないでくれよ」

「失礼」三輪が咳払《せきばら》いをした。「でも、何か手伝えることがあったら言うて下さいよ」

「さすがに、大阪府警さんの手を煩わせるようなことはないと思うけど」

「水臭いな。警察一家の話やないですか。東京も大阪も関係あらしませんで」

「そうだな……何かあったらお願いするかもしれない」

「そうでなくても、大友さんの様子、知らせて下さいよ。心配で夜も眠れませんわ」

「大袈裟《おおげさ》だよ」沖田は声を挙げて笑った。この男は……関西人の乗りかもしれないが、何かにつけて話を膨らませる癖がある。「とにかく、心配かけて申し訳ない」

「沖田さんも、当然捜査してはるんですよね？」

「もちろん」声を低くした。あくまで「非公式」なのだ。動きがばれたら、両手を縛られてしまうのは目に見えている。「この件は内密で」

「分かってますわ」三輪が低く笑った。「追跡捜査係のいつものパターンでしょう？」

電話を切ったタイミングで、西川とさやかが帰って来た。途中走って来たのか、西川は息が上がっている。さすがにさやかは平然としていたが。

「で、怪しい事件っていうのは何なんだ」デスクにバッグを置きながら西川が訊《たず》ねた。

「ああ……庄田、ちょっと説明してやってくれ」

「はい」庄田が手元の資料に視線を落とす。すぐに顔を上げて、「大友さんが捜査一課時代に手がけた、傷害致死事件です」

「傷害致死？」西川が、納得いかない様子で顎《あご》を撫《な》でた。「それだと、事件としては二ランク落ちる感じだな」

「いいから聞けよ」沖田は忠告した。「ランクが落ちる」と文句をつけられたせいか、庄田は不安気な表情を浮かべている。「庄田、続けろ」

「はい……酒場での喧嘩《けんか》が原因で会社員が殺された事件なんですが、この犯人が非常に粗《そ》暴《ぼう》な男だったんです」

「というと？」西川が間《あい》の手を入れる。

「犯人は福本隆則《ふくもとたかのり》、現在三十八歳。逮捕時は会社員でした」

「会社員で粗暴って……」西川が眉《まゆ》をひそめる。

「一々茶々を入れないで聞いてやってくれないか？　庄田が一生懸命引っ張り出してきたんだからさ」沖田が文句をつけた。

庄田がもう一度手元の書類に目を落とした。目を細め、いかにも嫌そうに話を続ける。

「逮捕時に暴れて、所轄の警官を負傷させました。大した怪我《けが》ではなかったので、その件については立件しなかったんですが……取り調べを大友さんが担当したんですが、取調室でも暴言を吐いたり暴れたりして、何度も大騒ぎになったそうです。しかも容疑は否認。起訴時には、暴力を振るったことは認めたんですが、『殺すつもりはなかった』『そんなに強く殴っていない』という供述は変えませんでした」

「実際にはどんな感じだったんだ」西川が訊ねる。

「……ぼこぼこですね」庄田が顔を引き攣《つ》らせる。「スナックで呑《の》んでいて、些細《ささい》なこと

で口論になったんですが、被害者が先に店を出たのを追いかけ、執拗《しつよう》に暴行を加えていま
す。被害者の傷ですが、右手第二指、第三指、肋骨《ろっこつ》を二本骨折、内臓破裂――」
「それは……」西川も顔をしかめる。
「拷問のような感じだったようです」
　真性のサディストか、と沖田はぞっとした。どんな格闘技でも、指への攻撃は禁止され
ている。そもそも普通の人間――暴力に縁のない人間は、そういうところは狙《ねら》わない。福
本は暴力団などとの関係はなく、この事件まで逮捕歴もなかったが、相当喧嘩慣れしてい
たのは間違いない。相手を一方的に痛めつけるのも、それほど簡単ではないのだ。
「被害者の顔面は滅茶苦茶だったそうです」
「どういうことだ」庄田の報告に、西川がまた顔を歪《ゆが》める。
「倒れた後に、何度も蹴《け》ったり踏みつけたりしたようで……右の頬骨《ほおぼね》が骨折、眼球も破裂
していました」
「おいおい」西川が手を広げる。「それが何で傷害致死なんだ？　明らかに急所を狙って、
殺意を持ってやってるじゃないか。殺人だよ。少なくとも未必の故意は成立するだろう」
死んでも構わない、と考えていたのは明らかだ。そうでなければ多少は手加減する。
「それは、当時の捜査陣の考え方だから」沖田は言った。当時は自分も一課の強行班にい
たのだが、直接担当していなかったせいか記憶にない。
「だったら判断ミスじゃないか」西川は妙に憤然としている。

「まあまあ……」沖田は西川を宥《なだ》めた。「で、こいつは懲役七年の実刑判決を受けて服役して、一年半前に出所してる」

「それで大友に復讐《ふくしゅう》か？」

「あり得ない話じゃない。大友とも、相当激しくやり合ったらしい。大友が乱暴なことをするはずはないけど、向こうは一方的に憎んでいた、という話がある」

「取り調べを担当する刑事は、犯人にとっては直接の敵だからな」西川がうなずく。「自分とその刑事と、二人しかいない世界になってしまうんだよ」

「ああ。とにかく粗暴で、しかも執念深い人間だから、復讐を考えてもおかしくない」

「所在は分かってるのか」

「もちろん。こっちは俺に任せろ」性根を叩《たた》き直してやる、という考えもあった。なにも逮捕して法廷へ送りこむだけが、刑事の仕事ではない。しつこくつきまとい、時には小突いて、恐怖感を頭に染みこませるやり方もある。褒められたものではないし、公式に反撃されたらまずいことになるが、こういう方法で小悪党を黙らせるのは、多くの刑事がやっていることだ。

「こっち、は？」西川が敏感に反応した。「まだあるのか」

「さすが、西川先生。細かいことによくお気づきで」

「茶化すなよ。で、何なんだ」

「二課マターなんだけどな」

「二課？　だったら、あいつが刑事総務課に移ってからの話か」通常、課と課の間には高い壁が立っている。時には協力して捜査に取り組むこともあるが、一課の人間が二課の捜査を手伝う、というのはまずない。

「そういうこと。結婚詐欺なんだ」

「そんな事件、あったか？」

「警察的には大したことはないけど、マスコミは大喜びだった。主に芸能マスコミがな」

「というと？」

「覚えてないのか？　俗なことには興味がないんだな、西川先生は。たまには芸能ニュースもチェックしろよ」そう言う沖田も、薄《うつす》らと記憶にある程度だった。気になって調べて、初めて詳細を知ったのだ。

「煩《うるさ》いな……どういう事件なんだ」

「芸能事務所の社長が、『タレントにならないか』って言って若い子を騙《だま》して、その後で結婚詐欺に発展した事件だ。被害者が、分かっているだけで五人ぐらいいる」

「覚えてないな」西川はむっつりした表情を崩さない。

「とにかく、そういう事件があったんだ。この犯人が、まあ大変な女たらしでね。被害者はもっといるはずなんだけど、被害者だということを認めない女性もいたんだよ」

「そいつは難しいところだ」西川がうなずく。

詐欺は、被害者の方に「騙された」意識がないと立件が難しい。特に結婚詐欺のように、愛情が――嘘《うそ》であっても愛情が絡む事件だと、「自分だけは本当に愛されていた」と最後まで信じる被害者も珍しくないのだ。何人もの女性が騙されていても、自分だけは違うと思いたいのか、あるいは本当に相手に対する愛情が強過ぎるのか。

「一人だけ、強固に『騙されていない』と言い張っていたんだ。犯人に一千万円近く渡していたんだけどねえ」

「会社の運転資金とか、そういう名目で？」

「実際、会社の経営は火の車だったんだけどな……とにかくその女は、『彼は犯人ではない』と庇《かば》い続けていた。今も、だ」

「今も？　犯人はどうしたんだ」

「一年前に出所してるよ。それで彼女、まだそいつを捜しているらしいぜ」

「あり得ない」呆《あき》れたように言って、西川が首を横に振った。「それはちょっと、あまりにも……甘いんじゃないか」

俺なら単純に「馬鹿」と言うところだがな、と沖田は皮肉に思った。実刑判決を受けてもなお相手を信じているのは、現実が見えていないとしか考えられない。

「とにかく、服役中も何度も面会に行っていた。金銭的な援助もしていたようだぜ。出所後の生活資金として、そいつの口座に金を振りこんだりしてな。だけど、出所して連絡を絶って、本格的に行方をくらましたとなったら、さすがに事情は分かると思うけどなあ」

沖田は頭を掻《か》いた。喋《しゃべ》りながら、次第に馬鹿馬鹿しくなってくる。やはりあり得ない。この被害者は、いったい何の夢を見ているのだろう。

「で、大友との関係は？」西川が話を引き戻した。

「テツはその女から何度も事情聴取しているし、犯人逮捕も担当した。女の方では、大友が犯人をでっち上げたとでも思ったんじゃないかな。実際、何度も警視庁に抗議の手紙を送ったり、電話したりしている」

「それは迷惑行為じゃないか」

「しかし、業務の邪魔にならないぎりぎりの範囲なんだ。その辺、計算してやってたのかどうかは分からないが」忘れた頃に抗議の手紙を送ったり、電話したりする——これでは、警察としても積極的に立件しようという気にはならない。

「とにかく、大友に恨みを抱いているかもしれない、と」

「ああ。殺すほどかどうかは分からないけど、一応、調べてみる価値はある」

「分かった。じゃあ、そっちは俺が引き受ける」

「よし、そうと決まったら、さっさと動こうか」

沖田は膝《ひざ》を叩いて立ち上がった。さっそく部屋を出ようとしたが、鳩山が入って来たので動きを止める。顔色が悪いのが気になった。持病の肝炎が悪化したのか……。

「どうかしましたか、係長？」

「いや……例の件は調べてるか？」

「もちろん」沖田は堂々と言った。悪いことをしている意識はまったくない。

「気をつけろよ。今回のは、生で動いている事件だ。普段俺たちがやっている仕事とは全然質が違う」

「つまり、他の係の連中に目をつけられていると？」

鳩山が不安気に周囲を見回した。仕切りに囲まれているので、他の係からは直接は見えないはずだが。

「何か言われたんですか」不安になったのか、西川も訊ねる。

「いや……」鳩山は口が重かった。「心配なだけだ」

「言われる前から心配してたら、胃に穴が空きますよ」沖田は敢えて軽口を叩いた。

「とにかく、目立つ動きはするな。他の係と衝突したらさっさと引け」

「そんな気の弱いことでどうするんですか」沖田は嚙《か》みついた。どうもおかしい。この男の基本方針は「見て見ぬ振り」なのに。「大丈夫ですよ。今回の件は特別なんですから。誰だって、大友の敵討《かたきう》ちをしてやりたいと思ってる。気持ちは一つです」

「いや、必ずしも一枚岩じゃないからな……とにかく用心してくれ」

この男は何を心配しているのだろう。他の係との軋轢《あつれき》など、慣れたものである。というより、軋轢があるのが普通だ。どうやって自分の身を守るかも、よく分かっている。沖田は庄田に「行くぞ」と声をかけ、部屋を出た。ちらりと振り返ってみたが、大部屋で着席している刑事たちから、刺すような視線が飛んでくるわけではない。

やはり鳩山は、気にし過ぎているだけだ。体の大きさに見合った、鷹揚《おうよう》な態度でいてくればいいのに。

福本隆則は元々、外資系ＩＴ企業の営業マンだった。それなりに高給取りで、逮捕される前は神宮前のマンションで優雅な一人暮らしをしていたのに、突然事件を起こし、実刑判決を受けて全《すべ》てを失った。事件後、同僚たちは「そんな奴だとは思わなかった」と口を揃えたらしい。営業マンだから口は達者で人当たりもよく、とても暴力を振るうようなタイプには見えなかった、というありがちな人物評価である。法廷でわざわざ証言した同僚もいたのだが、情状酌量の余地はなかった。あの事件——正確にはあの事件の直前に、福本の中で何かが変わり、暴力衝動が全てに優先するようになったのかもしれない。法廷での態度も悪く、裁判官から何度も注意されたという。

一年半前に出所してからは、職を転々としていたらしい。会社員時代の伝《つて》を辿《たど》って、かつての得意先に仕事を紹介してもらおうとしたこともあったようだが、そんな願いが受け入れられるはずもない。仕方なく、ずっと短期の仕事で食いつないでいたようだ。今は八王子にあるパチンコ店の従業員をしているというから、少しは落ち着いたのだろうか。

沖田は先にこの店を訪ねた。ＪＲ西八王子駅の近くにある店は、昼前だというのに満員で、大声でないと話もできないほど煩い。そして、目に痛いほど白いワイシャツに黒いズボン姿の副店長——二十代前半にしか見えなかった——は、迷惑そうな表情を隠そうともしなかった。若い割に、何度も痛い目に遭っているのだろう、と沖田は判断した。普通の人は、刑事が訪ねて行けば緊張して真面目《まじめ》に対応する。だが副店長の態度は、警察慣れした人間のそれだった。

「あー、今日は休みです」BGMが耳をつんざかんばかりの店の一角で、副店長が声を張り上げた。

「どこにいるかな?」

「何か事件なんですか? 住所とか、あまり教えたくないんですけど」副店長が肩をすくめる。

「そういうわけじゃない」大声を出しているうちに喉《のど》が痛くなってきた。昨夜は自宅へ資料を持ち帰り、二時過ぎまであれこれ調べていたせいで、煙草《タバコ》を吸い過ぎてしまった。

「だいたい、住所は分かってるんだよ」

「何だ、そうなんですか。じゃあ、どうぞ好きに行って下さい。うちは関係ないんですよね?」

「……たぶん、な」あまりにも素っ気ない態度にむっとしたが、当然だろうと思い直す。副店長の立場なら、従業員よりも店の評判や面子《メンツ》を気にするのは理解できる。

「何かあったら教えてもらえます? こっちもいろいろあるんで」副店長が、耳を擦《こす》りながらいかにも面倒臭そうに言った。

「ああ、いいよ」何もないとは思うけど。その一言が言えない。むしろ、何かあって欲しい、と思った。

福本が犯人なら、自分が一番乗りだ。

福本は、ＪＲ西八王子の駅から一キロほど離れた住宅街にある、二階建てのアパートに住んでいた。近くには球場。集合住宅は数えるほどしかなく、一戸建てが目立った。いつの間にか、雲行きが怪しくなっている。沖田は空を見上げ、掌《てのひら》を上に向けた。まだ雨も雪も降っていないが、時間の問題かもしれない。空気は重く湿って、肌に張りつくようだった。気温は、明らかに都心部よりも低い。郵便受けを確認すると、福本の部屋は一〇二号室だった。

「よし、行くぞ」

庄田に声をかけ、沖田は一〇二号室のドアをノックした。木造モルタル造りのアパートには、インタフォンもついていない。いったい築何年になるのだろう、と沖田は訝《いぶか》った。最近東京では、こういうアパートはほとんど見かけなくなった。

返事がない。沖田は庄田と顔を見合わせてから、もう一度拳《こぶし》をドアに叩きつけた。最初よりも少しだけ強く。やはり反応はなかった。ドアに耳を押しつけてみる。物音は……なし。寝ているか、あるいはどこかへ出かけているのかもしれない。間もなく昼ということを考えれば、昼食だろうか。

「いないみたいですね」庄田が囁《ささや》くような声で言った。

「出直すか……」

沖田が言った途端に、ドアが勢いよく開いた。赤いジャージの上下姿で、福本が顔を見せる。

「何だよ、朝っぱらから！　何だと思ってるんだ！」

沖田を上から下へ舐《な》め回すように見る。沖田も一瞬で福本を観察したが、ひどいザマだ、としか言えなかった。寝ていたとしたらジャージは仕方ないのだが、髪はぼさぼさであちこちが突っ立ち、目の下にはくっきりと隈《くま》ができている。髭《ひげ》は丸二日間ほど剃《そ》っていないように見えたが、そうでなければ、よほど髭が濃いことになる。

「ああ」突然惚《とぼ》けたように、福本が言った。「サツか」

「何で分かった」

「臭《にお》いだよ、臭い」福本が鼻を右手で摘《つま》む。「サツは臭いですぐ分かるんだ」

「あんた、昭和の不良みたいだな」間抜けな台詞《せりふ》に、沖田はいきなり白けた。

「はあ？」福本が右目だけを大きく見開く。白目が充血して真っ赤になっていた。「何の話だよ」

「何でもない」

沖田は改めてバッジを示した。それを睨《にら》んだ福本の口元が歪む。

「で、サツが何の用だよ」

「ちょっと話を聴かせてくれないかな」

「話すことなんてないぜ」

「まあ、そう言わないで……」沖田は早くも、この男を持て余し始めていた。敵意を露《あらわ》にし過ぎる。未《いま》だに警察を恨んでいるのは明らかで、そういう意味では、大友に復讐心を燃やしていても不思議ではない。

「警察とかかわり合いになるようなことはないんでね」

「出所してからは真面目に働いているから、か」

「当たり前だろうが。だいたい、警察のやり口は乱暴過ぎるんだよ」

「あんたが乱暴なことをしたからだぜ」

「何だと」

突然口をつぐみ、福本が玄関から外に出る。沖田ははっきりとした殺気を感じ、警戒した。素人がいきなり殴りかかってきても対応はできるが、後々厄介なことになりかねない。それよりも、この男がまだ凶暴な精神に支配されていると気づいて驚いた。どんなに粗暴な犯罪者でも、服役を終えればそれなりに丸くなる。しかし福本は、むき身の刃物のようだった。普段からこんな風にしていたら、トラブルが絶えないだろう。パチンコ店のような客商売で、上手《うま》く勤められるとは思えなかった。

だがふいに、福本から殺気が消えた。にやりと笑うと、「その手には乗らねえよ」と短く言った。

「その手って、何だ？」

「そうやって挑発して、人を怒らせようとすることだよ。警察のやり口はよく分かってるからな」

「大友がそんなことをしたとは思えないがね」

福本の顔が瞬時に真っ赤になった。嚙み締めた歯の隙間《すきま》から押し出すように、「今、何て言った？」と唸《うな》る。

「大友。大友鉄《てつ》だ。あいつがそんなことをするわけが――」

「奴の名前は二度と口にするな！」

福本が怒鳴った。喉から血を吐くのではないかと思えるほどの叫びだった。

「大友がどうかしたのか」沖田はしれっとして訊ねた。

「あんたが知らないわけ、ねえだろう」福本が沖田を睨みつける。

「いや、俺は知らないね」

「俺は、奴に刑務所に叩きこまれたんだ。俺をこんな風にしたのは奴なんだよ！」

「大友は自分の仕事をしただけだぜ」

「ふざけるな！」福本がさらに一歩前に出た。ちらりと足元を見ると、裸足《はだし》である。普通の人は、どんなに怒っていても、サンダルを突っかけるのを忘れない。この男は、怒ると見境がつかなくなるタイプだ。

「いやいや、別にふざけてるわけじゃない」沖田は努めて冷静を装った。自分も気が長い方ではないが、相手がこういうタイプだと逆に冷静になれる。「一つだけ、聴かせてくれないか」

「話すことなんか、ないね」

「いや、あんたにとっても重要な話なんだ――昨日の午後、どこにいた？」昨日、今日と連休だったことは、店の方で確認していた。もしも嘘をついていたら、一気に疑いが膨らむ。

「寝てたよ」

「家で？」

「他にどこで寝るんだよ」挑発するように福本が口をねじ曲げた。

「いや、家にいたらいたでいいんだけど、それを証明できる人はいるのか？」

「俺を疑ってるのか」福本の声が低くなる。

「そういうわけじゃないけどな」

「嘘つくな！」一転して、顔を真っ赤にして怒鳴り上げる。「そういうやり方は分かってんだよ！　この前もそうだった。『疑ってるわけじゃない』って言いながら、最初から疑ってただろうが」

「それは――」こいつは何なんだ？　沖田は呆《あき》れ始めていた。ほぼ現行犯逮捕、目撃者や物的証拠も揃っていたのに……。

「それが大友だよ。ふざけた野郎だろうが」

「あのな、知らないのか？」

「何が」福本が両目を見開く。

「あいつは昨日、撃たれたんだ」

「は？」両眉が下がり、困惑した表情が浮かぶ。「何だって？」

「撃たれた」沖田は一音ずつを区切るように発音した。

「撃たれた？　死んだのか？」

「一命は取り留めた」

「ああ、クソ！」福本が拳を腿《もも》に叩きつける。「犯人を捕まえたら、文句を言っておいてくれ。何で失敗したんだって」

「おい、ふざけるなよ」沖田も自制心をなくしかけて嚙みついた。「死んだ方がよかったって言うのか」

「当たり前だろうが、あんな男」

「あんたがやったんじゃないのか」

「阿呆《あほ》か」一転して声を低くし、福本が言った。「撃たれたって言ったな？　俺は銃なんか持ってねえよ」

「今時、銃を手に入れるのは、そんなに難しくないだろう。刑務所にいると、いろいろな人間とコネもできるだろうし」

「あんた、刑事だか何だか知らないけど、間抜けなんだな」

「何だと？」

「想像力が足りねえんだよ。俺がそんなことするわけがない」

「動機は十分だろうが」

「出直すんだな」福本がドアの奥に引っこんだ。ドアを閉めようとしてもう一度押し開け、沖田を一睨みする。「いや、訂正だ——二度と来るな」

「シャブじゃないですかね」アパートから離れると、庄田がぽつりと言った。

「そんな感じだったな」

「どうします？　ガサでもかけてみますか？」

「残念ながら、シャブに関してはこっちの印象だけだ。突っこめる材料はない」

「……ですよね」庄田がうつむいた。「任意で引っ張りますか？　尿検査だけでも」

「それもまた、面倒になりそうだな。ま、あまり深刻に考えるなよ。とにかくあいつを監視する理由はできただろう？　シャブもそうだし、あいつは今でも大友を憎んでいる。自分を刑務所へ叩きこんだ張本人だと思ってるんだからな」

「盗人猛々《ぬすっとたけだけ》しいですよ」庄田が珍しく声を張り上げた。

「それはそうだけど、気持ちは分からないでもないな。とにかく俺は、有力な容疑者として奴を推すね——さて、今から監視だ。途中で誰かと交替してもらうから、しばらくは俺とお前で張るんだ」

「分かりました」

庄田をアパートのすぐ近くに残したまま、沖田は周囲を回ってみた。張り込みに適した場所はない。車を持ってこないと、どうしようもなかった。本庁に残っている大竹《おおたけ》に頼むか……極度に無口なあの男が何を考えているか、しばしば分からなくなるのだが、仕事を頼んで断られたことはない。

電話をかけると、大竹は場所だけを確認した。それからしばらく無言――経験から何か調べごとをしているのだと分かった――が続いた後、「一時間です」とだけ言って電話を切ってしまった。警視庁から八王子まで一時間。わざわざ調べなくても大体分かりそうなものだが。

沖田は先に庄田を昼食に行かせ、その間ずっとアパートを観察し続けた。身を隠す場所がないので、丸裸になってしまったような気分である。動きはなかった。ドアも開かず、カーテンも閉じたまま。まだ惰眠《だみん》を貪《むさぼ》っているのか、隠れて何か計画でも練っているのか。沖田の中では既に、福本は犯人そのものだった。

庄田は三十分で戻って来た。大竹が来るまで、二人で待つことにする。庄田を信用していないわけではなかったが、何となく動きがありそうな気がしていた。基本的に福本は、感情を爆発させせがちな男である。こういうタイプは、ふと思いついて突然行動を起こすものだから、一人きりだと対応できない。

次第に空腹が募ってきたが、何とか我慢する。煙草を何本か立て続けに吸い、それで空腹が紛れたと自分に言い聞かせた。

携帯灰皿が一杯になったところで、前方の交差点を曲がって車が姿を現した。見慣れた追跡捜査係の捜査車両。よし、これで動ける。沖田は両手を挙げて、その場で停《と》まるように大竹に指示した。あの場所からなら、福本の部屋のドアを監視できるはずだ。
　車に駆け寄ると、運転席側の窓が降りた。大竹はうなずくだけで、何も言わない。
「一〇二号室が福本の部屋だ。ここから見て、奥から二番目。庄田と一緒に監視を頼む。
俺はちょっとエネルギー補給して、ついでにパチンコ屋でもう一度聞き込みをしてくる」
　またも無言で大竹がうなずく。よくこれで、まともに刑事の仕事ができると思う。だが
大竹は、聞き込みや取り調べの時は普通に喋るのだ。ということは、同僚と話すのが面倒
臭いわけか……つくづく変わった人間だ。
　パチンコ店へ戻る道すがら、喫茶店に立ち寄ってランチを頼んだ。味わう余裕もなく生《しょう》
姜《が》焼きで飯をかきこみ、アイスコーヒーを一気に飲み干して外に出る。先ほどよりも気温
が下がっているようで、一瞬、頭に冷たい物が降りかかったように感じた。見た限り、ま
だ雪は降っていないようだが。
　副店長の長田《おさだ》は、店内にいなかった。他の店員に「店の裏で煙草を吸っている」と教え
られたので、そちらに回る。
　長田は疲れ切った顔つきで壁に背中を預け、煙草をくわえていた。吸うのさえ面倒そう
で、唇の端にぶら下げたまま目を瞑《つぶ》っている。沖田に気づくと、鬱陶《うっとう》しそうな表情を浮か
べて軽く頭を下げた。まあ、そうだろうな……短い時間で二度目の訪問である。
「悪いね、休憩中に」
「いえ」

「大分お疲れみたいだけど」

「疲れますよ、この仕事は」溜息《ためいき》をつき、煙草を灰皿に投げ捨てた。

「店内で煙草は吸えないのか？」

「今時は、パチンコ屋だって全面禁煙ですよ」

「まあ、時代の流れってやつだよな」沖田も煙草をくわえ、火を点《つ》けた。食後の一服になるのだと改めて気づく。釣られるように、長田も二本目の煙草をくわえた。

「福本に会ったんですか」

「会ったけど、叩き出された」

長田が目を見開く。次の瞬間には「しょうがないな」とでも言いたそうに首を横に振って苦笑する。

「おたくも結構苦労してるんじゃないか？　あんな風に乱暴な人間は、扱いに困るだろう。お客さんにクレームでもつけられたら、大変なことになりそうだけど」

「そこは抑えてるんじゃないですか」軽く肩をすくめる。

「奴の過去は知ってるんだろう？」沖田は探りを入れた。

「そりゃそうです。何も知らないで雇うわけにはいかないですからね。リスクマネジメントってやつです」

「難しい言葉を知ってるじゃないか」

「経営学部出身なんで」

沖田は言葉を切り、しげしげと長田の顔を見詰めた。いかにも今時の若者風の、線の細い顔つき。白いシャツに黒いズボンという格好ではなく、Tシャツとジーンズだったら、そのままキャンパスの中を闊歩《かっぽ》していてもおかしくない。

「おたく、何でパチンコ屋なんかで働いてるんだ？」

「しょうがないでしょう、そういうご時世なんだから。でも別に不満はないですよ、給料は悪くないし」

本人がそう思っているなら、俺があれこれ言う問題じゃないが……体全体に張りついた疲労が気になる。本当は、自分で望んだ道ではないのではないか。

「で、福本は職場ではどんな感じなんだ」

「よく分からないんですよね。基本、何も言わないんで。喋らない人なんです」

「同僚とも？　休憩時間とかあるだろう」

「よくここへ煙草を吸いに来ますけど、いつもちょっと離れてて……話しかけるなってオーラを出してるんです」

「なるほどね。まだ社会復帰できてない感じか」

「だと思います」

「奴、シャブ、やってないか？」

「え？」

「シャブ。覚せい剤だよ」

「知りませんよ」長田が唇から煙草を引き抜いた。

「そういうことにも注意してないのか、この店は」

「変な因縁つけないで下さい」長田が強硬に抗議した。大卒のやわい男だと思っていたが、ここで働くうちにトラブル対処法を身につけ、気も強くなったのだろう。

「因縁じゃないよ」

「何か証拠でもあるんですか」

「経験から分かる」沖田は肩をすくめた。「そういうこと、ないか?」

「ないです……というか、とにかく知りません」

「なるほど」沖田は煙草を深く吸った。「他に何か、トラブルは? 客でも従業員相手でも……」

「ないですよ。ねえ、いったい何がしたいんですか?」

「奴のことを知りたいだけだ」

「福本さんが何かしたんですか」

「そういうわけじゃない」今のところは――こちらが認知していないだけかもしれないが。

「ただ、普段の彼の様子が気になるだけでね」

「普通ですよ、普通」

「パチンコ屋さんの普通って、どんな感じなんだ?」パチンコをしない沖田にとっては、よく分からない世界だった。

「うちは、早番と遅番の繰り返しのローテーションなんです」

「二交代制にしなけりゃいけないほど、勤務時間が長いのか」

「営業は朝十時から夜十一時までですから。早番は九時から五時、遅番は四時から十二時までです」

「営業が終わってから金の勘定をして……」

「店の掃除をして」長田がようやく話を合わせてきた。「早番二日、遅番二日、それで次の日が休みっていうパターンが多いですね。四勤一休です。他の店は知りませんけど、うちはそういう感じで」

「福本は、昨日今日と連休だったけど」

「毎月のシフトを決める時に希望を出してもらえば、考慮しますよ。でも、人の出入りが多いんで、シフトを組むのも面倒なんですよねえ」

「バイトが多いんだろう？」

「しかも短期で」

長田が溜息をついた。シフトを組む作業が大変なことは、沖田にも簡単に想像できる。

「福本も、まだここは長くないよな」

「今月でちょうど半年、ですかね」

「これまで本当に、トラブルはなかったのか？　パチンコ屋だと、玉が出ない客が怒ったりするだろう」

「うーん……」長田が急に言葉を濁した。「まあ……上手くいかなければ怒る人がいるのは普通ですよね」

「従業員を怒鳴りつけたり？」

「そういうこともあります」

「福本が気の短い男だってのは、よく知ってるだろう？　知ってて雇ってるんだよな」

「別に問題ないでしょう」長田の声が強張《こわば》る。

「問題あるなんて言ってないぜ」どうしてこんなに警戒しているのだろう、と沖田は訝った。トラブルの多い職場だから、警察の存在自体が鬱陶《うっとう》しいということか。

「トラぶった時は、他の店員を行かせますから」長田が溜息混じりに言った。「別に、店員が名指しで呼ばれるようなことはないんで……お客さんも、顔見知りの店員以外は、名前なんか覚えてませんからね」

「用心してたわけだろう？」

「避けられるトラブルなら、避けたいですよね」

「あんたも大変だよなあ」沖田は煙草を灰皿に投げ捨て、新しい一本に火を点けた。同情は本物だった。

「まあ……慣れましたけどね」

「ずっとこの仕事を続けていくつもりなのか？」

「分かりませんね。先のことなんて、あまり考えたくないんで」

長田が苦笑する。案外芯《しん》は強いようだ、と沖田は納得した。元々そういう性癖なのか、この仕事をしていて鍛えられたのか。長田がふいに真顔になり、「福本さんなら、何かやってもおかしくないとは思いますけどね」とぼそりと言った。

「そう？」

「昔の話は採用する時に聞いたけど、それは採用しない理由にはならないですしね……でも、時々そういう性癖がちらりと見えて、怖い感じはしましたよ」

「と言うと？」

「目つきが」長田が自分の両目を指差した。「分かるでしょ？」

「人殺しの目か」

長田の喉仏が上下した。一度唇を引き締め、やがてぼそぼそと話し出す——やけに周りを気にして目を泳がせる。誰かに聞かれるとまずい、と用心しているようだった。

「まあ、昔の話だって分かってても、あれですよね……怖いですよ。あの事件、凄《すご》かったんでしょう？」

「直接捜査したわけじゃないけど、俺もそんな風に聞いてる」

「そういう人が一緒に働いていて、いつ切れるのかと思うと、こっちだってびくびくしますよ。時々、物凄く鋭い目をしていて、心配になります」

「気に食わないことがあった時とか？」

「その辺、本人があまり話をしないから、何が気に食わないのかも分からないんですけどね。本当に分からない人で」

「なるほど……副店長のあんたでも、まったく世間話はしないんだ？」

「普通の仕事の時は、話すにしても短い指示だけで済みますから。玉出しのタイミングとか、掃除のこととか。そういう時は普通に反応するんですけど、それ以上のことはちょっとあれですね……話しかけやすくはないです」

「そうか」沖田は煙草の灰を灰皿に落とした。少し喉がいがらっぽい……さすがに最近は、立て続けに吸うと、喉にダメージがくるようになっている。「で、最近何かに不満を言ったりとか、そういうことは？」

「聞いたこともないです」

「昨日今日の連休なんだけど、何か特別な用事があるようなことは言ってなかったか？」

「特には……疲れてるから休みたいっていうだけでしたよ」

「なるほどね。ところで、誰か特に親しい店員はいないかな？　話を聞いてみたいんだけど」

「ああ、まあ……」長田が言い淀《よど》んだ。

「誰かいるんだな？」

「いますけど、あまり話が広がるのは、ねえ」

「いいから呼んできてくれ」沖田は、それまで上手く転がっていた会話をシャットダウンし、仕事用の強硬な口調で命じた。「これは警察の仕事なんだ。協力してくれなければ、もっと強い方法でお願いしないといけなくなるんだぜ」

長田の顔が一気に蒼褪《あおざ》める。まだ反抗的な表情を浮かべていたが、長続きはしなかった。警察がやると言ったらやる――それぐらいは分かっているだろう。もしかしたらこれまでにも、痛い目に遭ったことがあるのかもしれない。

何となく申し訳ないなと思いながら、沖田は念押しした。

「ちゃんと話を聴かせてもらったら、店には迷惑をかけないようにするから」

結局長田は断りきれないのだ。断れないことは、沖田には分かっていた。


紹介されたアルバイト店員の永崎《ながさき》は、長田よりもさらに若かった。聞けば現役の大学生だという。ほっそりした小柄な男で、気の毒なほど緊張していた。

「そう硬くなるなって」沖田が声をかけても、効果はなかった。取調室ではなく、パチンコ店の裏側――往来に面した場所で人の行き来もあるのに、刑事と対峙《たいじ》するとなると、やはり楽な気持ちではいられないようだ。

「はい」

「ちょっと話を聴かせて欲しいだけだ――福本のことについて」沖田は胸ポケットの煙草に触れたが、結局引き抜かなかった。永崎が煙草を吸わないタイプに見えたので、遠慮したのだ。「君、福本とは比較的親しかったそうだな」

「いや、そういうわけじゃ……」親しいと見られるとまずい、とでも思っているようだった。

「別に、君に問題があるわけじゃない。福本のことを知りたいだけなんだ。でも、不思議な感じがするけど……年もずいぶん違うだろう」

「はい」永崎は顔を上げない。腹のところで両手を組み合わせ、そこにじっと視線を落としていた。手の甲が強張り、筋が浮き出ている。

「福本はあまり話さないタイプだったらしいけど、君は何で親しくなったんだ？」

「あの、大学の先輩なんです」

「ああ、そういうことか」

凶悪な粗暴犯という顔ばかりが目立つが、あの事件を起こす前の福本は優秀な営業マンだったのだ。大学は経済学部を出て、英語も話せた。それ故《ゆえ》外資系の会社で職を得ることができ、自分の能力を如何《いかん》なく発揮していたらしい。あんな事件を起こさなければ、と沖田でさえ残念に思う。あまりにも極端な転落の人生だ。

「こういうことを言うとあれだけどさ、彼は怖くなかったか？」

「いや、普通に話している分には、別に……」

「普段はどんな話をしてたんだ？」話し振りから、普通でない状態になると怖いのだな、と大友は判断した。

「だいたい大学の話ですね。知ってる教授のこととか……あとは就職のことです」

「君は今……？」

「三年です」

「じゃあ、そろそろ就職にも本腰を入れないといけない時期だ」

「ええ。福本さんが就職した時とは時代も違いますけど、いろいろ参考になる話もありま
す」

「福本みたいに、IT系の企業でも目指してるのか？」

「そうなんです」ようやく永崎が顔を上げる。極めて真面目な表情だった。「知らないこ
とばかりで。外資系の雰囲気とか、あまりよく分からないんです」

「どんな感じだって？」

「基本的に実力主義。結果を出せないと、すぐに切られます。でも、意外に雰囲気はぎす
ぎすしてないとか」

「人間が仕事する場所は、世界中どこへ行ってもそんなに変わらないんだろうな」警察の
仕事もそうかもしれない。アメリカでもロシアでも、あるいはアフリカの政情不安定な国
でも……沖田は我慢しきれずに煙草を取り出した。火を点け、顔を背けて煙を吐き出す。

「福本が過去に何をやったかは、知ってるんだろう？」

「……はい」永崎の顔からまた血の気が引いた。

「正直、怖くないのか？」

「普通に話している分には。でも、最近はちょっと……」

「何かあったのか？」沖田は煙草を口から引き抜いた。

「あの、一緒に呑みに行ったんですけど……二週間前ぐらいかな」

「それで？」

「酔ってきたら、目が据《す》わって……『俺がこんな風になったのは馬鹿な刑事のせいだ』って言い出して」

「君に絡んできた？」

「そういうわけじゃないです」永崎が慌てて顔の前で手を振った。「ただの愚痴みたいな感じで……でも目が真剣だったんで、ちょっと怖かったです」

「その刑事について、何か言ってなかったか？　もっと具体的なこととか」これは大きなヒントだ、と沖田は気持ちが前のめりになるのを感じた。

「いえ」

「名前は聞いてない？」

「聞いてません」

「あまり突っこまなかったんだ」

「怖くて突っこめなかったんですよ」永崎が、子どもっぽく唇を突き出した。

「そりゃそうだよな。やっぱり、過去は気になるだろう？」

「なりませんよ」永崎が反論した。「その時に怖かったというだけで、他には特に、そういうことは……」

「その後、その話は出なかったのか」

「いや、あの……その後はあまり話さなくなったので」

溝ができたのだろうか、と沖田は想像した。永崎は、最初は単なる大学の先輩、社会の様子を教えてくれる貴重な先生として福本に接していたのだろう。それが突然、凶暴な素顔の一端を知れば、引いてしまうだろう。

「福本は、この仕事を気に入ってるわけでもないんだろうな」

「それはそうだと思いますよ。だって、会社にいた頃は、年収千五百万円ぐらいだったそうですから。それに比べれば……」

「千五百万？　そりゃすごいな」相槌《あいづち》を打ちながら、沖田はかすかな疑念に捉《とら》われていた。福本が逮捕されたのは三十歳になる前……大学を出てから、七、八年は働いていた計算になる。千五百万円の年収が何年間続いたのかは分からないが、独身だったのだし、貯金がゼロということはなかったはずだ。出所してきても金に困るようなことはない──少しの間なら、働かなくても生きていけるぐらいの蓄えがあったのではないだろうか。それなのに、仕事を転々としている。あるいは、被害者遺族に賠償金を支払って、すっからかんになったのかもしれない。

「そういう人生が百八十度変わるのは、大変だっただろうな」

「そうだと思います。『だからお前は、変な風に曲がらないで生きろよ』って言われました」

「つまり、自分の人生が曲がっちまったという意識はあるわけだ」阿呆が、安っぽい説教しやがって……生意気だ。

「だと思います」

沖田はその後も質問を変え、何とか永崎の記憶を引き出そうとした。だが彼は、福本が恨んでいるという刑事の名前を、本当に聞いていないようだった。仕方ない。「何か分かったら連絡してくれ」と言って名刺を渡す。

パチンコ店から離れて、沖田は西川に連絡を取った。

「どうだ？」

「これから新井利香《あらいりか》に会いに行くところだ」

「ずいぶんゆったりやってるんだな」

沖田の皮肉に、西川はまったく動じなかった。彼にすれば普通のことだろう。沖田は、相手に会わなければならない相手がいる時、取り敢えず足を運んでしまう。しかし西川は、相手を事前に丸裸にするまで、動こうとしない。今回も、結婚詐欺事件について徹底的に調べ上げ、新井利香の言動の一つ一つを頭に叩きこんでいたのだろう。

「お前の方こそ、どうだ」

「福本が、勤めているパチンコ屋の同僚に愚痴を零《こぼ》していた」

事情聴取の内容を説明する。西川はあまり乗り気でない様子で、相槌にも熱がなかった。

「大友を恨んでいたのは間違いないんじゃないか」

「どうかな」西川が反論する。「具体的な名前が出たわけじゃないから、断定はできないだろう」

「昨日のアリバイもないんだけど」

「結論を急ぐなよ。もう少し調べてからだ。いきなり引っ張るなよ」

「シャブで引っ張ってみようかと思うんだが」無理だと思っていたが、さらに突っこんで話を聴くにはそれしかないようだ。

「ちょっと待てよ。シャブはお前の印象だけだろう？　無理するな。ここでヘマしたら、他の係から横槍《よこやり》が入るかもしれないぞ」

「分かってる」ミスは許されない、と沖田は意識した。西川の言う通りで、誤認逮捕でもしたら大問題になる。世間に叩かれるのも困るが、今一番避けたいのは、大友狙撃《そげき》事件の捜査を禁じられることだ。「とにかく、しばらく監視しておく。大竹は借りるからな」

「ああ、いいよ。何かあったら教えてくれ」

「了解」電話を切った途端、顔に冷たい物が落ちるのをはっきりと感じた。雪……今夜が長くならなければいいが、と沖田は祈るような気持ちになった。

第四章

新井利香、三十歳。参考資料に添付された写真を見た西川は、思わず目を見張った。

美醜《びしゅう》の基準は常に主観的だが、十人が十人とも「美人」と判断しそうな顔つきである。女優はテレビやスクリーンの中で見る存在であり、実在性に乏しいのだが、生身の人間――こういう言い方は変かもしれないが――としては、西川が今まで見た中で、一番顔が整っていると断言できる。西川は思わず、さやかに感想を求めた。

「何だ、それ」

「街中を歩かない方がいいタイプですね」

「声をかけられまくって、普通に歩けないでしょう」

「確かに美人だよな」

「実際会ったらびっくりするかもしれませんよ」

添付されていた写真は、きちんと撮影されたものではなかった。所轄を出て、誰かと立ち話をしているところを写された――要するに盗撮である。こういう時は油断して間の抜けた表情になりがちなのだが、彼女に限ってはそれもない。そもそも被害者の写真など、捜査資料には必ずしも必要ではないわけで、この写真は、担当していた捜査二課の刑事が趣味で撮ったものかもしれない。面談して衝撃を受け、どうしても写真を残しておきたいと思ったとか――だとしたら趣味が悪い話である。というより、ストーカー一歩手前だ。

「何だか不思議じゃないか」西川は首を捻《ひね》った。「こんな美人が、結婚詐欺なんかに引っかかるものかね。引く手数多《あまた》だと思うけど」

「そうでもないですよ。美人ほど、結婚のハードルが高いって言いません？」

「何で？」

「近寄りがたいから」

「ああ、そういう意味か……あるいは、声をかけるのだけは得意な、軽い男に引っかかったりとか」

「それはあるかもしれません。でも、この事件はちょっと事情が違うんじゃないですか。芸能事務所が絡んでいるんですから」

「女優にしてやる、か」西川は溜息《ためいき》をついた。馬鹿ばかしいとは思うが、人は簡単にこの手の誘いに引っかかってしまうものだ。

杉本充《すぎもとみちる》、四十三歳――逮捕される前は、弱小芸能プロダクションの社長だった。数人のモデルを抱えているだけだったが、名刺に社長の肩書きを刷りこむのは違法でも何でもないし、仕事の実態もあった。街中で女性に声をかけまくっていたのも、間違いなくスカウトの「仕事」である。それだけなら、何も問題はなかった。杉本は仕事に関しては極めて真面目《まじめ》で、業界内でも熱心なタイプという評判を取っていた。

ただし、途中から脱線した。スカウトして芸能界に女性を送りこむより、いつしか金を巻き上げるのが優先になってしまったのである。ギャラのピンハネならともかく、恋愛感情を材料にして……というのは悪質だ。

背後には、事務所の苦しい台所事情があった。運転資金を賄《まかな》うために、スカウトした女性を「恋人」にし、「結婚しよう」と持ちかけ、金を引き出していた。それに何人もが引っかかり……杉本は四十三歳――逮捕時は三十九歳――にしては若々しく、男性向けファッション誌のモデルでもやっていそうな爽《さわ》やかな風貌《ふうぼう》だった。しかも口が上手《うま》く、簡単に人を信用させてしまう。いわゆる「人たらし」の類《たぐい》で、それに加えて芸能界という華やかな世界がバックにあった。騙《だま》されてしまう女性がいたのは、何となく納得できる。

「新井利香って、普通のOLなんですね」

「ああ」

「それで一千万円も貢いでいたって、すごくないですか？　そもそも、何でそんなにお金を持ってたんですかね」

確かに。利香は化粧品会社で、入社以来、マーケティングの仕事をしている。誰でも名前を知っている、東証一部上場の有名な会社で、同年代の女性と比べて収入は高いかもしれないが、それでも一千万円を捻出《ねんしゅつ》するのは至難の業だったはずだ。

「ちょっと二課に聴いてみようか」

「大丈夫ですか？」さやかが心配そうに目を細める。

「俺は沖田とは違うよ。あちこちに喧嘩《けんか》を売って嫌われてるわけじゃないから」笑いながら言って、西川は受話器を取り上げた。頭の中には、既に当たるべき人物の名前が浮かんでいる。

十分後、西川は捜査二課にいた。さやかも同行すべきだと思ったが、二人がかりだと大袈裟《おおげさ》になる。しかし西川一人でも、情報提供を頼んだ相手、武本《たけもと》はおどおどしていた。突然追跡捜査係の人間が「話をしたい」と言ってくれば、警戒するだろう。それに武本はしばらく前から、女性問題で家庭内がごちゃごちゃしていたようで、変に用心している節がある。

「どうも」武本が慎重に切り出す。

「悪いな、忙しいところ」

「いや、今は暇ですから」ようやく笑みを浮かべた。「杉本のことですよね」

「杉本というか、新井利香。彼女は最後まで、杉本のことを庇《かば》っていたんだよな」

「まあ、何とかは盲目ってやつですね」

武本が苦笑する。しかし本音は、「騙されていることに気づいて欲しかった」だろう。彼女の証言があれば、被害者はさらに増えることになり、杉本をもっと長く刑務所に入れておけたはずだ。

「彼女、杉本に一千万円も突っこんでいたんだって?」

「正確な額は分かりませんけどね。杉本も彼女も、記録をつけていたわけじゃないから。

金はいつも手渡しでした」

「記録が残らないように」

「ええ……それで大抵の女性は、どこかでおかしいって気づいたんですけどね。今時、金のやり取りなんて、皆ネット銀行を使うでしょう」

「そうだよな」西川は話を進めるために相槌《あいづち》を打った。「一つ、不思議なんだけど、彼女はどこから一千万もの金を調達したんだろう」

「それがですね」急に武本の表情が歪《ゆが》んだ。「陰で、逆に騙されていた男がいたんですよ」

「何だ、それ？」西川も眉《まゆ》をひそめた。

「彼女、当時つき合ってた男がいましてね」

西川は一瞬頭が混乱するのを感じた。だがすぐに小さな仮説が結びつき、がっくりしてしまう。こんな馬鹿な話があるのか……。

「杉本に金を渡すために、自分の恋人から金を騙し取ったとか？」

「そうなんですよ」

「阿呆《あほ》か」西川は拳《こぶし》で額を擦った。「その男……新井利香の恋人も阿呆じゃないのか？何でそんなに簡単に金を渡したんだよ」

「彼女は、仕事を辞めて自分で雑貨店を開きたい、という言い訳を使っていたようですね」

「それこそ詐欺じゃないか」詐欺の連鎖だ。「その件で、彼女の恋人はどうしたんだ？

騙されたことには気づいたのか」

「ええ」

「それで何か……告訴とかは？」

「しませんでした」小さな声で武本が否定した。「まあ、あれなんでしょうね。自分が騙されたのが悔しかった、というのもあるんじゃないですか。恥ずかしい話ですから、表沙汰《おもてざた》になるのも嫌だったんでしょう。それに新井利香は、実際に雑貨店を開きたいという夢は持っていたんです。本当に物件を探してましたしね。最終的な目的は違っていたとはいえ、一応嘘《うそ》はついていなかったことになるんですよ」

「結果的に彼女は、二股《ふたまた》かけていたことになるわけか」西川は溜息をついた。

「そうなりますね」

釣られたように武本も溜息をつく。こいつの女性問題も、似たような話だったのでは、と西川は勘ぐった。この場で突っこむべき話ではないが……武本が脂の浮いた額を掌《てのひら》で擦《こす》り、引き出しを開けて別の資料を取り出した。

「これは部外秘ですよ、個人的なデータですから」と念押ししてから、騙された男について説明を始める。

澤井《さわい》義道《よしみち》、現在三十四歳。勤務先は、新井利香と同じ化粧品会社で、営業マンをやっていた――少なくとも当時は。利香とは三年ほどのつき合いで、本人は結婚も意識していたという。

「どんな感じの男だ？」

「ごく普通の、真面目なサラリーマンですよ。中肉中背、見た目も特に目立つわけじゃないし」

「新井利香と釣り合うようなタイプじゃないってことか」

「美男美女のカップルなんか、実際にはほとんどいませんけどね」武本が書類を伏せてデスクに置いた。「ただ、愛想がいいというんですか……人当たりはいい男ですよ。化粧品会社の営業は、女性を相手にすることが多いでしょう？　やっぱり女性向けの商品を扱っていますから、自然に腰が低くなるんですかね。今風に言えば、ちょっと植物男子って感じかな」

「当時も植物男子っていう言葉はあったと思うけどね……それで、今はどうしてる？」

「同じ会社で働いてます」

「新井利香は？」

「やっぱり、同じ会社にいます」

「今でも同僚なのか？」西川は唖然《あぜん》として、武本の顔を見た。

「そんな顔されても困りますよ」武本が肩をすくめる。

「トラブルに巻きこまれた人間同士が同じ会社にいるっていうのは、信じられない。会社は、その辺の事情は知らないのか」

「知ってますよ。知っているから、澤井は異動になったんです」

「何でまた。澤井は被害者だろう？　処分で異動になるなら、新井利香の方じゃないか」民間企業というのは、こんなに理不尽な人事をするのだろうか。先ほどから、納得のいかない話ばかりである。

「いやいや、澤井本人の希望なんですよ。このご時世ですから、勢いで会社を辞めても、次の仕事があるとは限らないでしょう？　だったら何としても、会社にしがみつかないといけない。ただし本社にいれば新井利香と顔を合わせることもあるから辛《つら》いわけで……本人たっての希望で、今は名古屋支社にいるんですね。ただし、二階級特進みたいな形で、課長になっています」

「地方へ行って課長か……それはどうなんだろうね」

「どうなんでしょう」武本が首を捻る。「でも、本人希望の人事だそうですから、いいんじゃないですかね。噂《うわさ》によると、近々結婚するらしいですよ」

「これまた、何とも」西川は思わず肩をすくめた。「ずいぶん急な話だ」

「相手は高校時代の同級生みたいです。彼、元々出身が愛知の稲沢なんですよ。地元へ戻って、昔の同級生と再会して、癒《いや》されたんじゃないですかね」

「なるほどねえ」腕組みをして、西川は唸《うな》った。「それで新井利香の方は？　まだ会社にいるわけか」

「ええ。今も普通に働いてるようです」

「本当に問題ないのか？」

「難しいですよね。仮に自分は被害を受けたって訴えても、会社としては処分もできないでしょう。被害者は被害者なんだから。会社の中では引かれるかもしれないけど、悪いことをしたわけじゃないし」

「ましてや本人は、被害を訴えていない」

「ええ……だから、会社としてもどうしようもないんじゃないですか」

「何か、ひどい状況だな」苦笑したが、何となく心の底に澱《おり》のような物が残る。彼女にとっても、状況はひどく苦いものではないだろうか。居心地が悪くないはずはないのに、平然と仕事をしているとしたら——鈍い、の一言では片づけられない気がする。

「で、彼女は大友を恨んでる、と」西川は話題を変えた。

「少なくとも当時は、相当ひどかったみたいですね。我々の印象だとおっとりした女性なんですけど、あの時は、それはもう……髪振り乱してっていうのは、ああいうことを言うんじゃないですか」

「そんなに？」西川は思わず声を低くした。

「我々もちょっと、手順的に失敗したんですけどね……」悔しそうな表情で武本が認めた。「新井利香を呼んでいた日に、ちょうど杉本を引っ張ったんですよ。彼女が帰る時、連行されてきた杉本と所轄の玄関で鉢合わせになりましてね。まあ、大騒ぎでした。泣いて追いすがるのを何とか止めて……間に入った大友は、彼女にぶん殴られてましたからね」

「それはひどい」西川は頰《ほお》を掌で押さえた。大友の痛みが直《じか》に感じられるようだった。

「それで、『あんたのせいだ』って泣き叫んで。宥《なだ》めるの、大変でしたよ。大友が彼女をずっと担当していたんで、警察の代表みたいに思ってたんでしょうかね」

「ご愁傷様としか言いようがないけど……だいたい、何で二課の捜査に大友が呼ばれたんだ」

「それは、福原本部長の指示ですから、我々には分かりませんけど……女性絡みの事件ですから、あいつを当てた方がいい、と思われたんじゃないですかね」

「女性受けはいいからな」

「当たりが柔らかいですしね。信頼されやすいタイプなんですよ。特に、騙されたことが分かった女性って、傷ついてるじゃないですか。そういう女性を宥めつつ、きちんと話を聞き出すのは、なかなか難しいんですよ。特に結婚詐欺の被害者は、女性刑事が相手をしても、なかなか話を聴き出せない。女性だと、むしろ警戒してしまうことも多いし」

「それは分かるよ」こいつもずいぶん語るものだ……女性心理について説明させたら、話が止まらないかもしれない。だから女関係でややこしいことに——西川は皮肉に思ったが、もちろんそんなことは口にはしない。「しかし大友も、すごい才能だな。少し分けてもらいたいもんだ」

「まったく、ねえ……それにしてもあいつ、容態はどうなんですか？」

「まだ安心はできない。まあ、治療のことは病院に任せるしかないけどな……こっちとしては、一刻も早く犯人を見つけるだけだ。あいつが元気になった時、まだ犯人が捕まってなかったら、がっかりするだろうしな」

「西川さんらしくないですね」武本が薄っぺらい笑みを浮かべた。

「何が」

「そういう熱血っぽい感じ」

「そんなことはない」西川は顔の前で手を振った。大友はかつての捜査一課の同僚——いや、今も警察一家の仲間なのだ。「俺にだって、刑事の血は流れてるんだから」

詳しく話を聴いてしまった後では、新井利香に会うのはますます気が進まなくなった。さやかも同様で、利香が勤める会社へ向かう途中、終始暗い表情を浮かべていた。会社の最寄駅が近づくとようやく顔を上げ、「何だか大変そうですね」とぽつりと言った。

「面倒臭そうなタイプだな」

「相当変わってると思いますよ」

「恋愛は人を盲目にするとはいうけど……相手に夢中になっている時には、傍《はた》から見てもおかしいことがあるよな」

「それはそうなんですけど、今でも、なんでしょう?」探るようにさやかが訊《たず》ねた。

「何しろ、杉本を探し回ってるぐらいだから」

「こうなると、宗教みたいじゃないですか」

「確かに……」理屈ではなく、感情で相手を妄信している人間には、理詰めの事情聴取は通用しないだろう。だったらどうしたらいいのか……頭が痛いところだ。相手の様子を見て、その場の雰囲気に応じてやってみるしかないだろう。

新井利香の勤める化粧品会社の本社は、銀座にあった。銀座というと、今でも華やかな街の代表格のイメージを持たれているし、実際そうなのだが、それは四丁目交差点を中心にした付近のことだ。晴海通りと中央通り、外堀通りに挟まれた七丁目の細い道路には古いビルが軒を連ねており、少しだけ下町の雰囲気も漂っている。そういうビルには、小さな会社が無数に入っていて、ビジネス街の顔もあった。

「シーブレス」――以前は「華咲《はなさき》化粧品」だったのが、バブル時代に名前を変えたはずだ――は、その手の古いビルに入居していた。日本を代表する化粧品会社にしては小さなオフィスだが、ここへ来る前に調べてみたところ、本社機能があちこちに分散しているらしい。このビルには、利香の勤めるマーケティング部と宣伝部が入っているだけのようだ。本来の本社ビルは、昭和の時代から銀座のランドマークなのだが、さすがに古く、手狭になっているのだろう。

「突っこみますか?」さやかが訊ねる。

「いや」西川は腕時計を見た。五時二十分。会社は五時半が定時で、今日は「ノー残業デー」だと事前に調べてある。五時半になれば一斉に照明が消されて、退社せざるを得なくなるはずだ。会社に乗りこむより、ここで待っていた方が確実だし安全だろう。どこか近くの喫茶店ででも、話を聴けばいい。「待とう」

「もしかしたら、外回りから直帰、かもしれませんよ」

「その場合は出直しだな」

待つ十分は長かった。ビルの出入り口を凝視しながら、何度も腕時計を確認してしまう。

「ところで、西川さんが声をかけますか？」

「何でそんなこと、わざわざ決めなくちゃいけないんだ」

「いやあ」さやかが皮肉っぽく唇を歪める。「西川さん、気後れしちゃうんじゃないですか」

「まさか。これは仕事だよ」

「仕事でも、規格外の美人だとびびるんじゃないですか」

「だったら、君が声をかけるか？　俺は保護者で、事情聴取は君に任せてもいい」

「ま、流れでいきましょうか」さやかが肩をすくめる。この仕事に乗り気でないのははっきりしていた。

五時半、社員たちが次々と出て来た。見たところ、男女半々……六四で女性の方が多い感じだった。さすが化粧品会社ということか。

利香はすぐに見つかった。背が高いので非常に目立つ。多少ヒールのある靴を履いて、自分と同じぐらいの身長——西川は百七十四センチだ——ではないか、と思った。極端に顔が小さく、八頭身どころか九頭身という感じである。

他の社員が連れ立って、談笑しながら出て来るのに対し、利香は一人だった。何となく、人を寄せつけないような空気をまとっている。美人が怒ると迫力がある、とよく言うが、まさにそんな感じだった。ただし、怒っているというよりは、孤高を保っているイメージだろうか。何となく、社内での今の立場が窺《うかが》える感じである。

さやかがすっと前に出た。彼女は小柄な方で、利香の前に立つと頭一つ分小さい感じになる。顎《あご》を上げ、見上げるようにしながら話しかけた。

「警察です」

「警察？」利香がいきなり表情を歪めた。どす黒い内面が透けて見えるようだった。「何ですか、いったい」

「ちょっとお話を伺いたいんですが」

「話すことなんかありませんよ」険しい表情で、いきなりバリアを張り巡らせる。

「こちらではあるんです」正面から相対しているさやかは、すぐに彼女に反感を抱いたようだった。言葉に棘《とげ》がある。

「関係ないでしょう。話すことなんか何もありません」

「あー、すみません」西川はたまらず割って入った。「大友のことなんですが。大友鉄」

利香の眉がぴくりと動いた。

「だから？」粗大ゴミのことでも話すような口調だった。

「あいつに対して言いたいことは、たくさんあるんじゃないですか」

「もちろん」

「だったら、それを聴かせてもらえませんか」

「そんなこと聴いてどうするんですか」

「あいつ、撃たれたんですよ」

利香の顔に、はっきりと笑みが浮かんだ。普通の人は、こういう風にはしない。どんなに憎んでいる相手でも、「撃たれた」と聞けば一瞬は顔をしかめる。だが彼女は、あっさりと本音を曝《さら》け出した。

「嬉《うれ》しそうですね」

「あんな人は撃たれて当然です。撃った人に感謝しなくちゃ」

西川は、周囲の人の目が気になり出した。退社する人たちが、ちらちらとこちらを見ている。だが利香はそういう人たちの様子が目に入らないようで、平然と腕組みをし、さやかを見下ろした。

「あの人のせいで、杉本さんは酷《ひど》い目に遭ったんですよ。今も表に出て来られないんですから」

「探しているんですよね」西川は念押しした。

「だって、私が探さなかったら誰が探すんですか。隠れている必要なんかないんです」

「それは分かりました……ちょっと大友の話を聴かせてもらえませんか」

「いいですよ」先ほどと打って変わって、利香が同意した。「あの人のことなら、いくらでも話すことがありますから」

会社の近くの喫茶店に落ち着いた。ビルの四階にある店で、非常に落ち着いた、銀座ならではの高級喫茶店という感じである。入って左手側には長いカウンター、その向かいにテーブル席が並んでいる。三人は、右奥に引っこんだ目立たない場所にあるテーブル席についた。窓からは晴海通りが一望でき、一瞬目を奪われる。日本で一番地価が高い場所に近い喫茶店のせいか、さすがにコーヒー一杯が千五十円もした。

座るなり、利香が素早く煙草《タバコ》に火を点《つ》けた。自分から話し出すつもりはないようで、ブレンドを頼んで、不貞腐《ふてくさ》れたように無言で煙草を吸い続ける。西川もすぐには話し出さずに、その時間を利用して彼女を観察した。

確かに美人は美人だ。街中を歩いていれば、思わず見とれる人も多いだろう。写真で見たイメージそのまま……しかし実際には「荒れ」が目立つ。化粧は雑で、髪にも手入れが行き届いていない。マニキュアがはげかけているのを見て、「自分に構わないタイプ」という印象は決定的になった。以前、妻の美也子に言われたことがある。「女はいろいろなことが面倒になると、まず爪《つめ》の手入れをしなくなるから」。彼女は何が面倒になった？

たぶん、人生そのものだ。

「杉本さんがどこにいるか、分からないんですね」

「分かりません」利香の表情は、煙の向こうでぼやけていた。

「どういうところを探してるんですか？」

「前の会社の人を訪ねたり、彼の実家とか……」

「富山ですよね」

「遠くて大変なんです」

「何回ぐらい行ったんですか」

「三回」指を三本立てて、自分でそれを凝視した。

「一年間で？」

「出所して、東京で帰る場所がないとしたら、普通は実家に戻るじゃないですか」どうしてそんな当たり前のことが分からないのだ、とでも言いたげな口調だった。

「ご両親は健在なんですか」

「お二人とも七十歳を越えて……」ふいに、利香が口元を押さえた。目が潤み、涙が零《こぼ》れる。

「会ったんですか」

「会いました」

「歓迎されました？」意地悪な質問だな、と思いながら聴かずにはいられない。

無言。それが答えになっていた。当然だろう……詐欺事件で逮捕され、世間にも叩《たた》かれた息子——芸能プロダクションの社長ということで、新聞よりもテレビや雑誌が騒いだ——が騙した女性。それがいきなり訪ねて来て、居場所を訊ねたとしたら、不気味ではないだろうか。何か裏があるのでは、と勘ぐってもおかしくない。

「ご家族も、どこにいるか知らないんですか」

「一度だけ連絡があったそうです。出所した直後に……でもそれきりで、今どこにいるかは知らない、と」

杉本も覚悟を決めたのだろう。人生から降りる——華やかな世界の端にぶら下がっていたのが、事件で完全に零れ落ちた。二度と戻れないのは、本人にもよく分かっていたはずだ。覇気《はき》とコネのある人間なら、同じ世界で復活を試みるかもしれないが、杉本はそういうタイプではないのだろう。そもそも、会社の資金繰りに困った時、女性を騙して運転資金を集めようとするなど、あまりにもスケールが小さい。本当に大物なら、融資元ぐらいは簡単に見つけられるはずだ。銀行は相手にしないかもしれないが、こいつのためならギャンブルに乗ろう、というスポンサーはいるだろう。

「会社の人も知らないんですね」

「皆、酷いんですよ」涙声で利香が訴えた。「自分たちも被害者だ、なんて言って……今度会ったら殴ってやるとか。おかしいですよね」

いや、おかしくはない。杉本のプロダクションは零細で、実質的に彼一人で全《すべ》てを動かしていたようだ。抱えていたモデルやタレントも数人ほど。そういう人たちは、社長が突然逮捕されれば動きようがなくなる。資金も回らなくなり、会社は解散したと西川は聞いていた。いきなり生活の糧を奪われたら、杉本を恨まないわけがない。

利香は、何かが抜けている。自分の中では理屈の合う考えなのかもしれないが、世間一般から見れば非常識だ。しかしそれを決して認めようとせず、浮いてしまう——一番扱いにくいタイプだ。どうやって話を引き出すか。大友ならどうしていただろう、と思わず考えてしまう。いや、大友も実質的には失敗したのだ。だからこそ彼女は自分を被害者と認識できず、今でも大友を「恋人に濡《ぬ》れ衣《ぎぬ》を着せた人間」と決めつけている。

「向こうからも、まったく連絡がないんですね」

「ないです」また涙が溢《あふ》れる。「本当に心配しているのに……何で分かってくれないんですかね」

「彼も、連絡を取りにくいんでしょう」

「そんなことないんです。私はいつでも、助けになるのに……警察は、彼の居所を知らないんですか」

「残念ながら、その情報はありませんね」

「何でちゃんと……」利香が首を振った。「警察は関係ないんですか」

「罪を償《つぐな》って出所してきた人を追いかけ回していたら、それは逆に問題ですよ」

空調の具合がよくないのか、煙草の煙がテーブルの周りにずっと居座っている。視界が曇り、臭《にお》いが鼻についた。西川は運ばれてきたコーヒーを一口飲み、何とか気持ちを落ち着かせた。さすがに千円以上もするだけあって、美味《うま》い。値段は場所代だけではないのだ、と感心する。それもつかの間のことで、また緊張が高まってきた。

「大友がいったい何をしたんですか」

「あの人が、杉本さんを犯人にしたんです」利香が即座に言った。

「あいつだけが捜査していたわけじゃないんですよ。たまたま、あなたから話を聴くのを担当していただけです」

「でも、杉本さんを犯人にしようとしたのは間違いありません」

そうではない……捜査の事情をどこまで話してしまっていいか分からなかったが、既に完全に終わった事件である。簡単に説明するぐらいはいいだろうと考え、話し始めた。

「大友があなたから話を聴いたのは、いわゆる補充捜査なんです」

「補充？」利香が首を傾《かし》げる。

「この件は、複数の女性の告訴で捜査が始まっています。杉本さんに騙されて金を奪われたと――」

「そんなこと、ありません！」

「黙って聴いて下さい！」

利香の言葉に被《かぶ》せるようにさやかが叫んだ。呆気《あっけ》に取られた利香が口をぽかんと開け、ゆっくりと閉じる。出かけた言葉を呑《の》みこんでしまったようだった。こんな風に怒鳴られたことがないのだろうか……西川は一つ咳払《せきばら》いをして、抑えた声で話を続けた。

「被害を受けたと思った女性たちが、杉本さんを告訴したんです。調べてみると、その他にも杉本さんに騙されたという女性が何人も出てきました。あなたに話を聴く前の段階で、そういう人たちに対する事情聴取は終わっていて、あなたがどんな話をしようが、杉本さんの逮捕の予定は変わらなかった」

「他の人たちは、嘘をついているんです」感情の抜けた声で利香が断言した。「私は違います。私と杉本さんの関係は、本物でした」

「あなたね……」西川は額《ひたい》を揉《も》んでから言葉を吐き出した。「当時、つき合っていた人がいたんでしょう？　それなのに杉本さんに惹《ひ》かれて関係を持ったら、それは浮気ということですよね」

「杉本さんは夢をくれましたから」

「芸能界への切符ですか」

「誰だって、そういう世界には憧《あこが》れるでしょう」そうでない人間の方がおかしい、とでも言いたげだった。

「おかしいとは思わなかったんですか」

「全然」利香が首を横に振る。

利香は必ずしも賢い女性ではないようだ。芸能界は常に若い才能を求めるものではないか。杉本と出会った時、利香は既に二十代後半。自分にどんな仕事が回ってくると思っていたのだろう。

「とにかく、そういう状況で大友が無理な取り調べをするとは思えない。それに、あいつが杉本さんを逮捕した訳じゃないんですよ」

「違います」

違わない、と言おうとして、西川は口をつぐんだ。この女性との間に、議論は成立しない。彼女の頭の中には独自の理論があって、決して他人の説明を受け入れようとはしないだろう。そういう間違った考えが、大友に対する恨みを醸成《じょうせい》したのではないか。

「杉本さんが逮捕された時、大友に殴りかかったそうですね」

「当然でしょう。あの人は間違ったことをしたんだから」

「あなたを逮捕しなかったのは、警察の思いやりなんですよ」

「何で私が逮捕されなくちゃいけないんですか」憤然と言って、利香が煙草を灰皿に押しつける。マニキュアの剝《は》げた指先が焦げそうになったが、気にする様子もない。

「人を殴ったら、立派に暴行罪です」実際にはどの程度だったのだろう、と思いながら西川は言った。もちろん、警察的には彼女はあくまで「被害者」であり、逮捕するわけにはいかなかったのだろうが。

「人を罪に陥《おとし》れるような人は、殴られて当然です」

「今も憎んでいるんですか」

「当たり前じゃないですか」利香が身を乗り出す。「杉本さんと私の人生を滅茶苦茶にしたんですよ」

　重苦しい沈黙が周囲を包みこんだ。ここまで思い込みが激しいとは……危険人物だ、と西川は頭の中に刻みこんだ。決定的な証拠があるわけではないが、彼女には「容疑者」のレッテルを張ることにする。

　この問題を直接追及するのを先送りにし、杉本との件に話を戻す。彼女の思考がどこで捻《ねじ》れてしまったのか、見極めたかった。元々こういう性格なのか、杉本との関係で常識をなくしてしまったのか……後者だとしたら、杉本の責任は重い。

「杉本さんは、あなたから見てどんな人でしたか」

「夢を語る人」即座に利香が言い切った。

「どんな夢を？」

「たくさんありますよ。でも、本当は夢じゃなくて目標だったんです。突拍子もないことを言う人じゃなかったですから。どれも達成可能な目標だったと思います」

「例えば」

「私を女優にすること」

　微妙な居心地の悪さを感じながら、西川は彼女の顔を凝視した。三十歳になる女性が、こんなことを真顔で言うものだろうか。

「私の年だと遅過ぎる、と思ってますか？」挑みかかるように利香が言った。

「まあ……遅咲きの人もいるでしょうけどね」

「どんな人でも、何歳になってもチャンスを諦《あきら》めちゃいけないっていうのが、杉本さんの持論でした。芸能界なんて、十代や二十代の前半から頑張ってないと駄目だって思われがちですけど、そんなことはないんです。何歳になっても、頑張っていいんです」

「はあ」夢を諦めるな、的な？　こういう安っぽいスローガンに流される人間がいるのが、西川には信じられなかった。

「私……学生の頃、モデルをやっていたことがあります」

「なるほど」そういう事情なら、それほどずれた話ではない、と西川は納得した。過去にモデルの経験があるなら、夢よもう一度、と考えてもおかしくはない。

「でも、そんなに仕事はなくて……女優になりたくて、何回もオーディションを受けたんですけど、上手くいきませんでした。それで諦めて、普通に就職したんですけど、心の底では、女優になりたいっていう気持ちは捨てられなかったんです」

「分かります」一度は、華やかな世界の片隅にいたのだ。スポットライトを浴びた経験は、簡単には忘れられないだろう。一流企業の社員として働きながらも、「ここは自分の居場所ではない」と悶々《もんもん》としていたことは、簡単に想像できる。

「杉本さんは、私の可能性に賭《か》けてくれたんです」

「具体的に何かしてくれたんですか」

「仕事を探してくれました」

「それで何か、見つかったんですか」

「そんな簡単な世界じゃありません」ゆっくりと首を横に振る。

「あなたは、それでもよかったんですか？」

「こういうことには時間がかかるんです。でも上手く行く時は一気に……一つの仕事がきっかけで、急に道が開ける時もあるんですよ」利香が、ある女優の名前を挙げた。芸能情報に疎《うと》い西川でも知っている人だったが、かつて利香のモデル仲間だったという。「凄《すご》く小さい仕事……映画で、三十秒だけ映るような仕事が来たんです。でも、それがブレークのきっかけになって……分からないものですよね。私も映画やテレビドラマには何回か出たことがあるんですよ。でも、次の仕事にはつながらなかった」

それが「オーラ」の有無なのだろうか。隅の方に映っただけでも、一瞬でスクリーンの全てを支配してしまう力は、努力して身につくものではあるまい。利香は確かに、西川が生身で見た中で一番の美人かもしれないが、そういうオーラに欠けているのではないだろうか。そういえば、かすかに「くすみ」のような物が感じられる。ぱっと見て輝かないというか、美人過ぎて逆に個性に欠けるというか。

「杉本さんは、そこを一生懸命やってくれたんですね」

「そうです。私に賭けてくれたんです」

「同じ夢を追う仲間……でもあなたは、杉本さんと恋愛関係になりましたよね」

「いけませんか？」またも挑発するような口調。目が釣り上がり、内心の怒りが簡単に透けて見えた。

「いけないかどうか、論評は差し控えますけど、何かおかしいとは思いませんでしたか」

「全然」

「お金を渡しましたよね。それも一千万円。通常、考えられない額でしょう」

「芸能活動にはお金がかかるんですよ」利香が馬鹿にしたように鼻を鳴らした。「夢を追うには、多少の投資も必要なんです」

知り合った女性と懇《ねんご》ろになってからの杉本の手口は、常に同じだった。「事務所の運営資金が足りない」「このままでは仕事を続けていけなくなる」「君を売りこむ資金がどうしても必要だ」。そして「結婚」を持ち出す。「一緒になって、これからも夢を追おう」。冷静に考えれば、どこかおかしいと気づくはずだが、騙された女性がいかに多かったか……武本によると、事務所は自転車操業で、家賃を支払うにも困る月が珍しくなかったという。また本人の金遣いも荒く、月の交際費が百万円を越える時もしばしばあった。一時、事務所の羽振りがよかった時期があり、それが忘れられなかったということか。一度贅沢《ぜいたく》をした人は、生活レベルを簡単には落とせない。

「そのお金を、あなたは当時つき合っていた恋人から引き出したんでしょう」さやかが冷たい口調で確認した。「何とも思わなかったんですか？」

「あの人は、一緒に歩いて行ける人じゃなかったから」利香があっさり言い捨てる。

「でも、恋人だったんですよね」さやかがしつこく迫る。

「そういうレベルに、自分を落としていたんです」

「落としていたって……」

さやかが言葉を失い、呆然《ぼうぜん》として利香を見た。利香が平然とした口調で続ける。

「夢を叶《かな》えられなくて、仕方なく今の仕事をして……自分は一生普通に、汗水たらして地味に働くしかないんだって思ってました。そのレベルの人間に釣り合う相手、という意味です」

西川は、静かな怒りがこみ上げてくるのを意識した。レベル……あらゆる仕事は質と量が違うだけで、貴賤《きせん》で考えてはいけない。しかし彼女の中には、明確なクラスづけがあるのだろう。女優の仕事が最上級。今の会社員生活は、それよりはるかに劣《おと》る。劣るレベルにいる自分に相応《ふさわ》しい相手は、同じ会社の同僚だ、と。

「あなたがやったことも、詐欺みたいなものでしょう」さやかがさらに突っこんだ。

「どうして？　あの人は、私が雑貨店を開くための資金を援助してくれただけですよ。それを何に使おうが、私の勝手です」

「雑貨店なんか、本気でやろうと思ってたんですか」

「もちろんです。普通に会社で働いているよりはましだから」

「二人で夢を語り合ったりしたんですよね」さやかは執拗《しつよう》だった。「あなたは自分の店を持つ。彼は普通に会社で働いてあなたを支える――あなたは、彼を裏切ったことになるんですよ」

「私は、別の世界に足を踏み入れようとしていたんです。あの人は、そこに相応しくなかっただけです」

さやかがちらりと西川を見る。その目には複雑な感情が滲《にじ》んでいた。怒りと諦め。仕事でなかったら、彼女はとうに席を蹴《け》っていただろう。あるいは殴りかかったか。

利香は完全に壊れている、と西川は結論づけた。初対面の刑事に向かって、ここまではっきりと、かつての恋人をこき下ろす台詞《せりふ》を吐くのは正常ではない。この上から目線は異常だ。もしも彼女が大友を殺そうとした犯人なら、いずれ長時間相対しなければならないわけで、気が重い。

とにかくまずは、肝心の疑いについて固めなければ。

「今の状況を作ったのは、大友だと思っているんですか」

「もちろんです。杉本さんが逮捕されなければ、今頃私は別のステージにいました」

「まだ大友を憎んでいるんですか」

「当たり前です」利香が緩く腕を組んだ。「そういうことを聴きたいならはっきり言いますけど、殺してやりたいと思ってましたよ――今でも」

この発言は真に受けていいのか？　西川は判断を保留した。彼女の全ての言葉は、どこか浮ついている。内心の焦りや怒りは本物だろうが、台詞はどれも芝居がかっているのだ。

「あの人、撃たれたって言いましたよね」

「ええ。知らなかったんですか？」

「ニュースなんて見ませんから。新聞も取ってませんし」

「昨日の午後は、どこにいました？」

「会社にはいませんでしたよ」

「だったらどこに？」

利香が鼻を鳴らした。挑発するように目を細め、西川を睨《にら》みつける。

「アリバイってことですか」

「説明できますか?」

「言いたくないですね。自分の行動を、全部人に説明する義務はないでしょう」

「警察的には、説明してもらう必要があるんですけどね」

「だったら、逮捕でも何でもしたらいいでしょう」利香が両手を揃《そろ》えて前に突き出した。

「それで調べたらいいじゃないですか」

あなたが大友を殺そうとしたのか。その質問が喉元《のどもと》まで上がってきた。だがここは普通の喫茶店であり、そういう物騒な質問をやり取りするには相応しくない。少ないが他に客もいるので、聴かれたくはなかった。

「必要があれば、また話を聴きます」

利香がすっと身を引き、椅子《いす》に背中を預けた。表情には特に変化がない。疑われることや逮捕されることを、何とも思っていない様子だった。

「今日はこれで終わります」

「どうぞ、ご自由に」利香がハンドバッグを抱え、立ち上がった。「私は逃げも隠れもしませんから」

「逃げる意味がないからですか?」

「どうでしょう」突然、嫌らしい笑みを浮かべる。口の両端が持ち上がり、いかにも作ったような笑い方だった。「とにかく、好きにすればいいじゃないですか」

「大友が撃たれたこと、どう思いますか」

一瞬、利香が口を閉ざした。次の瞬間には目を細め、「犯人はヘマしましたね」と言った。

「どういう意味ですか？」

「どうしてちゃんと殺さなかったんでしょうね。とどめを刺せばよかったのに」

「あー、もう、本当に嫌です」店を出るなり、さやかが愚痴を零した。

「そう言うな」釘《くぎ》を刺しながら、西川は自分もうんざりしているのを意識した。

「ああいう人の扱いは、本当に困ります。一番苦手なタイプなんですよ。何なんですかね、あの上から目線」

「嫌かもしれないけど、これから長いことつき合っていかなくちゃいけないかもしれないんだぜ」

「……犯人だと思いますか？」さやかが低い声で訊ねる。

「今の段階だと、否定はできないな」犯罪者にもいろいろなタイプがいる。警察が疑っていると分かった瞬間に否定する人間、すぐに認めて謝る人間、そして「やれるものならやってみろ」と開き直る人間。最後のタイプが一番性質《たち》が悪い。西川は依然として、彼女に「容疑者」のレッテルを貼《は》ったままだった。

「彼女のこと、どうしますか？」

「しばらく動向監視だな。それと昨日の午後、何をしていたかを確認する。明日、会社の方に当たってみよう」

「分かりました……何だか、お腹《なか》が空《す》きました」

「そうだな」彼女の空腹の原因が、空気中に漂う甘い香りのせいだと気づいた。周囲を見回すと、すずらん通りの入り口にワッフルの専門店がある。焼き立てを店頭で売っているのだ。その甘い香りは、西川の食欲も刺激したが……。

「飯は後にしよう」

「まだ何かあるんですか？」

「ちょっと気になる相手がいてね」

「誰ですか？」

「彼女の元恋人に話を聴いてみたいと思わないか？」

「でも、名古屋ですよ」

「電話で十分だ。一度、本庁へ戻ろう」

今は立ち止まっている場合ではない。少しでも前へ進まないと、大友の無念は晴らせないのだ。

澤井義道は、まだ会社にいた。警察だと名乗るといかにも迷惑そうな声で応じ、「かけ直します」と言ってすぐに電話を切ってしまった。

一分後、西川のデスクの電話が鳴った。コレクトコールでかけ直してくれてもいいのだが、と勧めると、彼は「いいです。さっさと終わりたいので」と言った。協力しないわけではないが、できるだけ負担は小さくしたい、という本音が透けて見える。

「新井利香さんのことなんです」

「勘弁して下さい」澤井がいきなり泣きついた。「今さら何なんですか？　思い出したくもないんですけど」

「それは分かります」同情をこめて西川は言った。彼にとって、利香は挫折《ざせつ》の象徴のようなものだろう。単に失恋した、浮気されたというだけなら、乗り越える術《すべ》はいくらでもある。実際彼は既に結婚相手も決まって、心の傷は癒《い》えているはずだ。だがそこに金の問題が介在《かいざい》していたら、簡単に割り切れるものではない。

「何かあったんですか」

「それはまだ分かりませんが、彼女の人柄について聴かせてもらえれば」

「人柄」自分の台詞を嚙《か》み締めるように澤井が言った。「彼女の人柄ですか……私が喋《しゃべ》ると、単なる悪口になりますよ」

「それでもいいんです」

「彼女は夢を見てるだけです。実現することもない夢……今の自分は本当の自分じゃないと思ってる。そういうのって、もっと若い時に卒業する考えじゃないですか」澤井がいきなりまくしたてた。

「そうかもしれません」

「そうなんですよ」迷惑そうにしていた割に、一度話し始めると彼の口調には熱が入った。「自分は本気出してないだけって、よく言いますよね。彼女はいつもそんな感じでした。だけど、努力も何もしないで……そもそも女優になりたいなんて、二十代半ばにもなって言うことじゃないでしょう」

「あなたと交際している時も、そういうことを普通に言っていたんですか?」

「ええ。こっちは聞き流してましたけどね。だって、あり得ないでしょう。彼女、美人だけど、そういうタイプじゃない」

自分と同じような印象か。彼は利香と長くつき合い、裏のことまでよく知っていたはずで、西川は第一印象が間違いではなかったと悟った。

「何となく分かりますよ」

「そうでしょう? おかしいんです。雑貨屋をやりたいって言い出した時は、少しほっとしましたけどね。会社を辞めるのは、いろいろな意味でリスクが大きいけど、自分でお店をやりたいっていうのはそんなに突拍子もない話じゃないでしょう? それで落ち着いてくれるならと思って、資金面でも協力したんですけど……」急に声の勢いが落ちる。

「いろいろ大変でしたね」

西川が慰めると、澤井の声の勢いががっくり落ちた。電話の向こうから、溜息さえ聞こえてくる。

「大変でした」

「抜け出せたんだから、それでよかったと考えたらどうですか」

「考えてますよ。そう考えないと、やりきれないし……」

「一つ、不思議に思うことがあるんですけど」

「何ですか」用心した様子で澤井が訊ねる。

「会社が利香さんを処分しても、不思議ではないと思うんですが」

「そうしないように、俺が頼みました」

「何でまた」理解できなかった。社内で問題にして、彼女を退社に追いこむ手はあったはずだ。厄介な人間を抱えただけではないか。

「騒げば、また話が広がっちゃうでしょう。事情を知ってる人間はたくさんいたけど、これで彼女が処分されたりしたら、俺がまた恥をかくじゃないですか」

「ああ……」

「だから、俺が自分から異動を希望して、彼女から離れたんです。離れていれば、会うこともないから。もっとも彼女の方では、俺のことなんかとっくに忘れているかもしれませんけどね。あの男と会ってから、俺は単なる金づるになってたから」

自嘲《じちょう》気味な台詞に、西川は心底同情した。本来なら、彼女の方がどこかへ飛ばされてもおかしくない。身を守るためとはいえ、自ら本社からの異動を希望するとは。澤井は相当気の弱い人間なのだ、と読む。

「名古屋、大変でしょう」

「そうでもないです。飛ばされたみたいに見えるかもしれないけど、違うんですよ」

「と言うと？」

「うちの会社、元々の発祥は名古屋なんです。だから、支社の中ではここが一番格上で、シェアも東海地区ではずっとトップだし。それに給料も上がりましたから、別に悪いことはないです。実家も近いし……」

「結婚されるんですよね」

「何でそんなこと、知ってるんですか？」疑わしげに訊ねる。

「それはまあ、警察ですから」

「何か、今は落ち着いています。やっぱり、女性に綺麗《きれい》さとかだけを求めたら駄目ですよね。あの人――彼女は、やっぱり俺とは住む世界が違う人間だったと思います」しみじみとした口調だった。

「どういう世界の人だと思いますか？」

「はい？」

「彼女。どういう人ですか」

「会ったんですよね」

「ええ」

「おかしいでしょ、明らかに」急に怒りが蘇《よみがえ》ってきたようだった。「周りのことが見えないというか、自分は誰よりも偉いと思っているというか。子どもの頃からちやほやされてたら、自然にああなるのかもしれませんね。でも、彼女が考えていたような世界では成功できなかった」

「こんな言い方をすると、あなたは怒るかもしれませんけど、ちょっと壊れてませんか」

「ああ、そうです。まさにそういう感じです」澤井が食いついてきた。「あの男がねぇ……」電話越しに吐息が感じられそうな溜息。

「やっぱり、あの出会いで変わったんでしょうかね」

「捨てた夢をもう一度ってことですかね……結局、何も諦めきれてなかったんでしょう。雑貨屋の話だって、今考えれば逃避ですよね。とにかく今の環境が嫌で嫌で、ということだったんじゃないですか」

「でも今も、同じ会社にしがみついている」

「それは一面に過ぎませんよ。まだあの男を捜してるって聞きましたけど」

「ええ」

「やっぱり壊れてるでしょう」どこか勝ち誇ったように澤井が言った。「そうじゃなければ、自分を騙した男をいつまでも追いかけたりしませんよ」

「分かります……その壊れ具合、どの程度だと思いますか?」

「どういう意味ですか」澤井が声を潜める。

「例えば、誰かを傷つけたりしますかね」

「あり得ます」澤井が即座に断言した。「実際俺も、やられました」

「そんなこと、あったんですか？」調書には書いてあっただろうか。首を傾げながら説明を促す。「どういうことですか」

「俺に金を出してくれと言ってきた時なんですけど……雑貨店を開くために」

「ええ」

「最初は『出せない』って言ったんですよ。だって、いきなり五百万ですよ？　その時の貯金ぎりぎりの額で、出せるわけないじゃないですか」

「分かります」当時の彼は三十歳ぐらいか……それで五百万円を貯《た》めこんでいたとしたら、なかなか大したものだが。しかしその話題は広げずに、話を先へ進めさせる。「でも、あなたは出したんですよね」

「だって、あれが……いきなり殴られましたからね。本気でしたよ。ビンタとかじゃなくて、拳で。彼女、昔空手をやってたんです。だから、その辺の男よりもずっとパンチ力があって。殺されるかと思いました」

やはり事件にすべきだったのだ、と西川は思った。大友を殴った時に逮捕され、裁判を受けていたら、彼女は変わっていたかもしれない。少なくとも恐怖を覚え、無茶はしなくなったのではないか。

「それで、恐怖を感じて」

「そりゃそうです。『どうして出せないの！』『私のために協力してくれないの』って、すごい勢いで……その時に何とかすべきだったかもしれないけど、あの頃は、やっぱり好きだという気持ちもあって」

「大変でしたね」

「あの……何かあったんですか？」

「まだはっきりしませんけどね」西川は言葉を濁した。「とにかく、ご協力ありがとうございました」

「俺の名前、出ませんよね」

「もちろん」西川は声を潜めた。「そんな危険なこと、するわけがありません」

第五章

一旦《いったん》庁舎へ戻って待機していた大竹が再び福本の家にやって来たのは、午後九時過ぎだった。庄田はここで任務解除。明日の朝、再度大竹と交代することになっている。

大竹は、コンビニエンスストアで弁当を仕入れてきてくれた。ありがたいが、味気なさは否定できない……コンビニ弁当というのは、漬物や箸《はし》まで温まっている。冬はこれもいいじゃないか、と以前は考えていたものだが、今は敬遠したかった。ある事件をきっかけに響子《きょうこ》とつき合うようになり、食生活が劇的に改善されたためだと思う。たまにしか一緒に食事はできないが、意識が明らかに変わったのだ。以前のように、適当に酒を呑《の》んでつまみを食べ、それで腹が膨れて寝てしまうようなことはなくなった。どんなに忙しくても、できるだけ決まった時間にきちんと食べる。それで体重も安定しているし、体調もいい。それに彼女の手料理の味を知ってしまうと、コンビニ弁当では我慢できない……要するに口が奢《おご》ったんだよな、と沖田は自嘲《じちょう》気味に思った。

車の中で弁当、というのも張り込みではよくあるパターンである。沖田は弁当を受け取ると、運転席から後部座席に移った。空いた運転席には大竹が座る。後部座席なら、それなりにゆったりと食べられるのだ。

食べ終え、携帯電話を取り出す。電話するのは気が引けたが、せめて響子にメールだけでも……今日は特に約束があったわけではないが、これからは忙しくなりそうだ。しばらく会えそうにない、と連絡ぐらいしておくのが礼儀だろう。それにしても、俺も軟弱になったというべきか、と自嘲気味に思う。今までにも何人かつき合った女はいたが、こんな風にまめに連絡を取るようなことはなかった。忙しい捜査に巻きこまれると、何日も話をしないことは普通だったし、それも仕方ないと思っていて……別れの原因は、だいたいそういうことだった。

今は違う。響子は大事にしなければならないと、常に考えるようになった。今までつき合ってきた女と何が違うのか、よく分からないのだが……実際、条件はいいとは言えない。離婚して息子を一人で育ててきて、その子ももう中学生になる。いろいろ難しい年頃でもあり、結婚となると二の足を踏んでしまう。

それでも彼女は大事だ。だから連絡も欠かさない。しかしメールを打ち始めたところで、大竹がいきなり声を上げて邪魔した。

「出ました」

慌てて、運転席と助手席の隙間《すきま》から顔を突き出す。福本が自宅のドアに鍵《かぎ》をかけたところだった。車を持っていないことは分かっているから、歩き……沖田はすぐに、「先に行け」と大竹に指示した。

ドアを押し開け、大竹が濡《ぬ》れたアスファルトに足を下ろす。気温は急激に下がっていたが、雪が雨に変わったのは不幸中の幸いだった。雨の夜は、尾行する方が圧倒的に有利になる。尾行される方は、雨に気を取られて後ろを気にする余裕をなくすからだ。それにこちらは、傘で顔を隠しておける。

大竹が歩き始めて十秒経《た》ってから、沖田も車を出た。静かな住宅街の中、斜め後ろの位置を保って尾行を開始する。大竹は福本の真後ろだ。雨が視界を悪化させていたが、何とか福本の背中は見える。距離は二十メートルほど……この雨ならもう少し距離を詰めても大丈夫だろうと判断し、歩調を早めた。十五メートルまで迫ったところで、元のスピードに戻す。

高校の脇を通り過ぎ、しばらく歩いて左折すると、もう駅前に出ていた。駅前とはいえ、繁華街が広がっているわけではない。飲食店やパチンコ店——福本が勤める店だ——銀行の支店などがあるぐらいで、人通りも少なかった。

駅前は小さなロータリーで、タクシーが溜《た》まっていたが、福本はうつむいたまま足早にそこを通り過ぎた。駅へ行くわけではないのか……その辺の呑み屋で軽く引っかけるつもりかもしれない。一人で気楽に入れそうな居酒屋は何軒かある。そう考えた途端、沖田は喉《のど》の奥でビールの泡が弾《はじ》けるのを感じた。

福本は線路沿いの細い道路に出た。街灯の灯《あか》りも乏しく、人気はまったくない。低層のマンションが何棟か建ち並んでいるだけだった。福本がいきなり立ち止まる。まずいな……自分も足を止め、沖田は駅の方へ向けて体をターンさせた。五つ数えてから振り返ると、福本の姿が消えている。どこへ行った？　一瞬焦ったが、すぐに身を隠せる場所などないことに気づく。ゆっくりと歩を進めると、マンションとマンションの間の細い脇道に福本がいた。

一人ではない。真っ赤なダウンジャケットを着た男と、何事か話している。それを確かめて、沖田は二人の手元を一瞬凝視した。ダウンジャケットの男の手から福本の手に、素早く何かが渡る。ほとんど暗闇《くらやみ》の中、何かは確認できないが想像はできた。

シャブ。

沖田はそのまま、マンションの前を通り過ぎた。少し離れた所に大竹が立っている。いつものように無表情だった。

「シャブだぞ」案の定だ、と勝ち誇りたい気分を抱いて告げる。

大竹は無言でうなずくだけで、沖田の高揚した気分に冷水をぶっかけた。相変わらず、何を考えているか分からない。

「お前は福本を追え。俺は売人の方をつける」

またも無言のうなずき。沖田はさらに先へ進んで、赤いダウンジャケットの男が出て来るのを待った。

長くはかからなかった。足を止め、振り返ったところで、脇道からダウンジャケットの男が出て来るのが見えた。駅の方ではなく、こちらに向かって来る。沖田は線路の方を向いたまま男をやり過ごし、少し間を置いてから尾行を開始した。

面倒なことはやっていられない。この場で何とか身柄を押さえたいと焦る気持ちが湧《わ》きあがってくる。ほどなく、開けた場所に出た。左側は広いコイン式の駐車場、右側の線路は道路と金網で区切られているだけである。先に民家が固まっているが、ここだったら少しぐらい騒ぎになっても目立たないだろう。

沖田は小走りに男に近づいた。背中に手が届く距離まで迫ると、「ちょっと」と声をかける。振り返った男は、まだ子どものようだった。顔は艶々《つやつや》で、高校生といっても通りそうだ。ニットキャップを被《かぶ》っているだけで傘も差していない。もこもこしたダウンジャケットを着ているせいで体型ははっきりしないが、鉛筆のように細いジーンズを穿《は》いているので、ほっそりとしているであろうことは想像できる。これなら、何かあっても簡単に制圧できるだろう。

「ブツ、あるか？　一万でいい」

男が無言で沖田を睨《にら》みつける。明らかに怪しいと思っているようだった。

「持ってんだろ？　一万で頼むよ」

沖田は右手を差し出した。男は反応しない。沖田の顔を見ているようで、目の焦点は合っていなかった。沖田はぱたりと手を下ろし、にやりと笑いかけた。

「今ブツがないなら、後から貰《もら》ってもいいけど。金だけ先に払おうか？」

男の喉仏が上下した。末端の売人だ……自分の判断では勝手に売りさばけないように、両手を縛られているのかもしれない。

「どうするよ。ちょっと小遣い稼ぎするのもいいんじゃないか？　何だったら二万でもいいぞ。こっちは急いでるんだよ」

右手を尻ポケットに伸ばす。体の右側が空いたのを見て、男が腕を伸ばして沖田を突き飛ばそうとした——読んでいた。体を捻《ひね》って、男の右手が空間を突き抜けるようにする。勢い余って男がバランスを崩し、前のめりになったところで、沖田は右の膝《ひざ》を軽く横から蹴《け》りつけてやった。男が短く悲鳴を上げ、膝からアスファルトに崩れ落ちる。沖田は男のダウンジャケットの襟を摑《つか》んで強引に立たせると、そのまま線路の金網に叩《たた》きつけた。勢いで帽子が落ち、頭蓋《ずがい》にぺったりと張りついた髪が露《あらわ》になる。喉の奥からくぐもった悲鳴が聞こえたが、無視して何度か体を金網に叩きつけた。金網がたわみ、その都度男の悲鳴が大きくなる。最後に沖田は、金網に体を押しつけたまま、男のダウンジャケットのポケットを探った。指先にビニール袋の感触がある……無理矢理手をこじ入れて引っ張り出すと、小さなビニール袋に小分けされた覚せい剤だと分かった。男の顔の前に翳《かざ》してやる。

「ほら、一万円分、持ってるじゃねえか。素直に出しておけばいいのに」

「……まだある」男がかすれた声で言った。「欲しいなら……」

「これだけで十分だ」沖田は手錠を引き抜き、男の左手にかけた。片方を金網に通して固定し、逃亡を阻止する。

「何だよ、これ」男が唖然《あぜん》として自分の左手を見た。

「何だよも何も、警察だけど」沖田はバッジを見せた。

男が叫んだが、ちょうど近づいてきた中央線の通過音にかき消されてしまった。沖田は電車が通り過ぎるのを待ちながら、煙草《タバコ》に火を点《つ》けようとした。くわえた途端に雨で濡れてしまったようで、うまく火が移らない。仕方なくパッケージに戻し、男に詰め寄った。

「さっき、男にシャブを売ったな」

「知らねえよ」

「とぼけるなよ。こっちはこの目で見てたんだぜ」沖田は右目、左目と順番に指差してみせた。「現行犯だ」

「まさか――」男の顔が瞬時に蒼褪《あおざ》めた。垂れ落ちた雨滴が頰《ほお》を濡らす。目は充血し、唇が震え始めていた。

沖田は素早く手を伸ばし、男のジーンズの尻ポケットを探った。男が悶《もだ》えるように身を捩《よ》じらせて逃れようとしたが、沖田の方が動きが早い。長財布を素早く抜くと、中を検《あらた》め、免許証を引っ張り出した。

「平井《ひらい》洸《こう》、二十四歳ね。いい年して何やってるんだ、お前」

免許証を手にしたまま、財布を道路に放《ほう》り捨てる。平井が慌てて屈《かが》みこんで拾おうとしたが、手錠でつながれた腕が一杯に伸びてしまって届かない。沖田はさっと財布を拾い上げ、平井の眼前に差し出してやった。平井が顔を真っ赤にして財布を奪い取る。沖田はゆっくりと手を下ろし、もう一度免許証を見た。

「違法だろうが！」

「住所は八王子台町……お前、阿呆《あほ》か？　地元で何やってるんだよ。普通は、家と仕事場は別にするもんだ。それとも新宿辺りだと、怖いお兄さんが多くて商売もできないのか」

　平井が右足で蹴りを繰り出したが、手錠に引っ張られて届かない。沖田は素早く後ずさって逃れ、にやりと笑った。

「刑事を蹴飛ばしたらどうなるか、分かってるか？　公務執行妨害に暴行もくっつけてやろうか。それなら実刑間違いなしだな。お前、前科《マエ》はあるか？　ないんだったら知らないだろうけど、刑務所はなかなか辛《つら》いところだぞ」

　平井の喉仏が上下した。濡れた顔は蒼白《そうはく》で、体の動きは完全に止まっている。だらしなく金網に体を預け、天を仰いで顔面で雨を受けた。

「まあ、考えてやらないこともないけどな。お前がそこの路地でシャブを売っていた相手は誰なんだ？　馴染《なじ》みの客か？」

「……ああ」

「誰なのか、分かってるか」

「知らない。携帯の番号しか知らない」

「なるほどね」

　実は携帯電話は、薬物犯罪に手を染める人間にとって、大きな入り口になる。携帯電話の普及が、戦後第何次かの薬物ブームに拍車をかけたと言ってもいい。何しろ手軽だ。個人と個人が直接つながるから、買いたい人が売人に接触するのも極めて簡単である。そして、どうやれば覚せい剤が手に入るかは、ネットで簡単に分かる。

「奴に売ったと証言するか」

「したらどうなるんだよ」

「少しは考えてやってもいいぜ」

「考えるって、何を」

「ま、そこはいろいろ」沖田は肩をすくめた。「さじ加減って言葉、知ってるか？」

平井の顔に、わずかに希望の色が射《さ》した。無罪放免とはいかないが、実刑判決を食らうことはない、とでも思っているのかもしれない。まあ、思う分にはこいつの勝手だからな、と沖田は皮肉に思った。

こういうことをやっているから、刑事は人に恨まれる。自由の身になった平井は、俺に復讐《ふくしゅう》しようと思うかもしれない。刑事なら誰でも、恨みの一つや二つぐらいは受けているものだ。

だが、大友はどうだ？あいつが、こういう乱暴なやり方をするとは思えない。撃たれたのは逆恨みではないだろうか。

だったらあいつも、本当に撃たれ損だ。

西八王子署生活安全課の奥平《おくだいら》課長は、迷惑そうな表情を隠そうともしなかった。

「で、奴は何者なんだ」

「単なるシャブの売人ですよ。ちょっと叩いたら、身柄はそっちにお任せしますんで。俺の専門じゃないですからね」

「まあ、いいが……」

どうして不機嫌なのだ？　自分では何もせずとも点数になるのだから、歓迎されるべきなのに。年度末が近づいており、たとえチンピラクラスでも売人を一人捕まえたら、大きな得点になる。

「ちょっと話を聴きたいだけですから、すぐに引き渡しますよ」

「手短に頼むよ」迷惑そうに言って、奥平が自席に戻った。雨の降る一月の夜、いきなり署に呼び出されたのだから、面倒でないわけがない。それに相手は所詮《しょせん》、末端の売人だ。

傍らに控える大竹は、相変わらず無表情だった。慣れたもので、沖田は「少し揺さぶるから、同席していてくれ。何だったら、脅し担当はお前がやってもいい」と頼みこんだ。

「ご冗談を」少し怒ったような口調で大竹が言った。

「お、お前にしては口数が多いな」

大竹が疲れた様子で首を横に振る。ろくに話もしない、冗談も通じない……こいつは何が面白くて生きているのだろうと、顔を見る度に不思議に思う。

取調室に入れられた平井は、既にげっそりと疲れ切った様子だった。見張りをしてくれていた当直の署員があれこれと話しかけているが、ずっとうなだれたまま、口を開こうとしない。沖田たちが入って行くと、署員がさっと立ち上がり、椅子《いす》を空けた。

「悪いね」沖田は空いた椅子に座って、平井と正対した。「顔を上げろよ」と言うと、のろのろと沖田を見たが、まったく元気はない。

少し放置しておく間に調べてみたのだが、平井に前科はなかった。財布からは学生証も出てきて、八王子にある大学の四回生だと分かった。大学生が何をやっているのかと呆《あき》れたが、それほど薬物はカジュアル化しているということだろう。今や白昼堂々、住宅街の中で主婦が売人から薬を買うご時世である。

「さて、話は簡単だ。福本という男に、何回ドラッグを売った？」

「……五回」

「いつから」

「最初は、二か月ぐらい前」

それで五回ということは、福本はまだ引き返せないところまでは行っていないはずだ。完全な中毒になってしまえば、こんなに間隔は空けられない。今日の分がなくなれば、明日の朝からシャブを求めて彷徨《さまよ》うことになる。

「種類は？　いつもシャブか」

「ああ」

「毎回、どれぐらい売ってる」

平井が無言で、人差し指を上げた。〇・一、ないし一グラムずつか……平井から見れば、上得意というわけではないだろう。

「連絡は？」

「俺の携帯に」

「金は毎回、きちんと払っていたか？」

「ああ」

「奴に売ったこと、調書に落としてもいいな」

「俺、どうなるんだよ」情けない台詞《せりふ》。目も泳いでいた。

「ただで済むわけないだろうが、阿呆」沖田は乱暴に吐き捨てた。「シャブの所持の現行犯だぞ。しかも販売目的で所持してたんだから、これで終わりってことはないんだよ。ただ、きちんと話せば、送検する時に意見書をつけてやる。反省してるか？」

ぽかんと口を開けたまま、平井が沖田の顔を見た。

「反省してるかどうか、聞いてるんだよ。どうなんだ？」

「あ……ああ、まあ」

「ちゃんと言え」

「反省してる……してます」

「よし、それで結構だ。大竹、ちゃんと記録しておけよ」

沖田に背を向ける格好でテーブルについていた大竹が、さっと右手を上げる。「はい」ぐらい言えないものかね、と沖田は呆れた。

「よし。とにかくお前は反省したと。そのことはちゃんと盛りこんでおくから。一応、これで終わりにするけど、体を壊さないようにしろよ」

「は？」

「今日は冷えるだろうが。留置場は特に寒いぞ」

「はあ」

「俺は今後、お前の面倒は見てやれないからな。ここの署の連中が言うことを、ちゃんと聞いて、いい子にしてるんだぞ」

「はあ」気が抜けたように繰り返す。

「しっかりしろよ。初犯だから、涙でも流してちゃんと謝っておけば、執行猶予がつくかもしれないぞ。それと」これを言っていいかどうか分からなかったが、沖田は敢《あ》えて口にしてみた。「ありがとうよ。お前がドジを踏んだお陰で、俺たちは助かったんだ」

何のことか分からない、と言いたげな様子で、平井が力なく首を横に振った。沖田にしても、果たして自分の言葉が正しいかどうか分からなかった。これで平井が、自分を恨まずに済むかどうか。

一時の激情だけで自分の身を危険に晒《さら》したら、刑事の仕事など危なくてやっていられない。

雨は上がったが、冷えこみは一段と厳しくなっていた。息を吐くごとに、顔の周りに白い靄《もや》が漂う。朝の光は頼りなく、まだ夜が終わっていないようだった。

七時、庄田が姿を現す。目は真っ赤で髪はぼさぼさ——あまり寝ていないのは明らかだった。もっとも、夕べ十二時前に電話をかけ、七時に西八王子まで来いと命じたのだから、それも当然だろう。奴の家からここまで、どれぐらいかかるか……始発に近い電車に乗らざるを得なかっただろう。沖田は、少しだけ申し訳なく思っていた。自分と大竹は、八王子駅近くのホテルを確保して、それなりに休めたのだ。本当は庄田を寝かしておいてもよかったのだが、今朝は一つの節目になる。福本を引っ張る時には、立ち会わせたかった。

「別件ですね？」挨拶《あいさつ》もそこそこに庄田が訊《たず》ねる。

「何が別件だ。シャブは違法だろうが」沖田は「別件逮捕」という言葉が大嫌いだった。事件に「別件」などない。殺人事件の犯人だと疑われる人間の身柄を拘束するために、窃盗の容疑をかける——それがまさに別件逮捕だが、盗みは盗みで看過できない重罪ではないか。

「まず任意ですよね？」

「ああ。でも、尿検査一発だよ」沖田は煙草に火を点けた。今朝最初の一本は喉を刺激し、軽い吐き気がこみ上げてくる。少しスタートが早過ぎただろうか、と悔いた。今日、福本が早番勤務なのは分かっているが、それにしても九時からである。八時半に家を出ても十分間に合うはずで、それまでしばらく、無為に時間を潰《つぶ》さなければならない。しかし、相手がどんな動きはするかは予想もできないから、ある程度余裕を持って待機するのは当然だ——と自分に言い聞かせる。

沖田は煙草を携帯灰皿に押しこみ、車に戻った。運転席では大竹が待機中。ハンドルに軽く両手を添え、前方を凝視したままで固まっている。マネキン人形のようだった。軽く胸が動いているので、生きているのだと辛うじて分かる。何を言ってもろくに返事はないだろうと思い、後部座席に座った庄田に、体を捻って話しかけた。

「夕べはよく眠れたか？」

「まあ、ほどほどに……」

「しっかり目を開けておけよ。奴は凶暴な男だから、寝ぼけてたら、こっちが痛い目に遭うぞ」

途端に、庄田がシートの上で背を伸ばした。相変わらず初々しいというか、いつまで経ってもこの仕事に慣れないというか……沖田は、部屋の偵察を命じた。

「取り敢えず様子を見て来てくれ。眠気覚ましだ」

「分かりました」庄田が車を飛び出して行く。弾むように一歩を踏み出す度に、顔の回りで白い息が弾んだ。

沖田の携帯電話が鳴った。慌てて引っ張り出し、西川からの着信だと確認して顔をしかめる。無視するか……しかしあいつは、執念深い。出なければ、留守番電話にメッセージを残さず、何度でもかけてくるタイプだ。仕方なく通話ボタンを押す。

「福本を引っ張るとか聞いたけど」確認ではなく、どこか非難するような調子だった。

「シャブの容疑があるんだよ。売人も抑えた。何か問題あるか？」

「本当に大丈夫なのか」西川が心配そうな声を出した。

「大丈夫って、何が」

「無理してないか？　強引に進めて何もなかったら、いろいろ問題になるぞ」

「何を弱気になってるんだ」沖田は鼻で笑ってやった。「こっちが先にいい筋を摑まえそうだからって、羨《うらや》ましいのか？」

「馬鹿馬鹿しい」西川が憤然として言った。「そんなことはどうでもいいんだ。その筋が合ってるかどうか心配だって言ってるんだよ」

「ああ、そりゃあ、ご心配どうも。でも、福本っていうのは相当粗暴な男だぜ。テツに対する恨みも露骨だ。アリバイもはっきりしない。引っ張る材料は揃《そろ》ってるじゃないか。だいたい、俺がシャブの売買現場を現行犯で見てるんだぜ？　そっちの容疑で引っ張るのに、何の問題がある？」

「もう少し慎重にやった方がいいんじゃないかな」

「お前、何か摑んだのか？」沖田は声を潜めて訊ねた。西川のことだ、裏から手を回して、こちらが知らない事実にたどり着いた可能性もある。何かといけ好かない男だが、そういう根回し能力は馬鹿にしたものではない。いつの間にか、こちらが知らない事実を眼前に突きつけられたことも、一度や二度ではなかった。「例の女の方、どうなんだよ」

「まあ……お近づきになりたいタイプじゃないな」西川が苦笑した。

「お、西川先生の女性遍歴では太刀打ちできないってことか」

「俺の華麗な女性遍歴の中に、ああいうタイプはいなかったんだよ……とにかく、こっちも大友を相当恨んでるのは間違いない。しかも、事件当日のアリバイもないんだ」

「ふうん」沖田は顎《あご》を撫《な》でた。髭《ひげ》の剃《そ》り残しが鬱陶《うつとう》しい。ホテル備えつけの剃刀《かみそり》は切れ味最低だった。これだから安いホテルは……。

「今のところは、まだどちらかに絞りこまない方がいいと思うんだ」

西川が無難な提案をした。こういうところが沖田には引っかかる。やる時はもっと大胆にやるべきではないのか？　ひそかに相手の後をつけ回し、おどおどと証拠を探っているようでは何も摑めない——そうか、俺たちも、何もここで福本の出勤を待っている必要はないのだ。さっさとドアをノックして、奴を引っ張り出そう。

「とにかく俺は、これから福本を引っ張りに行くから」

「無理するなよ」

「ご忠告、どうも」

「はっきりした容疑があるならともかく、今の段階ではそうじゃないんだろう？」今朝の西川は、特に疑り深かった。

「売人を抑えてるんだから、容疑がはっきりしてるだろう。シャブは違法なんだよ、違法」

「アリバイ、よく確かめた方がいいぞ」

「分かってるよ。ただ、パチンコ屋に勤めてる独身男が休みの日に自宅にいたって言っても、証明できないだろうが」

「パチンコ屋に勤める男は、休みの日に何をしてるか、分かるか？」

「ああ？　知るかよ、そんなこと」

「他のパチンコ屋に行くんだよ」

軽い笑い声を残して、西川は電話を切ってしまった。普段パチンコ店で客の世話をしながら、休日には他の店でパチンコ？　生活の全《すべ》てがパチンコかよと思いながら、それほどおかしな話ではないな、と思い直した。店員と客ではまったく立場が違うのだから。休みの日ぐらい、打つ方で楽しみたいと思うのは、まったく不思議ではない。

「そろそろノックするか」

話しかけると、大竹がちらりとこちらを見て眉《まゆ》をひそめた。

「出て来るまで待つ予定では？」彼にしては最大級の抗議だった。

「待つ時間がもったいないよ。さっさと引っ張ろうぜ」

沖田は車のドアを押し開けた。その瞬間、緊張が最大限に達する。福本の部屋のドアが開き、まさに本人が顔を見せたのだ。近くにいた庄田と目が合った様子で、福本は顔を半分覗《のぞ》かせたまま固まってしまう。新聞でも取りに出たのかもしれないが、待っていたのは刑事だったわけだ。

「庄田！」沖田が呼びかけると、庄田がスウィッチが入ったように走り出した。短い距離をダッシュしてドアに手をかけ、福本の動きを抑える。

「何すんだよ！」福本が、しゃがれ声で抗議する。明らかに寝不足な様子で、全身から倦《けん》怠感《たいかん》が溢《あふ》れ出ていた。薬が切れた時に特有の疲れに襲われているのかもしれない。いずれにせよ、尿検査で検出は可能だろう。覚せい剤の痕跡《こんせき》はかなり長く残る。仮に尿検査で「白」になっても、毛髪の検査など、他にいくらでも調べる方法はある。だいたい福本は、夕べ絶対にヤクを使っているはずだ。覚せい剤を入手した人間は、保管はしない。手に入れたらすぐに使ってしまうものだ。中毒者は常に、自転車操業状態でシャブを手にいれなくてはならない。

部屋の前に達した沖田は、庄田に加勢してドアに手をかけた。福本は必死に力を入れて引っ張っていたのだが、二対一では勝てるわけもない。ドアが勢いよく大きく開き、蝶《ちょう》番《つがい》が壊れたような金属音が聞こえた。

「何しやがる！」福本の声がさらに荒れた。

「おはよう」沖田はわざとらしく爽《さわ》やかに挨拶した。「あんたも結構朝は早いんだね」

「一晩中張ってたのか？　ご苦労なこったね」福本が鼻で笑う。

「そんなことはしてないさ」沖田は肩をすくめた。「無駄だからな。さて、これから署に来てもらうぜ」

「ああ？」福本が目を見開き、ぼさぼさになった髪に指先を突っこんだ。「何の容疑だよ」

「シャブ」

沖田の言葉に、福本が凍りついた。沖田はその目が、瞬時に暗い色に変わるのを見て取った。再びの刑務所での生活に怯《おび》えている。分かってるなら危ない物に手を出すなよ、と沖田は心の中で忠告した。実際には、こいつはもう駄目だと思っている。転落の最初の一歩が大き過ぎた。這《は》い上がるのは不可能だろう。これから何度でも、同じことを繰り返して人生を終える。

庄田が一歩踏み出し、玄関の中に足を踏み入れる。それに押されるように、福本が一歩下がった。明らかに、抵抗する気持ちを失ってしまったようである。

「さっさと用意してくれるかな」沖田は声のトーンを落とした。相手があくまで突っ張ってくるならこちらも強く出るが、既に力を失っている状態では、力を抜いていい。なおも警戒を続けながら——いきなり裏から逃げ出す恐れもある——沖田は準備するよう福本に言った。

「急いでくれよ。尿検査にも時間がかかるからさ」

庄田の体が完全に玄関の中に入る。福本が彼の体越しにちらちらと外を見た。

「何かしようとしても無駄だからな。裏にも一人いるから、逃げられない。あんたも覚悟を決めろよ。これからどうなるか、よく分かってるだろう」

福本の顔が歪《ゆが》み、今にも泣き出しそうになった。こいつも、十年ほど前までは、こんなどん底の人生を送っていなかったのだ……そう思うと沖田はかすかに同情したが、同情にも限界はある。結局は自分一人の責任なのだ。

西八王子署で覚せい剤の予備試験検査を行うと、陽性反応が出た。予想通りの結果に沖田はほっとしたが、本番はこれからである。夕べと同じ、生活安全課の取調室を借りて、肝心の取り調べに入る。その前に、一応覚せい剤の件についても聴いておくことにした。

「あんた、いつからシャブを使ってるんだ？　最近か？」夕べの売人は「二か月前から」と言っていたが、他の売人から買っている可能性もある。

福本は反応しなかった。視線を斜め下に落としたまま、唇を嚙《か》み締めている。沖田は両手をテーブルに置いて、少しだけ身を乗り出した。プレッシャーをかける意図ではなく、お前の話をしっかり聞くぞ、という意思表示。福本がやっと顔を上げたが、目は虚《うつ》ろだった。沖田の顔を見ているようで、実際には焦点は後ろのドアに合っているようだった。

「ここはさっさと済ませようぜ。あんた、シャブでは初犯なんだから、ひどいことにはならないよ。二か月ぐらい前からやってるんじゃないのか？」少し話を誘導してやる。

「いや」福本がぼそりと言った。低くしゃがれて、ひどく聞き取りにくい声だった。

「もっと前なのか」

無言。肩に力が入り、頰が引き攣《つ》る。そんなに大変な話なのだろうか、と沖田は訝《いぶか》った。刑務所に入るのが嫌なのは分かるが……その時ふと、嫌な想像が頭に入りこむ。

「もしかしたら、この前逮捕された時もそうだったのか？」高給取りが、稼いだ給料をシャブに注《つ》ぎこんでいたのか……。

「あれは——あれは違う。あの時は、シャブを使ってたわけじゃない」

「なるほど。『あの時は』使ってなかったんだな。だけど、当時から使ってはいた。違うか？」

福本がさらにうなだれた。何てこった、と沖田は両手で自分の顔を挟むように頬を張った。当時あの事件を捜査していた連中は、尿検査を思いつかなかったのだろうか。極めて暴力的な事件で、普通の精神状態の人間は、あそこまで人を痛めつけられない。何かがすっぽり抜けているか、麻痺《まひ》しているような状況でないと……犯行当時、覚せい剤の影響下にあったかどうかは今さら分からないが、覚せい剤は時に人格を変えてしまうこともある。大人しい人間が、いつの間にか凶暴な性格に変貌《へんぼう》するのも珍しくない。

「何でまた、シャブなんかに手を出したんだよ」

「仕事がきつかったから」福本が唇を噛んだ。

「営業の仕事はきついらしいなあ。いろいろ気も遣うだろうし」沖田は精一杯の同情をこめて言った。「分かるけど、だからって何もシャブに手を出さなくてもいいじゃないか。身の破滅だぜ」

「分かってるけど、一度使ったらやめられないんだ」

「刑務所にいる時は、辛かっただろう」

「あれはあれで……覚せい剤のことも思い出さないぐらい辛かった」

福本のようなホワイトカラーの人間にとって、刑務所が想像もできない異質な世界だったことは容易に想像できる。規則正しい日々。同房者との軋轢《あつれき》、常に監視されている息苦しさ。覚せい剤に逃げたくなってもどうしようもないわけだが、日々をどうやって無事に生き延びるか、考えるだけで精一杯だっただろう。それが結局、外に出てくるとまた覚せい剤に手を出す。永遠に逃れられない常習性が、覚せい剤の一番の恐怖だ。

「結局、出て来てからまた手を出したのか」

「我慢してたんだよ、しばらくは。金もなかったし」

「今のパチンコ店で働くようになって、少しは金の余裕もできたわけか」

「俺は酒はできるだけ呑まないようにしている。煙草も吸わない。ギャンブルもしない。他に金を使うこともないから」

「だからって、シャブに金を使うのは賢い選択肢じゃないな」

「分かってるけど……」福本がテーブルに両手を置いた。爪《つめ》を弄《いじ》りながら、そこに視線を落とす。最初に感じた凶暴さはとうになくなり、今は消え入りそうに見えた。これも覚せい剤の影響だろうか。昨日会った時は、テンションを上げる薬物が体の中を回っている最中だったとか。

「まあ、その件についてはこの辺でいいよ。もっと詳しいことは、直接の担当者が調べるから。で、俺が知りたいのは別のことなんだ」

福本が一瞬視線を上げ、ちらりと沖田の顔を見た。乾いた唇を舐《な》めたが、それで言葉が出てくるわけではなかった。沖田はさらに身を乗り出し、じわじわと圧力をかけた。福本が両手をテーブルの下に引っこめ、肩をすぼめる。まるで自分の体を内側に自壊させようとしているようだった。

「シャブを使ってようが使ってまいが、あんたがあの事件を起こしたのは間違いない。で、逮捕されたのは大友のせいだと思ってるんだな？」

　無言。何とか乗り切ろうと、必死に頭を働かせているのはすぐに分かった。額には汗が浮かび、顔色は悪い。

「どうかしたかな？」沖田は気楽な調子で声をかけた。

「いや……」福本がまた唇を舐める。

「なあ、気楽に行こうぜ。俺は事実関係を知りたいだけなんだ。刑事にはそれ以外のことはできないしな。あんたをどうするか決めるのは、裁判官の役目だ」

「分かってる」

「一昨日《おととい》の午後、どこにいた？」昨日と同じ質問だ。違う答えが出てきたら——違う答えだった。

「西八王子の駅前」

「家にいたんじゃないのか？　前にそう言ってたよな」

「あれは……嘘《うそ》だ」

「なるほど、嘘ね」沖田はうなずいた。嫌な予感が頭の中を走り始める。「西八王子の駅前で何をしてた？」

「いや、それは……」

微妙な否定に、沖田の嫌な予感が加速した。

「俺はちょっと考えてることがあるんだけどさ」煙草をテーブルに出した。最近は取調室でも吸えないが、せめてもの気休めだ。「あんたの口から言ってもらった方が助かるんだ。情状の材料にもなるぜ」

「いや、しかし……」

「いいから、言えよ」苛立《いらだ》ってきた。ほんの短い時間話していただけなのに……この男には、本質的に人を苛立たせる何かがある。「西八王子の駅前で何をしてた」

「あの男……」

「平井、だな」

福本が素早くうなずく。沖田は一瞬にして、心を満たしていた熱意が失《う》せるのを意識した。畜生、一つの犯罪がもう一つの犯罪のアリバイを成立させてしまうとは。何とかしたいが、どうしようもない。無理にアリバイを崩そうとしたら、もう一つの事件が成立しなくなってしまう。

「平井と会って、何をしてた」

「だから……買ってた」

「〇・一、か」

無言で福本がうなずく。〇・一グラムでも、何度かに分けては利用できる。それが一日でなくなったとすれば、福本はかなり重度の中毒者だ。出獄してきてまた覚せい剤を始め、抑えが利かなくなってしまったのか。だとしたら既に、幻覚などの症状が出てきてもおかしくない。その中で「大友を殺してやる」と妄執するようになる可能性もあるのだが……。

「二万？」

「二万」

「あんたね、それ、相場よりかなり高いぜ」

「高くても、待たなくて手に入るから」

平井のような男がいるから、覚せい剤が広がってしまうのだ。電話一本で呼び出され、簡単に覚せい剤を売って歩く男。犯罪がカジュアル過ぎる。

「これを機会に、いい加減やめるんだな……それで平井と会ったのは、一昨日の何時頃だ」

「一時……一時半頃から」

「午後だな？」念押しで確認する。

「ああ」

一つの可能性が完全に消えた。大友が日比谷公園で撃たれたのは午後一時半頃である。どう考えても、福本の犯行ではない。誰かを使ってやらせたのかもしれないが、覚せい剤に金を使う福本に、そんな金銭的余裕があるとは思えなかった。人を殺すために誰かを雇うと、いくらぐらいかかるのか……闇社会の相場は分からないが、この男が簡単に払えるような額ではないだろう。

「そんな真っ昼間から何やってるんだよ」

夕べも引き渡しをしていた、あの辺りだろうか。住宅街で人目につくし、下手をしたら中央線の乗客からも見えるだろう。だが今は、それも普通なのだ。夜中の繁華街で、暴力団関係者から密《ひそ》かに入手する。そのための方法は一般人では知り得ない、というのは一昔前の話である。

福本は謝罪しようとはしなかった。ただうなだれ、必死で沖田と視線を合わせまいとしている。

「あんた、大友を恨んでるんだろうな」

「ああ?」福本が顔を上げる。怪訝《けげん》そうな表情が浮かんでいた。

「自分でも言ってたじゃないか。『俺をこんな風にしたのは、奴なんだ』って。本当は、あんたが奴を撃ったんじゃないか」

「そんなことはしてない。だいたい俺は一昨日……西八王子にいた」

「で、シャブを買ってた」

沖田に指摘され、福本の表情がまた歪む。もはや、本来どんな顔だったか、分からなくなってしまっていた。

「だから、とにかくそんなことはしていない」

「金を払って誰かにやらせたんじゃないのか」一応突っこんでみたものの、無意味だと自覚している。

「違う。そんな金はない」福本が即座に否定した。

「なるほどね」これ以上ない強固なアリバイと言っていいだろう。しかもそれを提供してしまったのは、自分たちなのだ。

これは決してミスではない。だが、何か他にやりようはなかったのかと、沖田は悔やむばかりだった。


それでも、捜査は進めなければならない。一番馬鹿げた捜査——誰かの無実を晴らすために動くのは、無駄以外の何物でもないのだが。

まず平井に裏を取ったが、これは簡単だった。平井自身、一昨日福本に会ったことは覚えていたし、携帯電話にも通話記録が残っている。あまりにも用心が足りないと、沖田は呆れてしまった。普通売人は、証拠隠滅のために、通話を終えたら一々履歴を消去するものだ。通話記録を辿《たど》られたらアウトだが、最低限の防御である。

これで福本のアリバイは完全に成立したが、一応部屋も調べなければならない。覚せい剤捜査のついでだ。西八王子署生活安全課の面々にくっついていく格好で部屋を捜索したが、何となく自分がお荷物になってしまったような気分だった。お情けで家宅捜索につき合わせてもらっているような……。

銃は発見されなかった。もちろん、刑事を狙撃《そげき》するような事件を起こしたら、銃などとうに処分してしまっているだろうが。他にも、大友襲撃を窺《うかが》わせるような材料は何も出てこなかった。

生活安全課の奥平は、さすがに平静を取り戻していた。だが言葉の端々に、ちくちくと皮肉が感じられる。

「ちょっと無理し過ぎじゃないか」

「まあ、こういうこともあるでしょう」沖田はつい、適当な言葉で誤魔化した。表情が変わらないよう、意識する。

「無茶すると、後が面倒なことになるよ」

「はいはい」溜息《ためいき》をつきながら沖田は返事した。「売人一人と買った奴一人。お引き渡ししますんで、後はよろしくお願いします」

「大友の件には、完全に関係ないと断定していいのか」

「あるのは動機だけですよ。だけど、物理的に無理でしょう」

「こっちでも少し叩いておこうか？」

沖田は目を見開いた。何でこんなことを言い出す？　奥平がにやりと笑った。

「この事件は特別だろうが。警視庁の中で、大友のために何かしてやりたいと思っていない人間はいないぞ」

「課長……」

「よせよ」奥平が面倒臭そうに手を振った。「お涙ちょうだいは嫌いなんだよ、俺は」

「いや、別に泣かすつもりはありませんけどね」

「まあ、何だよ」奥平が拳《こぶし》で鼻を擦《こす》った。「共犯の線も捨てられないから、そこはもう少し詰めてみる。誰か、共犯の可能性がある人間はいないのか」

「あー、まあ、いないわけでもないですね」沖田は新井利香の名前を思い浮かべた。大友を憎んでいた人間二人……何かのきっかけで結びつき、とんでもない計画を立てた可能性もある。だとしたら、利香が実行犯なのか？　福本が犯行時刻に西八王子にいたのは間違いないのだから、少なくとも実行犯ではない。だったら、利香が大友を撃った？　しかし女性が拳銃《けんじゅう》で誰かを狙撃するというのは、現実味が薄い。日本に住んでいる女性で、まともに銃を撃った経験があるのは、警察官か自衛官ぐらいではないだろうか。となると、二人が共通で雇った殺し屋がいる？　いやいや……可能性を追い求めるのは刑事の仕事だが、限界はある。立件できそうにない話を無理に構築して追いかけても意味はない。

沖田は新井利香の事情を説明したが、奥平は特に興味を示さなかった。

「女にやれる犯行じゃないな」

「だけど、女の恨みは怖いですよ」

「あんたも、ずいぶん痛い目に遭わされたことがあるみたいだな」奥平がにやりと笑う。

「俺も右に同じくだけど、ちょっと考えられない」

「とはいえ、今のところ、共犯の可能性が考えられるのは彼女ぐらいですね」

「一応、その件も聴いておくよ。で、あんたはこれからどうする」

「まあ……」沖田は肩をすくめた。「一本線が途切れたら、次の線を捜すだけです」

「しっかりやれよ」奥平が沖田の肩をどやしつけた。夕べの無愛想な態度からすると、大変な変化である。まるで何十年来の無二の親友のようだった。「仲間のためにな」

久しぶりに本庁の追跡捜査係に戻ると、西川もさやかもいなかった。一人留守番をしていた鳩山が、沖田の姿を認めて渋い表情を浮かべる。沖田は椅子を反対に回して座り、背もたれに両手を預けた。だらしない格好なのは承知しているが、実際、だらしない気分だった。「次の線を捜すだけ」とは言ったものの、今のところ、その当てがない。

「ヘマしたな」鳩山がぼそりと言った。

「ヘマじゃないですよ」沖田は即座に反論した。「シャブの売人を一人潰したんだから、賞状ぐらい貰ってもいいと思いますがね」

「冗談じゃない……峰岸管理官がご立腹だ」

「怒られるようなことはしてないですよ」沖田は耳を掻《か》いた。ああ、鬱陶しい……煙草が吸いたかった。

「少し大人しくしてろ。派手に捕り物をやったら、目立ってしょうがない」

「捕り物とはまた、ずいぶん古臭い表現ですね」

「茶化すな」鳩山が忠告した。なおも説教を続けようとしたようだが、口を中途半端に開けたまま、言葉を吞みこんでしまう。視線を辿って振り返ると、追跡捜査係と他の係を仕切る間仕切りの隙間から、峰岸が顔を出していた。

さすがの沖田も立ち上がった。峰岸は、一課の管理官の中で「最強硬派」と言われている。そしてその強硬な態度は、容疑者ではなく部下にも向けられるのだ。結果を求め、それが達成できない相手に対しては、容赦なく責める。それも理詰めで。峰岸と言えば手帳である。官給品の手帳ではなく、自分で仕入れた分厚い手帳。沖田にとって峰岸は、その手帳に何事か書きこんでいる姿しか思い浮かばない相手だった。彼の下にいる刑事たちに聴くと、一種の「閻魔帳《えんまちょう》」だという。査定用にあれこれメモしているというのだが、内容が異常に細かいらしい。叱責《しっせき》する時に、当の本人も覚えていないようなミスを指摘するのもしばしばということだった。

できれば一緒に仕事したくない相手——その相手が自分を手招きしている。仕方なく沖田は彼に歩み寄った。

峰岸は、見た目《いか》だけでも怖い。身長百八十五センチ、体重も間違いなく百キロを越えている。顔も厳つく、気の弱い容疑者だったら、一声かけられただけで泣き出してしまいそうだ。

仕切り板の外に出ると、そこは一課の大部屋だ。デスクが全て埋まっているわけではないが、何となくざわついているのはいつものことである。それに加えて今は、ぴんと張りつめた空気が流れていた。原因は、大友。警視庁の目と鼻の先で起きた事件ということで、通常所轄に置かれる捜査本部は、今回は捜査一課に設置されている。強行班の刑事が何人か、今も詰めているが、彼らは明白な殺気を漂わせていた。気持ちは分かる——大友を心配する気持ちに、さらに犯人に対する怒りが混じっているのだ。警視庁のこんな近くで俺たちに恥をかかせやがって、と憤るのは自然である。

「好き勝手に動いてるらしいな」

怖い顔に笑みを浮かべたまま、峰岸が脅しをかけてきた。声にはドスが効いている。

「いや、俺たちだって、大友を撃った犯人を見つけたいんですよ」沖田は思わず反論した。

「それで、訳の分からんヤクの売人を捕まえたり、前科のある人間をどつき回したりしてるそうじゃないか。褒められた話じゃない」

「気に食わないなら、俺たちも捜査に使って下さいよ。いつでも手伝います」

「必要ない」峰岸が淡々と言った。

「必要ないって……それで何か、手がかりは摑めたんですか」

「まだだ。だが、時間の問題だ」峰岸はずっと沖田の顔を凝視している。

「ずいぶん自信があるんですね」

「自信はない。信念があるだけだ」

えらく格好いいことで……沖田は内心、白けた。実際には何も手がかりを摑んでいないだろうに。

「とにかく、余計なことはするな」

「それは正式な命令ですか？　俺は、管理官の直接の指揮下にはないと思いますが」

「だったら俺じゃなくて、一課長から命令があればいいのか。そうしたらお前は、がんじがらめになって動けなくなるだろう。今でも余計なことをしてるんだから、何か罰があるかもしれないぞ。それでもいいのか？」

沖田は言葉を呑んだ。この男が、自分たちの行動にむかついているのは分かる。誰でも同じ気持ち——大友を撃った犯人を捕まえたい——を持っているのは間違いないが、それは無用な手柄争いも誘発するだろう。峰岸にすればあくまで、これは自分の事件である。誰かが偶然情報を仕入れ、それを自分たちに耳打ちしてくれれば、大いに感謝するはずだ。しかし何の権利もない人間が勝手に動き回っていれば、それは「妨害者」であり、自分の権益を侵す存在になる。とても容認できないだろう。

「だから、俺たちを正式に使えばいいじゃないですか」

「それは指揮命令系統に反する」

「だいたい、おかしいですよ。管理官たちは、大友が特命で捜査に参加させられる度に、邪魔者扱いするでしょう？　それを、こんなことになったからといって、突然『大友のために』なんて言っても説得力はゼロですね」

「何だと」

突然、峰岸の顔から一切の愛想が消えた。見るといつの間にか、左手に手帳を持っている。これが噂《うわさ》の閻魔帳か、と考えると急におかしくなってきた。俺の言動を記録しても、彼には何もできないはずだ。

「こういう派手な事件を挙げれば自分の株が上がる、とでも思ってるんですか？　別にいいですよ。手柄が欲しくて刑事をやってる奴だってたくさんいるんだから」

「俺がそうだと言いたいのか」

「知りませんけどね」沖田は耳を掻いた。「それで捜査が上手《うま》くいかなかったらどうなるんですか？　結局いつもみたいにうちにお鉢が回ってくるんでしょう」

「そんなことにはしない」

「それならそれで結構です」沖田は両手を軽く叩き合わせた。「仲間に入れてもらえないなら、こっちは勝手にやりますから。どの事件を捜査するか、裁量権はこっちにあるんですよ。それが追跡捜査係ってものですから」

「沖田、よせ」いきなり後ろから腕を引っ張られた。思わずバランスを崩してしまうほどの勢い……体重のある鳩山ならではだ。

「係長は黙ってて下さい！」

沖田は振り向いて怒鳴った。気の小さい鳩山は、それではっとして腕を放してしまう。

沖田は改めて、峰岸と向き合った。

「普通の事件だったら、俺たちだってこんな余計なことはしませんよ。これは特別な事件なんです。誰かのためだけに頑張りたいなんて事件、そうはないでしょう。俺はテツのために、何としても犯人を挙げるつもりです。競争でもいいじゃないですか。上手く犯人を見つけたら、リボンをつけて管理官に進呈しますよ」

勢いよく喋《しゃべ》りながら、沖田は一抹の寂しさを味わっていた。理由ははっきりしている。

一課の中にあって、追跡捜査係はあくまで異分子だ。いつも未解決事件を追いかけ、人の尻拭《しりぬぐ》いをしている……しかし外からは、自分たちが興味を持った事件しか手がけない身勝手な奴ら、と見られている。

そう思うのは勝手である。だが自分たちにも、刑事の熱い血が流れている。捜査に参加させないというなら、自分たちで壁を突き破り、走るだけだ。

第六章

夕べの雨は上がり、朝から晴れ上がった。空は高く、寒さはひとしお厳しい。

西川は携帯電話を切って、溜息《ためいき》をついた。

「どうしました？」さやかが不審げに訊《たず》ねる。

「いや……沖田の追っていた線が切れたみたいだ」

西川は事情を説明した。さやかもがっかりすると思いきや、急に声を挙げて笑い出す。

「今のは笑うところじゃない」

「すみません」さやかが掌《てのひら》で口を押さえた。「でも、シャブの取り引きが銃撃事件のアリバイになるなんて偶然、ありますか？」

「ないだろうな……そう頻繁には」それには西川も同意せざるを得ない。「それにしても沖田の奴……新井利香と福本が共犯じゃないかなんて言い出したぞ」

「何ですか、それ」さやかが目を見開く。

「福本のアリバイは成立したけど、新井利香のアリバイは今のところないからな」

「どうしても福本を巻きこみたいんですかねえ」

「自分の手柄にしたいだけだよ」言って、西川はコートの襟を立てた。約束の時間はとうに過ぎているのに、相手は姿を見せない。さては怖《お》じ気《け》づいたか……。

「誰だってそうですよね」

「君もか？」

「それはそうです」さやかが肩をすくめた。「だって、こんな事件で——あ、あの人じゃないですか」

　さやかがにわかに身を硬くした。その視線は、シーブレス社が入ったビルの出入り口に向いている。目を凝らすと、きょろきょろしながら一人の女性が出て来るのが見えた。四十歳ぐらい、細身の体を濃紺のトレンチコートに包んでいる。マーケティング部で、新井利香の直属の上司に当たる高井茉奈《たかいまな》。

「お待たせしました」

　茉奈が深々と頭を下げる。昨日、散々利香の毒気に当てられただけに、極めて普通の反応にほっとした。

「お呼びたてして申し訳ありません」西川は丁寧に頭を下げた。「忙しいところ……お時間は取らせませんから。その辺で、お茶でも飲みながら話をしましょう」

「それでいいんですか？」茉奈がピンク色の眼鏡の奥で目を細めた。「てっきり、警察に行くのかと思ってました」

「いえいえ、そういう必要はないです。あくまで参考としてお話を伺いたいだけなので」

　ぶらぶらして時間を潰《つぶ》している訳にはいかないので、西川は昨日入った喫茶店に茉奈を誘った。昨日と同じ窓際の席は避け、今日はカウンターの向かいのテーブル席に落ち着く。

茉奈は年齢なりに落ち着いた雰囲気だったが、それは完璧《かんぺき》な化粧のせいもあるのでは、と西川は訝《いぶか》った。さすがに化粧品会社のマーケティング担当ということか。

「電話でも話したんですが、新井利香さんのことなんです」

「はい……」茉奈が、居心地悪そうに座り直した。

「彼女、例の事件以来、相当変わってしまったんじゃないですか」

「ええ、まあ……あまり簡単に言うことじゃないんでしょうけど」

「分かりますが、教えて下さい。彼女は、大友鉄という刑事に対する恨みを零《こぼ》したりすることはありませんでしたか？」

「聞いたことはあります」

茉奈がすぐに認めた。第三者にこんな話をしていたとなると、大友に対する利香の恨みは本物だ……西川はうなずき、先を促した。

「一緒に食事していた時、一度だけなんですけど、そんな話が出たことがあって」

「ええ。その人のせいで、人生が滅茶苦茶になったって零してました」

「許せないと？」

「憎んで殺そうとするほどですか？」

瞬時に茉奈の顔が蒼褪《あおざ》める。唇は一本の糸のようになり、眼鏡の奥の目も細まった。

「あの、ニュースで見たんですけど、撃たれた刑事さんって……」

「それが大友鉄です」

疲れたように首を横に振り、茉奈が眼鏡を外した。眉根《まゆね》を指でつまんで、顔をしかめる。目を閉じたまま、「まさか、そんなことが……」とつぶやいた。

「まだ何も分かりませんよ」西川は即座に否定した。「具体的な疑いがあるわけじゃありませんから」

「でも、ありそうな……こんなこと言っちゃいけないですよね」茉奈が眼鏡をかけ直した。迷惑そうな表情に変化はない。

「どうしてそう思います？」

「正直、彼女の扱いには困っているんです」茉奈がハンドバッグからハンカチを取り出し、口を押さえた。そのまま話し始めたので、言葉はくぐもって聞こえる。「会社としてもどうしたらいいのか……事件の後で、彼女は完全に変わってしまいました」

「言動が極端ですよね」

「そうなんです」

「会社としては、困る？」

「困ります」茉奈がようやくハンカチを口から離した。「人が変わったみたいに乱暴になって、暴言も多いし、休みも増えました。あの、例の結婚詐欺の人……」

「杉本です。杉本充」西川はすかさずフォローした。

「はい」茉奈が素早くうなずく。「そうです、杉本さんでした……今でもその人を信じて、捜しているんですよ。有給もフルに使って、あちこちに出かけています」

「捜すと言っても、そんなに簡単に情報が手に入るものなんでしょうか」西川は首を捻《ひね》った。自分たちがやるならともかく、普通の会社員に人探しは難しい。

「探偵なんかを使っているみたいですよ」茉奈が声を低くした。「そういうの、信用できるかどうか……お金だけ取られて、終わりじゃないんでしょうか」

「そもそも今まで見つかっていないんだから、いい加減な情報しか貰《もら》ってないんじゃないですかね」

「今は、杉本さんを捜すためだけに会社にいるようなものなんでしょうね。必要なお金を稼ぐのに……」

「処分できないんですか？　会社としても、いろいろ問題でしょう。元恋人の澤井さんの異動の件とか、滅茶苦茶じゃないですか」

「確かにあんなこと、普通はあり得ませんよね」茉奈が言葉を低くして言った。「でも、皆彼女に対しては腫《は》れ物に触るような扱いで……当たり前だと思います。もしも肩叩《かたたた》きでもして、それで逆切れされたら大変なことになりますから。そうでなくても……自殺とか」

「ああ」西川は眉をひそめた。確かに彼女なら、そういう騒ぎを起こしかねない。もしも職場で首でも吊《つ》られたら、会社としては大損害だろう。化粧品会社はイメージを大事にするはずだ。「爆弾を抱えているようなものですね」

「そんな感じです。でも、仕事はきちんとしているから、会社としては処分するのも難しいんです」

「そうなんですか？」西川は目を見開いた。あの様子では、とてもまともに仕事をしているとは思えない。

「仕事だけで査定すると、安定してずっとBですよ。上から二番目」

「分からないなあ」西川は腕組みをした。「他のことは滅茶苦茶でも、仕事だけはきちんとする、ということですか」

「そうなんです。でも、どういうことなのか、事情も聞けません」茉奈が水を一口飲んだ。

「正直言って、社内でも今、彼女にプライベートなことを聞ける人間はいません。私たちだって、最初は同情していたんですよ？　本人は違うと否定しても、あの事件で被害者だったのは間違いないんですから」

　西川はうなずいた。恐らく周囲は、異常に気を遣って利香に接してきたのだろう。変な男に騙《だま》され、自分を見失っているだけだ。いつかは正気に戻って、昔と同じ利香に戻るのではないか……と。それは叶《かな》わず、彼女はまだ自分の作った世界に閉じこもったままである。できれば、「辞める」と言い出して欲しいのではないだろうか。辞めてしまえば後はどうなろうが、会社としては関係ない。

「カウンセラーを紹介するとか、そういうことはできないんですか」

「総務の方でもいろいろと検討したんですけど、上手《うま》い方法がないんですね。とにかく仕事はきちんとやっているし、有給はぎりぎり一杯まで取りますけど、それは別に問題ではないですから」

「難しい事情を抱えましたね」

「ええ……」茉奈が溜息をついた。コーヒーを一口飲み、一瞬顔をしかめてから砂糖を加える。「少し自分を甘やかしてもいいですよね」

「砂糖を入れることが、ですか？」

二人の会話を聞いていたさやかが、砂糖に伸ばした手を止めた。そう言えば最近彼女は、しきりに「ダイエット」と言っている。痩《や》せる必要があるようには見えなかったが。

「本当に疲れるんです。普通に仕事の話はしてるんですけど、いつ爆発するか、いつも心配で。私の方が、どこかへ異動したいぐらいですよ」

澤井の心情がようやく理解できるようになった。爆弾に触れて爆発させるよりも、自分から距離を置く方が安全……消極的だが、賢い知恵だ。

「最近の新井さんの様子を教えて下さい」

「まあ、いつも通りっていう感じですかね」茉奈がコーヒーを一口飲み、納得したようにうなずく。

「特に機嫌が悪かったり、普段話していない人と話していたりとか……社内で隠れて電話しているようなことはありませんか？」

「少なくとも私は……そういうことは知りません」

「ちなみに彼女、一昨日《おととい》はどこにいましたか？」

「一昨日ですか？　ちょっと待って下さい」茉奈がハンドバッグからスマートフォンを取り出した。しばらく操作していたが、顔を上げて、「午前中は社内、午後から川崎に行っていたようですね」と告げる。

「普段、川崎に行く用事がありますか？」

「ありますよ。商品の取り扱い店に行くのは、普通の業務ですから。うちの部員は、だいたい毎日どこかに出かけています。直販の路面店の場合もありますし、デパート内の出店や薬局も対象です」

「川崎のどこへ行ったかは分かりますか？」

「社内掲示板のボードには川崎に行ったとしか書いてありません。川崎ならお店はたくさんありますから……」茉奈が拳《こぶし》を顎《あご》に当てた。「本人に確認してみないと分かりませんね」

「何件か回っている可能性もありますね」

「大抵そうですよ」茉奈がようやく表情を崩す。「一件だけでは効率が悪いですから」

「全部教えて下さい」

「はい？」茉奈が目を細める。

「本当に行っていたかどうか、確認したいんです」

「どういうことですか……」自分で訊ねておきながら、茉奈は答えを見つけ出したようだ。瞬時に顔が蒼褪め、眼鏡の奥から厳しい視線をぶつけてくる。

「教えていただけないのであれば、直接新井さんに聴きます」

「私は上司なんですけど」

「面倒なことに巻きこまれないのも、賢い上司の才能ですよ」

茉奈が唇を噛《か》んだ。部下を売るようなことをしていいのか、と悩んでいるのだろう。だがここは、拒否はできない場面だ。

「取り扱い店はたくさんあるんですよね」

「ええ」

「ここで全部教えてもらうのは、お互いに大変だと思います。会社に戻ってから、店のリストをメールしてもらうことはできますか？　その方が、お互いに面倒がなくていいと思います」

「……分かりました」

西川はほっと一息ついて笑みを浮かべた。脅しをかけるようになってしまったのは、心苦しかったが。

「申し訳ないですね。しかし、どうしても調べなければならないことですから」

「あの、もしもそういう人が職場にいたら、私たちはどうしたらいいんですか」

「それは警察が何とかします。今は絶対に騒がないで下さい。上司や同僚の方にも、こうやって我々と話したことは内密にしておいて下さい」

いっそう蒼《あお》い顔になって、茉奈がうなずいた。

追跡捜査係に戻ると、沖田がどんよりとした表情を浮かべていた。椅子《いす》に浅く腰かけて両足をデスクの下にだらしなく伸ばし、口をぽっかり開けている。

「残念だったな」

「問題の時間にシャブを買ってたんじゃ、どうしようもないよ」沖田が投げやりに言った。

「鉄壁のアリバイってことか」

「まったく……」沖田が肩をすくめる。

「しょうがないだろう。一回失敗したぐらいで凹《へこ》むな」

「焦ってるんだよ、こっちは」

他の係の連中から何か言われたな、と西川は悟った。その件について突っこむと、沖田はさらに機嫌を悪くしそうだったので、やめておく。

家から持参のコーヒーを一口飲んで、メールを確認する。銀座からここまで移動してきた間に、茉奈からのメールが届いていた。表計算ソフトで作ったリストをざっと確認し、丁寧にお礼のメールを返信する。そのリストをプリントアウトし、四枚分コピーした。沖田、さやか、庄田、それに大竹に配る。

「凹んでる場合じゃないぞ。仕事ができた」

「ああ？　例の女の件か？」

「これから電話作戦だ。五十件だから、大したことはないな。手分けすれば三十分で終わるだろう」

西川は事情を説明した。沖田はつまらなそうに聞いていたが、最後は「まあ、仕方ないな」と言って、西川が用意したコピーを手に取った。

「一人十件か。順番はどうする？」

「上から十件ずつ順番に、俺、沖田、庄田、三井、大竹。一昨日の午後、新井利香が店に来なかったかどうか、確認してくれ。来ていたのが分かれば、時間をできるだけ正確に聞き出すこと」

「あいよ」沖田がさっそく受話器を取り上げた。地味な仕事なのだが、この男の場合、何もせずにぼうっとしているのが一番辛《つら》いらしい。一度始めると、やけに熱心に突っこみ始めた。

予想通り、三十分後にはリストを潰し終えた。ゼロ。西川はわずかに鼓動が高鳴るのを意識した。少なくとも一昨日の午後、利香は取り扱い店回りをしていない。他に何か、川崎に行く用事があったのだろうか。西川は置いたばかりの受話器を取り上げ、茉奈に電話をかけて確認した。

「川崎だったら、他に行く用事はないと思います。横浜なら支社がありますから、そちらへ行く可能性はあると思いますが」

「横浜へは行っていないんですか？」

「そのはずです」

礼を言って受話器を置き、全員の顔を見回す。

「彼女は嘘《うそ》を言っていたようだ」

「嘘を言って外出して、また杉本を探してたんじゃないかね」沖田がつけ加える。

「その可能性はある。しかし、もう少し突っこんで調べてみるべきだな。係長、監視の手《て》筈《はず》を整えたいんですが」

「ああ」

鳩山は乗りが悪かった。誰かからよほどきつく釘《くぎ》を刺されたらしい。だがそんなことは自分には関係ない、と西川は自分を鼓舞した。

「新井利香は、毎日ほぼ定時に退社している。五時過ぎから会社の前で張りこんで尾行だ。三井と庄田、頼む」

「何で庄田と一緒なんですか」

さやかがすぐに反論した。この二人が始終反発し合っているのには、いい加減うんざりしている。

「順番だ。私生活でどれだけ喧嘩《けんか》してもいいけど、仕事の時はちゃんとやってくれ」ぴしりと言って、二人に指示を与える。

「で、俺たちは？」沖田が不満そうに言った。

しかし、珍しい男だ……四十歳を過ぎて、まだ張り込みや尾行を喜んでやる人間は珍しい。十年も刑事をやっていると、いい加減疲れてくるものなのに。

「俺たちは頭を使う」

「ああ？」

「本当に新井利香が犯人かどうか。違っていたらどうするべきか、考えないと」

「ああー、その件だが」

鳩山が急に割りこんだ。全員の目が、一斉に彼に向く。普段、打ち合わせをしている時に、自分から口を挟んでくることなどないのだ。意見を求められた時だけ、無難な台詞《せりふ》を口にする。

「捜査本部の方では、この前の新エネルギー研究開発の事件を重視している」

「何か具体的な手がかりはあるんですか」西川は訊ねた。

「いや、それはないようだ」

「あいつをつけていた男の件は？」

「手がかり、なし」鳩山が肩をすくめる。

「何やってるのかね」沖田が白けた口調で言った。「自分たちで何とかするなんて言っておいて、結局何も出てこないんだから。俺たちに資料を渡して、やらせればいいんだよ」

「捜査はまだ始まったばかりだぞ」西川は釘を刺した。

「こんなもの、速攻でやらないでどうするんだよ」

「そういう俺たちも、いい筋を摑《つか》んだわけじゃないんだから」

指摘すると、沖田が腕を組んで黙りこんだ。西川は鳩山に訊ねる。

「銃弾の方からは、何か出ましたか」

「前歴《まえ》のない銃だな。線条痕《せんじょうこん》の一致はない」

「そうですか」西川も腕組みした。目撃者なし、物理的な証拠も駄目……となるとやはり、大友周辺の人間関係を探っていくしかないわけか。今のところ、動機らしきものを持っている人間は二人。しかし一人に関してはアリバイが成立した。もう一人は女性……どうしても、銃を使った犯罪とは結びつきにくい。

少し頭を冷やすか。昼飯も抜いてしまっているし……西川は立ち上がった。

「どこへ行く？」沖田の鋭い視線が追いかけてくる。

「ちょっと頭を冷やしてくる」

外へ出れば、頭が冷えるどころではないだろうが。

西川は必ずしも、現場を重視しない。「現場百回」は捜査の基礎の基礎で、何度も訪れているうちに、最初の頃は見逃していた物に気づくこともある。しかししばしば、ただ見るだけで満足してしまい、もっと大事な捜査がなおざりになることになる。

それなのに気づくと、西川は日比谷公園の現場に来ていた。

よく晴れ上がり、気温が上がらない午後だった。少し歩いただけでも、公園のあちこちに刑事たちがいるのが分かる。目撃者探しをしているのだろう。ちょうど二日前、大友が撃たれた時間帯なのだと気づく。毎日同じパターンで行動している人もいるわけで、そういう人を摑まえて話を聴こうとしている――定時通行調査だ。

西川はコートのポケットに両手を突っこみ、背中を丸めたまま公園の中を歩き続けた。このまま日比谷側に抜けて、どこかで遅い昼食でも摂《と》るか……だが、どうしてもその気になれない。どうせならこのまま腹を減らしておいた方がいいかもしれない。空腹の方が、頭は冴《さ》えると言うし。

とはいえ、これから長い午後を、空腹を抱えたまま過ごすわけにはいかない。やはり軽く何か腹に入れておこう。そう思って日比谷通りの方へ歩き始めた瞬間、後山に気づいた。普段はデスクに張りついて指示を飛ばすか、会議をしているはずなのに……一人ぽつんと立って、ぼんやりと周囲を見回している。放《ほう》っておくべきなのだろうが、何故《なぜ》か気になった。大友が撃たれたのは、彼と別れた直後である。責任を感じているのだろうか。ゆっくりと歩み寄る間に、何と声をかけようかと考える。上手い台詞が浮かんでこなかった。

だが、後山もこちらに気づいた。ちらりと西川を見て、一瞬顔をしかめたが、すぐに同僚――刑事部の人間だと分かった様子である。軽く会釈してきたので、こちらもうなずき返した。大したものだと思う。警視庁の刑事部には何人いるか……普通キャリアの参事官は、直属の部下以外、顔と名前を覚えていないものである。

「西川さんでしたね……追跡捜査係の」

声をかけられ、さらに驚く。名前まで覚えているとは。

「参事官、どうしてこちらへ？」

「落ち着かないんですよ」

こちらも落ち着かない。後山は確か、自分より何歳か年下だが、仮にもキャリア官僚である。こんな風に敬語で話しかけられると、どう返していいか、分からなくなってしまう。

「参事官が、ご自分で捜査をする必要はないと思いますが」

後山が力なく首を振った。そもそも聞き込みには似合わない、一分の隙《すき》もない着こなしである。オフホワイトのトレンチコートの前を締め、襟元からは真っ白なワイシャツと、黒にグレーの薄い縞《しま》が入ったネクタイが覗《のぞ》いている。足元は黒のプレーントゥ。よく磨きこまれていて、仕事用ではなく、冠婚葬祭に履くようなものに見える。

「何となく、責任を感じましてね」

「それは分かりますが……」参事官は参事官で、毎日様々な仕事に追われるはずだ。大部分が会議と報告を受けること、それに視察かもしれないが、少しデスクを外しただけで残業時間が生じるのは間違いない。

「考えているんですよ」後山が耳の上を人差し指で叩いた。「何か見落としているんじゃないかと思いましてね」

「参事官と別れた直後――」

「彼は撃たれました」後山が胸に顎を埋めるようにした。「おかしいんです。私は彼の背中を見送っていたんですよ。撃たれたのは、一瞬視線を切ったタイミングでした。そんなに素早く撃てるものでしょうか」

「どこか、参事官の視界の死角になる場所から狙《ねら》っていたんじゃないですか」

「確かに、そういう場所はあります」後山が右手を挙げた。人差し指の先を目で追っていくと、人の背丈ほどもある植え込みが見える。

「確かにあそこなら、隠れられますね」西川は認めた。

「もちろん、徹底的に調べました。でも、何も出てこなかった」

「謎《なぞ》、ですか」

「謎です」

後山の言葉が風に消えた。彼自身、この状況に納得していないのは明らかである。

「よほど動きが早い犯人だったんですかね」西川は植え込みの方に目を向けたまま言った。

「ええ……それに人間の目と記憶力は、あまり当てにならないものです。当然覚えていると思っている物が記憶から抜け落ちていたりする」

「分かります」

馬鹿丁寧な態度には慣れないが、何となく自分とはリズムが合いそうだな、と思った。論理的な話し方がいい。

「私の責任かもしれませんね」後山がぽつりと言った。

「まさか」

「私は、大友さんに仕事を指示する役目を、福原さんから引き継ぎました」

「ええ」

「今回の仕事――新エネルギー研究開発を巡る事件を彼に任せてしまったことが正しかったかどうか、今でも分かりません。結果的に彼を、危険な状況に追いこんでしまったのかもしれない」

「あの事件と大友が襲われたことと、何か関係があると思いますか」

「私はそう考えています。非常に複雑な事件で、様々な人の思惑が絡んでいました」

「しかも国際的な事件でした」

「ええ」後山がうなずく。「あの事件の全体像は、完全には摑めていません。まだ表に出ていない登場人物がいる可能性もないとは言えない」

「そこまで奥が深い事件なんですか?」追跡捜査係では、「関係者は全員身柄を拘束されている、故に関係ない」と早い段階で結論づけていた。「我々は、大友が今まで手がけてきた事件の関係者ではないかと疑っているのですが……」

そこまで言って、西川は口をつぐんだ。強行班からは「手を出すな」と釘を刺されているはずだ。自分たちが動いていることを後山に知られると、後々面倒なことになるのではないだろうか。

「追跡捜査係も手伝ってくれていることは承知していますよ」後山の表情は穏やかだった。

「協力に感謝します」

「そう、ですか」西川は彼に気づかれないよう、そっと吐息をついた。「我々が捜査していることは――」

「他の係のことは気にしないで下さい」後山の言葉に芯《しん》が通った。言い切った後に、微笑を浮かべる。「本来、こういうことは言ってはいけないんでしょうね。指揮命令系統を無視したら、警察の仕事は崩壊します。常に上意下達です。しかしこの件に関しては、私は警察の常識を無視します。私だけではない、多くの人がそれで構わないと考えています」

「しかし、峰岸管理官の面子《メンツ》は――」

「犯人が捕まれば、個人の面子などどうでもよろしい」後山が即座に断言した。「もちろん、峰岸さんのことはフォローしておきます。それが私の仕事ですから」

これで参事官のお墨つきを得たということか？　それなら大きな心配が一つなくなる。

「峰岸さんに何か言われましたか？」後山が心配そうに訊ねる。

「私ではなく、たぶん沖田が」

「ああ」後山が微笑《ほほえ》む。「彼は勢いがあるから。人の気持ちを逆撫《さかな》ですることもあるでしょう」

「むしろ、勢いだけで生きている男です」

後山がうつむいたが、その顔に浮かぶ笑みが少しだけ大きくなったことに西川は気づいた。

「実は、勝手に動いているのはあなたたちだけではないんです」

「何ですって？」

「捜査本部に入らなかった一課の他の係のメンバー、所轄や機動捜査隊の面々が、普段の仕事をこなしながら、必死で情報を集めているんですよ」

「それこそ、指揮命令系統が滅茶苦茶に……」

「何か分かれば、峰岸管理官に情報を入れてもらえばいいんです。最終的に犯人が捕まれば、全員の手柄だと思っています」

「私たちは別に、手柄が欲しいわけでは――」

「失礼」後山が咳払《せきばら》いした。「刑事の本能、ですかね」

「ええ」そういうことを言うのは恥ずかしいのだが、西川としても認めざるを得なかった。仲間がやられれば、全力で敵を叩き潰しにかかる。

「ですから、峰岸管理官のことはあまり気にしないで下さい。あなたたちはあなたたちで、これまで培った能力を解放してもらっていいんです。それこそ――」後山が顔をしかめて言葉を切った。ひょいと頭を下げてコートの内側に手を突っこみ、携帯電話を取り出す。着信を確認して首を傾《かし》げると、耳に押し当てた。

「はい――」

返事した次の瞬間に、背筋がぴんと伸びた。まるで誰かに叱責《しっせき》されたような……しかし後山の口から出てきた言葉は、西川の予想を超えた。

「大友さんと話ができます」

病院はごった返していた。どうやってこれだけ短時間に情報が広がり、たくさんの刑事たちが集まって来たのか……大友の病室――個室で、念のために制服警官が配されていた――の前の廊下はコート姿の刑事たちで埋まり、ベテランの女性看護師数人が、「邪魔だからどいて下さい！」と必死で叫んでいるが、誰も言うことを聞かない。逆に刑事たちの方が、「早く会わせろ」と食ってかかり、相手を辟易《へきえき》させる始末だ。これは……大友が心配で来たというより、早く事情聴取したいと焦っているのではないだろうか。とにかく犯人の一番近くにいたのが大友なのだから、顔を見ている可能性もある。

後山が現れると、ざわつきが一時的に静まった。この場で立場が一番上の人間。後山は瞬時に状況を把握したが、言葉を発するのを躊躇《ためら》っている。大勢の人間を前にして訓示したりするのは苦手なタイプらしい。キャリアがこんなことではどうしようもないのだが……人前で話す機会は何かと多いのだし。

「申し訳ありませんが、皆さん、ロビーの方に引いていただけませんか。他の患者さんの迷惑になります」

ようやく出た指示に反論の声は上がらなかったが、誰も動き出そうとしない。「もう一声」を望んでいるようだった。何を投げてやったら満足するのか……後山は疲れた様子で首を横に振ったが、結局「必ず様子を報告します」と約束した。それで納得したのか、刑事たちがようやく廊下から引いて行く。口々に「駐車場に集合だ」「そこで報告をもらおう」と言い合いながら……参事官をメッセンジャー役にして大友の容態を知ろうとしているのだから、全員図々しいと言えば図々しい。

「参事官、後で本当に説明しないといけないと思いますよ」西川は忠告した。「そうしないと、誰も納得しないでしょう」

「仕方ないですね」後山が肩を上下させた。

「そんな義務はないとは思いますが」

「義務とか、そういう問題ではないんです。ここへ来ている連中が、大友さんを心配しているのは間違いないんですから」

後山の視線がちらりと動いた。そちらを見ると、峰岸が部下を二人引き連れ、大股《おおまた》で大友の病室へ向かって来るところだった。後山を見て、歩きながら頭を下げる。後山も会釈を返した――彼の方がうなずき方が深かった。

「無事に意識は戻りました」峰岸が報告する。「まだ強い鎮痛剤の影響が残っていて、はっきり喋《しゃべ》るのは難しいですが、取り敢《あ》えず会話はできます。これからすぐに事情聴取に入ります」

「無理は禁物ですよ」後山が忠告した。

「大友も刑事です。犯人を捕まえるためなら、協力は惜しまないでしょう」

「症状が悪化したら、何にもなりません」

後山の目つきが鋭くなったので、西川は驚いた。怒りの爆弾を落としたり、感情の赴くまま怒鳴り散らしたりするようなタイプではないと思っていたのだが。

「私もここで待機します。すぐに状況を報告して下さい。それと、大人数で入るのはやめた方がいいでしょう。彼を疲れさせてはいけません」

「……ご指示、承りました」皮肉っぽく、峰岸が言った。「では、私ともう一人、二人で入りますから、こちらでお待ち下さい……西川、お前は関係ないだろう」

西川は黙って頭を下げ、そんなことは了解していると無言で認めた。沖田なら噛みつくところだろうが、こんな場所で逆らっても何にもならないことはよく分かっている。後山も、西川に密《ひそ》かに目配せした。状況は必ず全部知らせる、置いてけぼりにはしない、というサイン。

西川は病室の前を離れ、一階の待合室に降りた。沖田に知らせてやらなくては……たむろしている他の刑事たちを避けるために、一度外へ出る。車回しの近くで客待ちしているタクシーを横目で見ながら携帯電話を取り出した。

沖田の声がいきなり耳に突き刺さる。

「何でもっと早く連絡してくれなかったんだ！　俺を仲間外れにする気か！」

本気で怒っていたが、「仲間外れ」という子どもっぽい言い方に、西川は思わず吹き出してしまった。基本的にこの男は、少年——というか悪ガキの気配を濃厚に残している。

「とにかく、今からすぐ病院へ行く」

「来ても無駄だぞ。まだ面会は制限されているから」

「意識は戻ってるんだろう？　だったら何とでもなる」

「おいおい」西川は眉をひそめた。「病室に忍びこむつもりか？　それで症状が悪化したら何にもならないじゃないか」

「テツはそんなに柔じゃない」沖田が断言した。「とにかく、当面の捜査は他の連中に任せるから。まず、奴の顔を拝んでおかないと、話が進まないんだよ」

「ちょっと待て――」呆《あき》れて声を上げたが、その時にはもう電話は切れていた。まあ、この状態であいつを止めるのは無理だろうな。せめて怪我人《けがにん》が出ないようにするのが俺の責任だ、と西川は溜息をついた。


峰岸たちによる事情聴取は、実質二十分ほども続かなかった。峰岸は露骨にがっかりしていたが、逆に後山の顔つきは明るかった。とにもかくにも話はできたのだから。生命の危機も去った。自分なりの責任を感じている男としては、ひとまずほっとしただろう。

後山は、本当に駐車場に刑事たちを集め、大友の容態と簡単な事情聴取の結果を峰岸から説明させた。最大のポイント――大友が犯人を見たかどうかについては、残念な結果が出た。まったく見ていない。発砲音を聞いた記憶はあるが、その後は何も覚えていないという。銃創からして、背後から撃たれたのは間違いなく、見ていないのは予想されたことだが……その後、峰岸が簡単に今後の予定を説明した。

「大友の体調は急速に回復している。今日の事情聴取は打ち止めにするが、明日以降、容態を見てさらに事情聴取を続ける」三十人ほども集まった刑事たちの中に、目ざとく西川と沖田を見つけると、二人に厳しい視線を浴びせながら忠告した。「自分たちの手柄にしようと勝手に動き回っている人間もいるようだが、余計なことはするな」

沖田が一歩前に出て、口を開きかける。西川は慌てて彼の腕を摑んで引き寄せた。

「馬鹿なことはするな」耳元で囁《ささや》く。

「誰が馬鹿だって?」振り向いた沖田が凄《すご》む。「あんなこと言われて、黙ってろって言うのかよ」

「面従腹背だ」

「ああ?」

こいつはこんな言葉も知らないのか……西川は一瞬額に掌を押し当てたが、「とにかく今は黙ってろ」と釘を刺した。

「それでいいのかよ」

「何か手は考えるよ」

「お前の考えが当てになるのか?」

言い合いをしているうちに、峰岸はさっさとその場から去ってしまった。後山の姿も消えている。何だか梯子《はしご》を外されたような気分になって、西川はただ呆気《あっけ》に取られてしまった。

どうしたものか……何の考えもなく、西川は沖田と一緒に大友の病室の前まで戻って来た。制服警官が二人、まだ警備を続けているが、西川たちの存在は目に入っていないようだった。いや、当然見えてはいるのだが、危険人物ではない、と判断しているわけか。二人が命じられているのは怪しい人間を排除することのはずで、バッジを持っている西川たちは「身内」である。

「で、どうするつもりなんだ」言葉に少しだけ皮肉をまぶして、沖田が訊ねる。「何か手は考える、とか言ってたよな。西川先生のことだから、もういいアイディアが出てきたんじゃないか？」

「煩《うるさ》いな……少し黙っててくれ」

「何だ、やっぱりノーアイディアかよ」沖田が鼻を鳴らす。

今のところ、障壁は二人の制服警官だけだ。彼らを説得して正面突破を図る——いや、それは難しいだろう。仮に彼らが見て見ぬ振りをしてくれたとしても、ナースセンターの目が気になる。大友の容態に責任を持つのは、看護師たちなのだから。

ふとエレベーターの方を見ると、花束が揺れながら近づいて来た。一瞬ぎょっとしたが、子どもが巨大な花束を抱えているだけだと分かった。胸のところで抱えているのだが、顔は完全に隠れてしまい、視界が塞《ふさ》がれて歩き方が危なっかしい。

「大友の息子さんじゃないか」

「たぶんな」沖田がそちらをちらりと見て言った。

「よし、あの子に手伝ってもらおう」西川は壁から背中を引き剝《は》がした。

「手伝ってもらうって何だよ」

「いいから、いいから。お前は口出しするなよ」沖田はすぐに騒ぎ始めるタイプだ。ここはごく自然に、スムーズに進めないと。「息子さんの名前、何だっけ？」

「優斗。大友優斗」

「分かった」

西川は、早歩きで優斗に歩み寄り、「優斗君、ちゃんと前、見えてるか」と呼びかけた。優斗が立ち止まり、花束を左右に動かした。それでも視界は確保できない様子なので、西川は横に出て少し屈《かが》んだ。小学校の五年生か六年生ぐらいだろうか……ランドセルを背負って巨大な花束を抱えている様は、どこか滑稽《こっけい》だった。

「優斗君だよな」

「はい」

普通の子どもならうなずくだけかもしれないのに、きちんと返事をする。どうやら大友は、礼儀については厳しく教えこんでいるようだ。

「お父さんの同僚の西川だ……前が見えないだろう」

「花が……大きくて」

「危ないから持つよ。お父さんに会いに行くんだよな？」

「はい」

西川は両手で花束を抱えた。西川が持ってもまだ手に余るほどのサイズで、よくここまで一人で持ってこられたものだと感心する。

「今日は家から来たのか？」

「学校からです」

「学校からここまで花を持ってきたのか？　電車が大変だっただろう」

「……何とか」午後、都心部へ向かう電車は混んではいなかったはずだが、それでも花束を持っているだけでも大変だったはずだ。

「ちょっと待て」

近づいて来た沖田が、花束に手を突っこんだ。差しこんであった封筒を引き抜き、顔をしかめる。沖田が何を心配しているか、西川もすぐに分かった。花束に何かをしこんで——ということは考えられる。

「優斗君、この穴井《あない》さとみさんって誰だか知ってるか」

顔をしかめて両手をぶらぶらさせていた優斗が、素早くうなずいた。

「誰だい？」沖田がなおも追及する。

「あの、同じクラスの……穴井優子《ゆうこ》ちゃんの……」

「ママか？」沖田の相好は早くも崩れていた。

「皆で花をくれたんで」

「お前のパパは、モテモテだなあ」

沖田が声を上げて笑った。すぐに表情を引き締め、西川にうなずきかける。知り合いから託されたものなら問題ない。第二の襲撃の心配はなさそうだ。

「俺、ちょっと花瓶を借りてくるわ」沖田がナースセンターに向かいかける。

「特大のやつにしてくれよ」西川は声をかけ、花束を抱えたまま優斗と一緒に病室に向かった。

「お父さんの意識が戻ってよかったな」

「はい」

「大丈夫だよ、すぐに元気になるから」

「はい」

口調は明るいが言葉が少ないのは、まだ父親が撃たれたショックから抜け出せていないからか。それはそうだろう……この子は既に、母親を亡くしている。さらに父親まで失ったら、立ち直るのに長い時間がかかるだろう。あるいは立ち直れないかもしれない。

「家族の人たちはどうしてる？」

「ちょっと休憩しています」

大友の義母、それに長野から上京してきた父親がずっとつき添っていたはずだ。しかし今日は、事件から三日目。家族の疲労もピークに達しているだろう。

「少し、お父さんと話ができると思うよ」

優斗の顔がぱっと明るくなった。何の邪気も感じられない笑顔に、西川も気持ちが洗われるような清々《すがすが》しさを感じた。よかった……後は犯人を捕まえるだけだ。それがどんなに難しいことでも、今ならできる、という自信がある。

沖田が、一抱えもありそうな花瓶を持ってやって来た。西川は制服警官に目配せし、横を通り過ぎる。二人は何も言わなかった。優斗がはねるように頭を下げると、制服警官の表情も緩む。なかなか破壊力のある笑顔だな、と西川も微笑んだ。父親譲りということか。

大友は目を覚ましていた。胸を撃たれたせいか、まだ上体を起こすのも大変そうだが、とにかく目は開けている。それを見て、西川は胸を撫で下ろした。これなら話も聴けるかもしれない。優斗がベッドに駆け寄ろうとして、すぐに足を止めた。病室の中で走ってはいけない、と自制したのだろう。西川がそっと背を押すと、ようやくベッドに歩み寄った。大友が布団から手を引き抜き、そっと優斗の頭に乗せる。西川は胸の中に暖かな物が流れ出すのを感じた。しかしそれを打ち破るような、間抜けな泣き声……耐え切れずに優斗が泣き出したのかと思ったら、沖田が声を上げて泣いているのだった。西川は呆れて、彼の腕を小突いた。

「よせよ、みっともない」

「よかったじゃないかよ」文句を言いながらも、沖田の涙は止まらない。こいつ、こんなに単純な人間だったのかと、西川は呆れた。

自分の涙腺も緩んでいたが。

二人は、大友父子が静かな声で話し合っているのをしばらく見守っていたが、やがて優斗がベッド脇からすっと身を引いた。

はっきりと大友の姿が見えた瞬間、西川はその痛々しさに顔をしかめた。上半身は包帯でぐるぐる巻きにされており、点滴のチューブが何本もつながっている。辛うじてそれで生かされている感じだった。だが血色はよく、早い回復を予感させる。

二人は目を合わせた。沖田がうなずき返したので、彼に花束を預け、西川は椅子を引いてベッド脇に座った。

「どうだ？」

「何とか」大友が辛うじて返事する。「まだ痛いですけどね」

「痛いのは、体の機能が正常な証拠だと思うよ」

「分かってますけど」大友の顔が歪《ゆが》む。「すみません、みっともないことになって」

「しょうがない」

「あの、春先の研修でご相談した件、中途半端なままでしたね」

「そんなこと、今はどうでもいいよ」西川は苦笑した。「それより、心当たりはないのか」

「ええ」

「新井利香という女性を覚えているか？」

「……ええ」大友の顔がまた歪む。いい記憶がないのは明らかだった。

「彼女は今でも君を恨んでる。何しろまだ騙された意識がなくて、男を捜してるんだから」

「ああ……そいつ……その男の居場所なら知ってます」

「何だって？」

「彼女がいろいろ悩んでいる話は聞いてましたから……調べてみたんです。すぐに分かりましたよ。教えようかと思ってました」

「そうなのか？　彼女は、そのことは知らないんだよな」

「たぶん……」

「彼女が君を襲う可能性は？」

「それはないでしょう。少し精神状態が不安定になってるとは思いますけど、銃を使うなんて……」

「考えられないか」

「そう思います」

「誰か、他に心当たりはないのか」少し厳しく突っこみ過ぎだろうかと思いながら、西川は訊ねざるを得なかった。

「ないです。たった一つ、可能性があるとしたら、僕を追いかけていた男……その件は、さっき峰岸管理官にも話しましたけど」

「そうか……やっぱりその線か」西川はうなずいた。まだ利香のことは疑っていたが、それが急速に薄れつつあるのを意識する。

「西川さん……追ってくれてるんですか」

「ああ。同僚のよしみだよ」

「それなら安心です……とにかく、この線は心配なんです」

そうか。西川は納得してうなずいた。大友をつけ回していた男は、自宅までやってきている。そして今、あの家に大友はいない。息子のことを心配しているのだとすぐに分かった。

「とにかく何とかする。安心してくれ」子どものことは、はっきりとは言えなかった。何しろ本人が目の前にいるのだ。

大友がうなずいた。無理して喋ったせいか、急速に疲れが顔に滲《にじ》み出ている。西川は振り返り、花を花瓶に挿し終えた沖田に向かってうなずきかけた。それにしても、何という挿し方だ……ただ花束を花瓶に突っこんだだけにしても、あんな風にはならないだろう。いったいどうしたら、爆心地を彷彿《ほうふつ》させるような生け方になるのか。

沖田が無言で首を振った。言いたいことはいくらでもあるに違いない。だが無理はさせられないと分かっているのだ。そういう、普段しない気配りをすると疲れるんだ――そう思ったが、西川は何も言わなかった。

疲れた大友が寝てしまったので、西川は優斗を連れて病室を出た。休んでいるという大人たちはいつ来るのか……子どもを病室で一人にしておくわけにはいかない。

「喉《のど》、渇かないか？」せめてお茶でも、と誘ってみた。「どこかで何か飲もうよ」

「ここで待ってます」優斗が壁の時計を見る。「五時には、誰か来ますから」

一人にしておくのは心配だが……ここにいる分には大丈夫だろう。制服警官二人が警戒している現場で、何かしようとする人間はいない。そうやって自分を安心させようとしたが、何故か落ち着かない。相手は大友をいきなり背後から撃つような人間たちだ。こちらの常識が通用するとは思えない。取り敢えず、家族が顔を見せるまでは一緒にいよう、と決めた。

「お前は先に戻っていてくれないか」沖田に声をかける。

「分かった」珍しく反発もせず、沖田が同意する。立ち去ろうとして、優斗に視線を向けたが、何も言えない様子である。一声かけたいのだが、言葉が浮かばないのだろう。基本的に沖田は、この年齢の子どもの相手が苦手なはずだ。交際相手である響子の息子、啓介《けいすけ》と初めて会ったのは、彼がこれぐらいの年の頃だったはずだが。

西川は、優斗と並んでベンチに腰かけた。やはり何か飲み物でもと思ったが、ちらりと顔を見ると、喉が渇いている様子ではなかった。ずいぶん厳しくしつけられている感じがする。厳しいのは、大友ではなく祖母かもしれないが。

小学生に喋らせるには、スポーツかゲームの話題が一番だ。優斗の場合は何だろう……試しにサッカーの話をしてみたら、小学校のチームに入っているという。ポジションはミッドフィルダー、とすぐに答えたが、その先が続かない。優斗も何か、喋りにくそうだった。喋らなくてはいけないが、言っていいのかどうか分からない様子……困ったな、と西川は苦笑した。既に、小学生男子の扱い方を忘れてしまっている。早い子なら反抗期に入るから、何かと扱いにくい年代なのだが。

「あの……パパの……お父さんを撃った犯人、見つかりますか」

「見つけるよ」いきなり核心を突かれ、西川はどきりとした。上司にせっつかれようが何とも思わないが、被害者家族、それも子どもに指摘されると胸が痛む。

「そうですか……」

「ごめんな、心配かけて」

「大丈夫です」

優斗が顔を上げ、満面の笑みを浮かべた。だが、かなり無理しているのはすぐに分かる。目が潤んでいるのだ。西川は顎に力を入れ、唇を引き結んだ。

「あの、家の近くで……」

「まさか、誰かが見張っているんじゃないだろうな」

「分からないですけど、同じ人を何回も見ました」

「いつ？　パパが撃たれてからか？」

優斗がこっくりとうなずく。おいおい……西川は峰岸に対して軽い嘲《あざけ》りを感じた。家族からの事情聴取はしっかりやったのか？　そんなことは基本中の基本であり、どんな事情があっても飛ばしてしまったら警察のミスだ。優斗はしっかりした子だし、事情聴取に応じられるぐらい気持ちも強いだろう。心配なら、誰かにつき添わせてもよかったのだ。

「そのこと、誰かに話したか？」

優斗が無言で首を振った。

「初めて聴かれたんだね」峰岸たちは無能か、と西川は怒りを感じた。肝心なことを聞き逃しているとは……許し難い。

「あの、昨日も……同じ風に聴かれました」

「何でその時に言わなかったんだ？」

「見てなかったから」

そういうことか。西川は納得して、優斗からじっくりと話を聞き出した。昨日の夜、自宅ではなく祖母の家に戻った時に、近くの電柱の陰に誰かいるのを見たこと。今朝、家に学校の用意を取りに行った時にも見かけたこと。西川は、敦美が撮影した尾行者の写真を手帳から取り出した。

「こいつじゃなかったか？」

「顔は……よく分からないけど」

「そうか。声をかけられたりしなかった？」

「ないです」

これは大きな前進になるのではないか？　犯人は、大友をしとめ損ねたことを知っている。だが大友は病院におり、容易に手は出せない。優斗を使って何かしようとしていたら……悪寒が背中を走ったが、向こうが何かやろうとしているなら、こちらにとってはチャンスになる。

要するに、囮《おとり》のようなものだ。優斗を尾行する人間を逆に尾行する。それによって、大友の敵を炙《あぶ》り出せるかもしれない。そのためには、ローテーションを組む人手が必要だ……気に食わないが、ここは峰岸にきちんと報告し、作戦を立てるしかない。大量に人員を動員する権利を持っているのはあの男なのだから。後山に頼みこめば、中間の事情を飛ばして手配してくれるかもしれないが、あの男が峰岸の面子を潰すような真似《まね》をするとは思えない。

ここは一つ、警察の組織力を最大限に利用しよう。

今一番無視していいのは、俺たちの面子だ。

「冗談じゃねえぞ」沖田はぶつぶつと文句を零《こぼ》した。「お前、何で優斗が見張られていることを峰岸さんに報告したんだよ」

「まあ、いいじゃないか」西川が腹の上で手を組んで、呑気《のんき》な口調で答えた。「おかげでこっちも、張り込みに参加できてるんだから」

「それはいいけど、何だか気に食わないんだよな……」沖田は乱暴に髪をかき上げた。この件に関しては、「誰かに使われる」ことが我慢できない。あくまで己の意思で突き進みたいのだ。

「子どもじゃないんだから、一々文句言うなよ」

「だけど、この時間の張り込みに意味があるのか？」沖田は、愛用しているヴァルカンの腕時計をちらりと見た。午前四時……峰岸が自分たちを午前零時からの張り込み要員に指定してきたのは、嫌がらせ以外の何物でもない。一番何も起きそうにない時間帯。しかし眠るわけにもいかず、この後は徹夜明けで一日ぼうっとしたまま仕事をしなければならない。戦力を削ぐ一番簡単な方法である。

「まあまあ……あと四時間だから」

「その四時間で、何か起きると思うか？」

沖田は運転席のシートを少しだけ倒した。西川の真似《まね》をして腹の上で手を組み、首を少し起こして前方を凝視する。最近めっきり見かけなくなった純和風の住宅は、大友の義母、聖子の家だ。周囲には生け垣も巡らせてあり、いかにも手入れが大変そうである。

町田市内の静かな住宅街は、先ほどからまったく人気がない。最後に人を見たのは、二時間ほど前だろうか。酔っ払いが、「これぞ千鳥足」という感じでふらつきながら、車の前をたっぷり一分もかけて通り過ぎて行ったのだった。こちらをちらちらと見ていたが、「警察だ、さっさと行け」とも言えない。これだから酔っ払いは……とつくづく嫌気がさした。

「煙草《タバコ》、吸ってくるわ」

「サボってばかりだな」

「煩《うるさ》いな」吐き捨て、車のドアを押し開ける。途端に、重苦しい寒さがぶつかってきた。昼間は天気がよかったのに、夜になってからまた雪雲が張り出してきたようである。確かに、いつ雪が降ってもおかしくない寒さと湿気だった。せめて明日の朝、張り込みを交代するまでは降らないでくれよな、と祈りながら天を仰ぐ。都心部から数十キロ離れているが、町田も夜空が澄んでいる訳ではない、と気づいた。ただ暗く、黒い雲が沸き上がっているのがかすかに見えるだけである。

一つ溜息《ためいき》をつき、煙草に火を点《つ》ける。ついでに家の周りを警戒しようと歩き出した。一時間前――この前煙草を吸った時――と変わった様子は何もない。街灯を除いて街を照らす灯《あか》りは何もなく、ほとんどの家の窓は真っ暗だ。唯一、三軒隣にある家の窓が一枚だけ明るい。受験生でもいるのか、あるいは……「あるいは」の方だろうと想像する。窓に灯りがちらちらしているのは、中でテレビかＤＶＤでも観《み》ている人がいる証拠だ。

ぐるりと回っているうちに、煙草が完全に灰になる。もう少し自分を甘やかそうと決めて、覆面パトカーの近くまで戻って来た時に二本目の煙草に火を点けた。「今日」何本目の煙草だろう……。

車に戻ると、西川が眼鏡を外して拭《ふ》いていた。

「目が悪いと、張り込みの時にきつくないか」まだ眼鏡に縁のない沖田は、思わず訊《たず》ねた。

「慣れだよ、慣れ。お前だって、すぐに老眼鏡が必要になるぞ」

「まさか」

「目がいい人は、老眼になりやすいって言うし」

沖田は、眼鏡をかけた自分の姿を想像しようとした。できない。白髪になったり、皺《しわ》が増えた顔も……四十歳を過ぎたが、幸いまだ年齢を意識することはない。体力的にも問題なし。犯人と格闘になっても、簡単に制圧できる自信がある。

しかし……やはり年は取ったかもしれない。徹夜の張り込みは、さすがにきつくなっている。午前五時には眠気がピークに達し、何度も腿《もも》に拳《こぶし》を打ちつけ、その刺激で睡魔から逃れなければならなかった。あとは煙草。最初一時間に一本と自分で決めたルールを破り、三十分に一度外に出て煙草を一本灰にする。寒さと煙草の刺激で、取り敢《あ》えず五分ほどは意識が鮮明になるのだった。

六時。定例の煙草タイムを終えて戻って来ると、聖子の家のドアが開くのが見えた。何だ……慌ててもう一度車から出ようとしたが、西川に止められる。

「焦るな。優斗君だよ」

「こんな朝早くから？」

「確かそんなこと、言ってたな」

「そんなことって？」

「家の周りの掃除をしてるそうだ」

「何だよ、それ」沖田はつぶやいた。そういう風習は、時代が昭和から平成に変わった頃に廃れたのではないか。

しかし優斗は、本当に竹箒《たけぼうき》を持っていた。青と茶色の格子柄のネルシャツに、紺色のダウンベストという格好で、丸めた両手に息を吹きかけてから、慣れた様子で箒を使い始めた。アスファルトには、ゴミなど落ちていないように見えるのだが。

「何だい、あれ」

「躾《しつけ》ってやつだろうね」

「たまげたな」沖田は両手を広げた。「今時あんなのは……まあ、いいけどさ」

「そう。俺たちがどうこう言う問題じゃない」西川が静かに首を振った。

沖田はハンドルを両手で抱えこんだまま、首を前方へ突き出した。そう言えば、少し見えにくい感じが……老眼の前に近視が始まってしまったのだろうか。慌てて両手で目を擦ったが、やはり風景はぼやけている。まだ暗い――ほとんど夜だからだ、と自分を納得させようとした。優斗の姿は、まるで影が動いているように見える。それにしても熱心なことだ。箒の使い方も堂に入っている。

ふと、優斗の動きが止まった。普段は感じていない違和感――十メートルほど離れた場所で張り込みしている覆面パトカーに気づいたようだ。露骨に礼はしないが、こちらには分かるようにさっと目礼する。沖田は少し嬉《うれ》しくなって、右手だけを上げて返事をした。普通の子どもは、覆面パトカーの見分け方など知らないはずである。大友が教えたのだろうか。

「子どもと朝の挨拶《あいさつ》か？」西川が馬鹿にしたように言った。

「悪いかよ。朝からきちんと挨拶する。いいことじゃないか」

「はいはい」疲れた口調で言って、西川がシートを起こした。あと二時間。先が見えてきたとはいえ、まだ張り込みは終わらない。

沖田もシートを起こした。これから街は目覚め始める。ほんの少し気が抜けていた時間も終わりだ。

優斗の動きが少しおかしい。箒でアスファルトを掃いてはいるのだが、どこか上の空である。覆面パトカーが停《と》まっているのと反対側をちらちらと見ては、こちらにも視線を向けてくる。何かあったか？　沖田は一気に緊張感を高め、ドアに手をかけた。

「どうした」呑気な声で西川が訊ねる。

「優斗が何かサインを送ってきてる」

「ああ？」西川も身を乗り出した。眼鏡をかけ直し、家の玄関先を凝視した。すぐに「誰かいるな」と結論を出した。

「優斗が見たのは幻じゃなかったんだよ」沖田は、ドアを一センチほど開けた。これぐらい開いているだけでも、飛び出す時間を一秒は短縮できる。

「あの子は、幻を見るタイプじゃないだろうな……おい、本当にいるぞ」西川の声が一気に緊張感を帯びた。

沖田は前方に注意しつつ、左右にも視線を散らした。どこに、誰が——いた。細身で小柄の男が、聖子の家の方に近づいて来る。丈の短いダウンジャケットと細身のジーンズ、黒い野球帽という格好だった。両手をジャケットのポケットに入れたまま、うつむいて歩いている。足取りはしっかりしていて、酔ってはいないようだった。

優斗が、その男の方をちらちらと見る。さらに助けを求めるように、沖田たちに視線を向けた。

「奴じゃないか……高畑を襲った奴。似てるぞ」

「ああ」

「まずいぞ」沖田はドアを開けた。

ない。

「待て。気づかれる」

西川が止めたが、沖田は無視した。目の前で優斗に何かあったら、大友に合わせる顔がない。

沖田は車の外に出ると、いきなりダッシュした。長い張り込みで体は固まっていたが、無視して一気にスピードを上げる。男が沖田に気づき、迷いもせずに踵《きびす》を返して走り出す。沖田は優斗の前を通り過ぎる時に、「家に入ってろ!」と叫んだ。優斗が慌てて敷地内に飛びこみ、引き戸が閉まるぴしりという音が聞こえてきて、沖田はようやく安心した。日本家屋だからセキュリティは万全ではないが、家の中にいればひとまずは安心だ。

待て、と声をかけることもできたが、沖田は無言で相手を追いかけた。外国人かもしれない——と頭の片隅に考えがある。直前に大友が手がけていたのは、中国人やロシア人が絡む事件だったのだ。

男は走り慣れている様子だった。しかもマラソンなどではなく、短距離。一気にスピードに乗ると、上体を低く抑えたフォームで走り続ける。こいつは追いつけない——沖田は舌打ちしたが、諦《あきら》めるつもりはなかった。

何かあるから逃げ出すのだ。

頭の中で、ちらりと見えた男の顔と、以前見た写真の顔を重ね合わせる。似ている……しかし完全に同一人物だという確証はなかった。

すぐに胸が苦しくなり、頭の中が白く霞《かす》んでくる。クソ、何て足の速い奴なんだ……男は小さな交差点を左へ折れ、なおもスピードを落とさず走り続ける。このまま逃げられるのか——沖田も角を曲がった。その瞬間、男の背中が目の前に迫ってくる。正確には、バイクに跨《また》がった男の背中が。バイクの存在には気づかなかった。これだけ静かな朝なのだから、エンジン音ぐらいには気づきそうなものだが。

セルモーターがきゅるきゅると回る音が聞こえたが、エンジンはかからない。もう一度——沖田は我慢できず「待て！」と声をかけた。男が振り向く。その顔には、はっきりと焦りの表情が浮かんでいた。

バイクに固執していたら、お前は終わりだ——沖田は一気にスピードを上げた。だが男は諦めていなかったし、まだ冷静さを残していた。バイクから飛び降りると、ハンドルを思い切り引っ張ってバイクを倒す。目の前でバイクが倒れて、沖田は判断力を失った。急停止するか、よけて走り続けるか、飛び越すか。止まることも進路を変えることもできず、沖田は幅跳びの要領でその場でジャンプした。上手《うま》く飛び越えたつもりが、バイクという乗り物は意外に全長が長い。着地する時に、前輪を踏んで無様に転んでしまった。そのまま前転してすぐに体勢を立て直したが、アスファルトに打ちつけた膝《ひざ》に痛みが走る。自分でも意識しない間に足を引きずっており、スピードが乗らない。見る間に男との距離が開き始めた。西川の奴、何をやってるんだ——いつまで経《た》っても追いつかない相棒のことを考えると、怒りで頭が白くなる。

突然、十メートルほど先の交差点に車が突っこんできた。男が走り抜けようとする、まさにそのタイミングで。ぶつかる——沖田が肝を潰《つぶ》した瞬間、車が激しくタイヤを鳴らして急停止する。男は身軽に身を投げ出し、ボンネットの上で受け身を取るように一回転して、車の向こう側に消えて行った。運転していた男は、唖然《あぜん》とした様子で固まっている。

車が邪魔だ。沖田は「どけ！」と叫んで走り出したが、膝が言うことを聞かない。ようやく交差点に入ったところで、西川の運転する車が右手からやってきた。車では追跡できない……沖田は左手を振って見せたが、西川に何をしてもらいたいのか、自分でも分からなかった。

男の姿は消えていた。

所轄に依頼して緊急配備をかけたが、男は見つからなかった。依頼してから配備が完了するまで、わずか十分ほど。しかし十分あればかなり遠くへ逃げられるし、どこかに逃げこむことも可能だ。ここまでか——この状況では、緊配はほとんど役に立たない。時間が経つに連れて追うべき人間はどんどん遠くへ逃げ、捜索範囲は広がる一方なのだ。

ただし今回、犯人は大きな手がかりを残していった。バイク。ナンバーから所有者が割れたので、大きなヒントになる。所轄に持ちこんで詳しい検分を行う間、沖田は峰岸に電話で報告を行った。この男は苦手なので西川に任せたいところだが、こちらが持ってきた情報が当たっていたことになるので、少しだけ自慢したい気持ちだった。

「結構だ」峰岸は悔しがるでもなく、淡々とした口調で言った。「お前の感触は？」

「明らかに怪しいですね」沖田は言い切った。

「それは信じる。緊配の方はどうだ」

「駄目ですね。残していったバイクの線から当たります。まず、所有者からですね」

「盗難車じゃないのか」

「そうであっても、手がかりにはなりますよ。何とかしますから」

「分かった。後は頼むぞ」

「ちょっと――」そちらも人を出すべきではないか、と言おうとしたが、その矢先に電話を切られてしまった。クソ、何を考えてる？　優斗が危険な目に遭いそうになったのに。

バイクは、多摩ナンバーのカワサキＤトラッカーＸだった。スリムな車体に高い重心、ピックアップのいい単気筒エンジン――都市部の渋滞をすり抜けて走るには最適のマシンである。バイク便などでよく見かけるタイプだ。走行距離は三千キロ強。持ち主は、それほど積極的には乗り回していないようだ。

沖田と西川は、最初にこのバイクを発見した人間の特権で、持ち主の事情聴取を行うことにした。実際には、沖田が所轄にねじこんだのだが。

「しかし、地元の人間っていうのはどういうことだよ」沖田は釈然としないまま、疑問を口にした。

「分からん」助手席の西川が不機嫌に言った。組み合わせた両手を腹に置き、目を閉じている。

「もうちょっと考えろよ。考えるのがお前の仕事だろうが」

「休憩なしで考えるのは無理だよ」西川があっさり否定した。「脳には、体以上に休憩が必要なんだから」

ハンドルを握る沖田は、この状況が気に食わなかった。盗難車の可能性が高いと思うのだが、届出はない。もしかしたら昨夜盗まれて、持ち主がまだ気づいていない可能性もある。ハンドルなどから指紋は見つかっていたが、逃げ出した男が素手だったかどうか……何度考えても、記憶ははっきりしなかった。

「飯でも食ってからにするか」沖田は、はっきりと空腹を感じていた。ほとんど車の中に座っていただけとはいえ、最後に食事を摂《と》ってから十時間以上が経っている。

「いや、バイクの件を確認してからにしよう」

「お前らしくもない」沖田は短く笑った。「規則正しく食べるのがモットーじゃないのか」

「しょうがない。今日はもう、その規則が滅茶苦茶になってるんだから」西川がぽつりと言った。ドアに肘《ひじ》を預けて頬杖《ほおづえ》をつき、欠伸《あくび》を嚙《か》み殺している。一つ溜息をついて「コーヒーだけは飲みたいな」とつけ加えた。

「バイクの件が終わったら、スターバックスのコーヒーのでかいサイズを奢《おご》ってやる。二つでもいいぞ」それならどんな人間でも目が覚めるだろう。

「そいつはご親切にどうも」つまらなそうに言って西川が目を閉じた。

こいつはまったく……眠いのは俺だって一緒だ。アドレナリンの力を借りて、何とか正気を保っているに過ぎない。

「優斗は大丈夫なのか」

「所轄の連中が学校へ送ってくれる。学校の方にも説明して、警戒してもらうことにした。心配ないだろう。優斗だって、ある程度は自分の身を自分で守れる」

「本当かね」

沖田は煙草をくわえ——最後の一本だった——火を点けた。西川が迷惑そうに手を振って煙を払う。

「警護課にでも頼むべきじゃないか」

「それは大袈裟《おおげさ》だ。そもそも警護対象にならない」西川が目を閉じたまま首を横に振る。

「今のは冗談なんだけど……」

「朝から下らない冗談はやめてくれ」西川が溜息をついた。

相当へばっていると判断して、沖田はその後は黙って車を走らせた。

バイクの持ち主が住んでいるのは、相模原市との境に近い住宅街だった。まだ新しい、かなり巨大なマンションで、いかにもファミリー向けの物件のようである。車両登録から割り出した免許証のデータだけでは、家族構成までは分からない。

沖田はマンションの前に覆面パトを停め、車から降りてマンションを見上げた。十階建てか……街は既に目覚めており、出勤、あるいは学校へ向かう人たちが、マンションから次々に吐き出されてくる。身震いするほどの寒さで、トレンチコートのボタンを全部留め、ベルトをきつく締めた。

「嫌な場所だな」目を擦りながら外へ出て来た西川が、低い声でぼそりと言った。

「何が」

「この近くに、前に大友が担当した事件の……被害者が遺体で発見された場所があるんだよ」

「ああ、そうだったな」言われて思い出した。しかし、沖田の感覚からすると、別に「嫌な場所」ではない。「ただの偶然だろう。気にするな」

「そうか」

こいつは、こんなに縁起を担ぐ人間だっただろうか。どうにも調子が狂っているのは間違いないが。

所轄の刑事課からの応援が到着したところで、沖田は「よし、行こう」と声をかけた。疲れはあるが、気持ちは張り切っている。先ほどまんまと逃げられたことに対して、きっちり落とし前をつけなければならない。

バイクの持ち主――内川恵吾《うちかわけいご》の部屋は、四〇一号室だった。日勤の管理人を摑《つか》まえ、取り敢えずマンションの建物内に入れてもらう。六十絡みの管理人は不安そうな表情を隠そうともせず、管理会社――このマンションを建てたディベロッパーの関連会社らしい――に連絡させて欲しいと言い張ったが、沖田は強硬に振り切った。一々許可を取っている時間はない。自分たちが部屋を訪ねている間に勝手に連絡してくれ、と言い残してエレベーターに飛び乗る。

ほぼ新築なのは、エレベーターの綺麗《きれい》さを見ても分かる。こういうところに住んでいるのは、普通の家族持ちのサラリーマンではないか、と沖田は想像した。そういう人間が大友を狙《ねら》う――どうにも結びつかない。やはりバイクは盗まれたのではないか、と思った。

インタフォンを押しても返事はなかった。在宅しているかどうかは不明。一瞬、中で殺されているかもしれないと沖田は想像した。かといって、今のところ強引に部屋に入るだけの材料はない。

管理人室に戻り、内川の居場所について訊ねた。

「それは分かりませんね……」先ほど強引に入られた恨みを晴らすつもりか、管理人がぶっきら棒に答える。

「ここ、オートロックでしょう？　出たか出ないかぐらい、分からないんですか？」

「それは、ここでは分かりませんねえ。管理会社の方に聴いてもらわないと」

「管理会社の電話番号と担当者の名前を」沖田はきびきびと言って、手帳を広げた。

管理人が呆《あき》れたように、デスクの引き出しを開ける。名刺を一枚取り出し、沖田に渡した。担当者の名前、会社の電話番号と住所――必要な情報は全部書いてある。うなずいて手帳に挟みこみ、改めて管理人に対する事情聴取を始める。四人もの刑事に取り囲まれて、管理人の顔色は悪かった。管理人室は狭いので、息苦しいほどになる。

「内川さんはどんな人ですか？　独身？　それとも家族持ち？」

「独身ですよ」

「こんな広いマンションで?」

「ファミリータイプじゃない部屋もありますから」

「あー、1LDKぐらいで?」

「そういうことです」管理人が、ファイルキャビネットから一冊のファイルフォルダを引き抜いた。デスクの上で広げると、間取り図の一覧だと分かる。マンションを分譲する時、客への説明用に使うもののようだ。「四〇一号室は1LDKで、広さは――」

「ああ、そこはいいんで」沖田は相手の話を遮った。「細かい話は必要ないんですよ。で、内川さんは独身なんですね?」

「入居者は一人ですよ」

「買ったのかな」

「借りてますね」

「ここ、全部分譲じゃないんですか」

「買った人から借りたんだと思います」

管理人は特に嫌がりもせずに話していたが、沖田は早くも苛立《いらだ》ちを感じた。管理人ではなく、自分に対して。こんな話をいくら聴いても、何にもならない。

「内川さんは、バイクを持ってますよね。駐輪場を借りてるはずだけど」

「ええ」

「ナンバーは……」

沖田が読み上げたナンバーを、管理人がメモ帳に書き取った。またファイルキャビネットから別のファイルフォルダを引き抜き、当該箇所を探す。ようやく見つけ出すと、自分が書いたメモと照合した。おいおい……デスクに乗っているパソコンには、同じデータは入っていないのか？　一々ページをめくっていたら、時間がいくらあっても足りない。

「バイク置き場、見せてもらえますか」

「ああ、はい……」

「頼みますよ、これは重大事件なんだから。管理会社の方には、連絡してもらって構わないんで」

名刺を取り出し、管理会社の住所を確認する。新宿区……慌ててここまで飛んでくるにしても、一時間ぐらいはかかるだろう。その前にやることをやってしまえばいい。

バイク置き場は、マンション――コの字型だった――の中庭部分にあった。機械式駐車場の一角に十台分の駐輪スペースがあり、今は原付バイクが五台、停まっている。

「ここに入るにはどうするんですか」沖田は管理人に訊ねた。

「マンションの中からは、普通に出入りできます」

「鍵《かぎ》はいらない？」

「いりません」

「外からだと？」

管理人が一瞬、身震いした。薄いグリーンの作業着だけなので、真冬の辛《つら》さが身に染みているのだろう。

「リモコンキーが必要ですね」管理人が作業着のポケットからカード型のキーを取り出した。ボタンを押すと、シャッターがゆっくりと開く。

「シャッターの上、乗り越えられますかね」沖田は、上がりきったシャッターのゲートを見上げた。無理だ、というのは聞かずとも分かる――高さ三メートル近くあるのだ――が念のための確認だ。

「無理でしょうね。相当高い梯子《はしご》でも持ってこないと……それにゲートのところは、監視カメラで撮影してますよ」

「なるほど」

沖田は西川と顔を見合わせた。西川がうなずく。バイクは盗まれたのではない、と彼も沖田と同じ結論に至ったようだった。これだけセキュリティが厳重なマンションにわざわざ忍びこんでバイクを盗むのは、あまりにも効率が悪い。犯行に使うために必要なら、戸建ての民家、あるいはセキュリティが甘いマンションやアパートに停めてあるバイクを盗めばいいのだ。路上でもいい。

ということは、内川自身が犯人なのか。

沖田は、内川の写真はないか、と管理人に訊ねた。免許証を当たればいいが、その時間も惜しい。とにかく早く顔を拝んでおきたかった。

「写真なんかないですよ」

「写真？」管理人が驚いたように目を見開く。「写真なんかないですよ」

「住人同士の懇親会とか、そういうのは……」

「うちはそういうの、特にないですね。今のマンションは、どこもそんなものじゃないですか」

結局、免許証の写真頼りか。それを、俺が一瞬見た顔、そして敦美が以前撮影した写真と照らし合わせれば……ふいに沖田は、写真の男をどこかで見たことがある、と気づいた。間違いない。過去に会っている……しかし、どうしても具体的な像を結ばない。髪を掻《か》きむしってから西川に訊ねる。

「お前、バイクの男の顔、見たよな？」

「一瞬だけだ。しかも横顔だから、もう一度見てもそいつだと断言できる自信はない」

「しっかりしろよ」

「しっかりしてるさ」西川がむっとして答える。「どうかしたのか？」

「いや、どこかで見たことがあるような……」

「しっかり思い出せ」西川が冷たく厳しい口調で言った。「記憶にあるんだったら、必ず思い出せるから」

勝手なことばかり言いやがって……沖田は管理人に向き直った。寒さが身に染みるようで、腕を交差させて両の二の腕を盛んに擦《こす》っている。

「内川さんは、どういう人ですか？　外見の話ですけど」

「大柄な人ですよ」管理人があっさり言った。

「大柄？」

沖田は思わず一歩詰め寄った。顔を引き攣《つ》らせた管理人が素早く後ろへ下がる。

「大柄って、どれぐらいの……」管理人は小柄な男である。百六十五センチあるかないか
――そういう人から見たら、百七十センチの人間も「大柄」に見えるかもしれない。しか
し、バイクの男は、沖田の目にはこの管理人より少し大きいぐらいの身長に見えた。

「百八十センチは越えてるんじゃないですか」

「それはずいぶん大きい……間違いないんですか」

「大きいか小さいかぐらい、見間違えませんよ」むっとして管理人が反論する。

「失礼」沖田は拳《こぶし》の中に咳《せき》をした。「とにかく大きい人なんですね」

「背が高いだけじゃなくて、大柄ですよ」

管理人が腹を叩《たた》いて見せた。太った体型ということか……ということは、バイクはやはり盗まれた可能性が高い。後で監視カメラのビデオを確認しなければならないだろう。かなり面倒な作業で、できれば誰かに押しつけたいぐらいだった。

「知り合いにバイクを貸したのかもしれませんね」西川が管理人に向かって突然言った。

「ああ、それはそうかも……分かりませんけどね」

「監視カメラのビデオを確認させて下さい」

「それは、管理会社の方に話していただかないと」

「構いませんよ」西川が欠伸を嚙み殺した。「こっちには、そういうチェックをする専門の人間がいますから。お邪魔にならないように調べさせます」

大竹に出動を要請する気だな、と沖田には分かった。あの男はとにかく我慢強い──というか、我慢する感覚をそもそも持っていないのかもしれない。やれと命じられれば、ストップがかかるまでひたすら頑張る。

「じゃあ、いろいろ手配をしますので」西川が沖田にうなずきかけた。

こいつ、さっきまで眠そうにしていたのに、いつの間にか主導権を握りやがって──仕切られるのが嫌いな沖田としては、一言文句を言ってやりたかったが、考えがまとまらない。徹夜明けで、自分も考えていたより疲れている、と気づく。まったく、柔になったもんだ。一晩寝ないぐらいで、こんなに疲れてしまうとは。というより、あの追跡劇のダメージが今になってきているのかもしれない。アドレナリンの激しい噴出は、一時的には疲労感を消し去ってくれるが、その後にさらなる疲れをもたらす。今の自分は、まさにそういう状態にある。

「ところで、内川さん、お勤めは？」

「市役所です」

「町田市役所？」

「ええ」

公務員なのか……予想してもいなかったが、それなら摑まえやすい。沖田は所轄の二人をこの場に残し、市役所に出向くことにした。

「公務員とはねえ」車に乗りこむなり、西川が溜息をついた。「公務員が、こんな犯罪に手を染めるかね」

「別に、公務員だから悪さしないってわけじゃないだろう。悪い奴は一杯いるぜ」

「そうだけど、何かしっくりこないんだ」

「調べてみないと分からないだろう」反論しながらも、沖田は西川と同じような印象を抱いていた。公務員が大友を尾行する――ぴんとこない。いや、そもそも尾行していたのは別の人間だろう。体格が違い過ぎる。この段階では、あらゆる可能性が想定できるわけで、本人から話を聴かない限りは絞りこむべきではない、と自分に言い聞かせた。

小さな偏見が大きなずれを生むことは、捜査ではままある。

内川はあっさり摑まった。町田市議会事務局勤務。面会を求めると、本人は戸惑いを隠さずに姿を見せた。

熊みたいな奴だな、と沖田は第一印象を抱いた。それも生身の熊ではなく、ぬいぐるみのテディベア。大柄で腹も突き出ているのだが、顔には愛嬌《あいきょう》があり、子ども受けしそうな感じだ――絶対に今朝の男ではない。

議会事務局の事務室の一角で、沖田は立ったまま切り出した。

「あなたのバイク、どうしました？」

「バイク？」巨体に似合わぬ甲高い声で内川が言った。

「そう。カワサキのDトラッカーX」この男が乗ると、あのスリムなバイクは悲鳴を上げそうだな、と思いながら沖田は言った。

「バイクがどうかしたんですか」内川が心配そうに訊ねる。

「あー、ちょっとミラーを破損したかな」倒れた時に、右のミラーが曲がってしまっていた。走行には支障ないだろうし、修理にそれほど金がかかるとは思えなかったが。

「事故やっちゃったんですか？　まずいですよね、人のバイクで事故は……保険、どうなってたかな」

どうやら内川は、沖田たちを事故処理に来た交通課の警官と勘違いしたようだ。最初に「捜査一課追跡捜査係」と名乗っているのだが、一般人には何のことか分からないだろう。普通の人が接点のある警察官というと制服組、それも交通課だ。

「事故じゃないんですよ。詳しい事情は後で話しますけど、誰かに貸したんですか？　盗まれたんじゃないですよね」

「貸しましたよ、友だちに。一昨日《おととい》かな？」

「バイクなんて、簡単に貸さないものじゃないですか？」車とは「危険度」が違う。

「いや、そうかもしれないですけど」内川が唇を尖《とが》らせる。三十五歳のはずだが、ひどく子どもっぽい仕草だった。

「その友だち、バイクを何に使うかは言ってませんでしたか」

「いや、特には」

「それなのに貸したんですか？　そんなに簡単に？」沖田は大袈裟に目を見開いてみせた。あり得ない。バイクに乗る人間は、普通自分の愛車にこだわり、大事にする。車を愛する人よりはるかに……しかし内川は、そういう感覚が希薄なようだった。

「しばらく乗ってなかったんで、代わりに乗ってもらってもいいかなって。だいたい冬場は乗らなくなるから、バイクが可哀想《かわいそう》なんですよね」

沖田は西川と視線を交わした。西川が素早く首を横に振る。嘘《うそ》ではない、と彼も判断したようだ。となると問題は、その貸した相手である。

「で、貸した相手は誰なんですか」

「学生時代の友人なんですけど、中国の人です」

「中国人？」

沖田は思わず一歩詰め寄った。内川は体格に似合わず気の弱い人間のようで、顔を引き攣らせながら後ずさってしまう。

「中国人に知り合いがいるんですか？」ふと、周りの視線が気になる。いつの間にか大声になっていて、他の職員の注目を引いていたのが分かったのだ。一つ咳払いして、声を低くする。「どういう知り合いですか？　中国人で学生時代の友人というと、留学生か何かですか？」

「ええ」

「その人が、今日本にいるんですね？」

「行ったり来たりみたいですけど、この前、久しぶりに会って。いい奴なんですよ。日本大好きでしてね。中国の人には珍しいタイプでしょう」

「そもそも彼は、バイクの免許を持っているんだろうか」西川が割りこんだ。

「あ、どうですかね」恍《とぼ》けた口調で内川が言った。「聞いてないな」

「あなたね、向こうが無免許だとしたら、それも問題ですよ」

西川の突っこみに、内川が顔を蒼褪《あおざ》めさせる。何を細かいことを……と沖田は白けた気分になったが、すぐに、西川がこの男の身柄を確保する方法を探っているのだと気づいた。もしかしたら共犯。そうだとしたら、何としても逃がしてはいけない。どんな小さな罪であっても、弱みを摑んでおけば今後の捜査を有利に進めることができる。

「で、その人の名前は」沖田は訊ねた。

「陳《ちん》さん……陳志幸《しこう》という人です」

「連絡先は」

「携帯なら分かりますけど」

「それでいいです」沖田は手帳を広げたが、次の瞬間、思わず大声を上げてしまった。部屋中の視線が一気に突き刺さってくるような叫びで、西川も首を横に振り、「静かにしろ」と忠告してくる。

「覚えてないか？」沖田はまた怒鳴った。こいつの記憶力もあてにならないものだ。

「何だよ」

西川がにわかに不安そうな表情を浮かべる。この男は自分の記憶力に絶対の自信を持っているから、取りこぼしがあるとは信じたくないのだろう。

「少し自分で考えろ」言ってから内川に向き直る。「すみませんが、ちょっと署までご同行願えませんか。極めて重要な事件の捜査でしてね。力を貸してもらいたいんです」

あくまで「協力依頼」ではあるものの、沖田はかすかに内川を疑っていた。陳志幸と「友人」以上の関係があるのではないか……だとしたら、沖田としては数年越しの因縁である。

署へ戻る車の中で、西川が突然「あ」と鋭い声を上げた。

「思い出したか?」ハンドルを握る沖田は、思わず表情が緩むのを感じた。西川を出し抜いてやった、という意識が強い。

「思い出した」

「ここでは喋《しゃべ》るなよ」

バックミラーを見る。西川は後部座席に、内川と並んで座っている。内川本人の前でこの話はしたくなかった。

「分かってる」西川が腕組みをした。バックミラーで見る限り、本当に悔しそうである。こういうことで俺に遅れを取るのは我慢できないのだろう、と沖田は一瞬同情した。こいつはこいつで、いろいろプレッシャーもあって大変なんだろうな。いつも人より一歩先を行っていないと満足できない。

二人は、所轄の刑事課に一時内川を預けた。内川は巨体に似合わず気の小さい男で、「二人にしないで欲しい」とでも言いたそうな表情を向けてきたので、沖田は「ちょっと打ち合わせをするだけですから」と説明して安心させようとした——あまり効果はないようだったが。

沖田は、空いていた取調室に西川を誘いこんだ。椅子《いす》に腰を下ろすなり、西川が「青山の貴金属店の事件。『ジュエリー・コガ青山本店』だな」と言った。

「ご名答」にやりと笑って、沖田は二度、両手を叩き合わせた。拍手の超簡易版。「よく思い出したな」

「いや……あの瞬間にお前より先に気づくべきだった」西川は心底悔しそうだった。沖田に出し抜かれることだけは我慢できないらしい。

「俺だって、普段から何も考えてないわけじゃないんだよ」沖田は人差し指を鍵型に曲げ、耳の上を叩いた。「一瞬でぴんときたぜ」

「別人ということは考えられないか？　同姓同名の……」

「どうしてマイナス方向に考えるかね」沖田は肩をすくめた。「同一人物だということで話を進めた方が早いじゃないか」

「分かった」西川が素早くうなずく。「要するに、あの時とうとう行方が分からなかった男だな」

「ああ」

非常に乱暴な窃盗事件だった。犯人グループは、隣のビルとの狭い隙間《すきま》に面した窓をぶち壊して店内に侵入する手口で、一億円相当の時計などを盗んで逃走。非常通報で駆けつけた警備員が、逃げ遅れた犯人からナイフで斬《き》りつけられて軽傷を負った。実行犯は一人が前科のある日本人、他は中国人である。その中の一人が、ついに見つからなかった。国外逃亡した形跡はなかったが、手配でも引っかからず……完全に仕上げたと思った事件の穴である。当時の沖田としては、それでも満足せざるを得なかったが。仮にも停滞していた事件を解決することはできたのだから、追跡捜査係の面子《メンツ》は保てたことになる。

もちろん、面子だけで仕事をするわけではないが。

「奴はまだ日本にいたんだな」西川がぽつりと言った。「出国したという話だったが」

「その証言自体が信用できなかったんだよ……あの事件のことは取り敢えず置いておくとして、今回は何なんだ？」

「分からない。だけど、またろくでもないことをやらかしてるのは間違いないな」

「大友と何か関係あるのかね」沖田は頭をがしがしと掻いた。

「関係あるといえば、例の事件のことがあるけど……中国と言えば、だ」西川が顎《あご》に手を当てた。

「あれだな、『極亜貿易公司』。覚えにくい名前はやめて欲しいよ」

「別に、名前なんかどうでもいいだろう」西川は苦笑した。「中国つながりという感じもするけど、どうだろうか」

「まだ材料が足りないな。でも、こっちの方が有利だぞ。携帯電話の番号が分かったから、そこからアプローチできる」

「よし」西川が膝を叩いた。「まず家を割り出そう」

「そうだな」立ち上がりかけた瞬間、沖田は気になることに気づいた。もう一度腰を下ろし、「内川はどうする」と訊ねる。

「直接関係ないとは思うけどな……陳の転落の歴史が始まる前からの知り合いだろう」

「十年前か……しかし、陳はどんな人間だったのかね。真面目《まじめ》な留学生が、何かのきっかけで悪に染まったってことか？」

「そういうのは、中国人だけに限らないだろう。日本人留学生の中にも、向こうで悪いことをしている連中はいる」

「ずいぶん詳しいな」

「竜彦《たつひこ》がね……」西川が溜息をついた。

「竜彦がどうかしたか」西川の一人息子だ。何かまずいことでもあったのかと考えると、沖田の表情も歪《ゆが》んでしまう。

「留学したいとか言い出してさ」

「留学って……高校生になったばかりじゃないか」

「高校生でも留学できるんだよ。今は、そういうプログラムもたくさんあるんだ」

「いいことじゃないか。内向き指向とか、あまり感心できないだろう。これからの若者は海外に目を向けていかないと」ぺらぺら喋りながら、言葉が上滑りしているな、と沖田は意識した。

「英語もろくに話せない奴が、よく言うよ」西川は吐き捨てた。

「それはお前も同じだろうが」

「ああ、まあな……」西川の声のトーンが落ちた。「とにかく、トラブルに巻きこまれるケースもないわけじゃないんだ。いろいろ調べてみると、怖くなるね」

「だったら、砂漠の真ん中にあるような高校を選んで行かせろ」沖田はぴしゃりと言った。

「アメリカには、そういう高校もあるだろう？　そんな場所なら、悪さもできないじゃないか」

「理屈ではな……まあ、その件はいいよ。とにかく陳の行方を追おう。その前にもう一度、内川から陳の話を聴かないと」

「了解」

沖田は、気合いで胸が膨らむのを感じた。ようやくこちらに勝機が回ってきたのだ。このチャンスを逃してはいけない。陳の存在は、必ず突破口になるはずだ。

内川は、学生時代の陳との想い出を語り始めた。山東省の出身で、二十歳の時に日本の大学に留学してきたこと。日本語学校に通いながら、大学では経済学を専攻していた。実家が裕福だったらしく、アルバイトをする必要もなかったようだが、「日本で働いてみたい」と希望して、内川と一緒に飲食店で夜のアルバイトをしていた。「カーサ・デ・ロッソ」という、三田にあるカジュアルなイタリア料理店。陳はその店での仕事が気に入り、卒業してすぐに中国に帰る予定を先延ばしにして、しばらく働いていた。内川は就職してからも、何度かその店に客として行ったことがあるという。そしていつの間にか陳は「フロアマネージャー」の肩書きを得ていた。バイト頭のようなものだが、本人はその立場と仕事に大いに満足していたようである。

「イタリア料理の店を中国で開きたいって言ってました」

「中国でイタ飯の需要があるのかね」沖田は首を捻《ひね》った。

「北京《ベキン》なんかでは、その手の店が増えてるようですよ。富裕層を相手にして……商売になると思ったんでしょうね。本人は料理をやるつもりはなくて、あくまで店を経営したいっていう話でしたけど」

「それなら、大学で学んだことにも合うわけだ」

「経済じゃなくて、経営の話でしょうけどね」

内川はようやく緊張が解《ほぐ》れてきたようだった。話しているうちに、自分には何の疑いもかかっていないことを確信したようである。そのせいか、饒舌《じょうぜつ》な本性が顔を出す。

「で、その後どうなったんですか」沖田は先を促した。そんなことをしなくても、自然に喋り続けそうな感じもしたが。

「結局、店は辞めたみたいですね。何年前だったかな……久しぶりに行ってみたら、辞めたって聞かされて」

「どういう理由で辞めたか、聞きましたか？」

「聞きましたけど、そもそもお店の人もあまり事情をよく知らなかったみたいで。あれじゃないですか、いわゆる『一身上の都合』ってやつ」

「向こうからは、その後連絡はなかった？」

「なかったですねえ。まあ、仲が良かったとはいっても、やっぱり外国の人ですから。向こうは向こうでいろいろ都合もあるだろうし」

「それで、最近また連絡がくるようになったわけだ」

「そうです」

「向こうの携帯の番号は、変わってたと思うけど」あの事件の捜査をした当時、陳が使っていた電話番号は割り出していたが、既に契約は解除されていた。そしてその頃の陳の電話番号は、内川が教えてくれたそれとは違う。

「彼はこっちの番号を覚えていたみたいですね」内川がこともなげに言った。

「電話がかかってきたのはいつ頃ですか？」

「二月ぐらい前かな……いきなりかかってきて、見覚えのない番号だから心配だったんだけど……つい出ちゃうんですよね」内川が頭を掻いた。

「で、会うようになった？」

「二、三回会ったかな？　カーサ・デ・ロッソにも行きましたよ」

「彼は今、何をしているって？」話が核心に入りつつある。沖田は密《ひそ》かに気合いを入れた。

「バイト、だそうです。カーサ・デ・ロッソを辞めた後には、イタリアに行ったそうなんですね。なかなか凄《すご》い行動力ですよね」

「それは、店を開く準備で？」

「本人はそう言ってました」

本場を食べ歩いて、舌に味を叩きこむ――そういうことではないはずだ。真に受けてはいけないと、沖田は気持ちを引き締めた。

「で、また日本に戻って来たのはどうして？」

「開店資金を稼ぐためっていう話でしたよ。中国より日本で働く方が金になるからって」

「なるほど」

全部嘘だ、と判断した。当時、陳は出国していなかったはずである。国内のどこかに潜伏して、ほとぼりが冷めるのを待っていたのではないだろうか。しかし……内川も呑気過ぎないか？　知り合いが犯罪に関係していたのに、まったく気づかなかったのだろうか。

沖田がその事実を明かすと、内川はあんぐりと口を開けた。

「犯罪って……」

「奴はある強盗事件に絡んでいた疑いが強い。あんたの説明を聞いた限りでは、そのバイト先の店を辞めた直後に起こした事件だな」

「まさか、そんな……あの、本当なんですか」内川の喉仏《のどぼとけ》が上下した。急な展開に、ついてこられない様子である

「まあ、俺らも逮捕はできなかったんだけどね」沖田はわざとラフな口調で言った。「あんたが聞いていた話は、基本的に全部嘘だと思うな。陳は、中国人窃盗団の一味ですよ」

実際には「嘘」というか「分からない」だ。陳についてはいろいろ調べたのだが、人定をはっきりさせることすらできなかったのだ。

「じゃあ、俺は……」

「その事件には関係ないと思うけど、どうなの？」

「関係ないです」内川が勢いよく首を横に振る。「俺は何も知りませんよ」

「じゃあ、今はそれでいい」

「は？」内川が気の抜けた声を出した。

「あんたの証言の裏取りをしている時間はないんでね……知らないなら知らないでいいんだ。ただし、後で嘘だと分かったら困る。俺も、あんたもね」

「嘘なんてついてませんよ」

「本当に？」沖田はテーブルに肘をついて身を乗り出した。「本当のことを言わないで隠しているのも、俺は嘘と見なすぜ」

「知ってることは全部言ってますよ」

「そうかな？　陳の今現在の居場所についてはどうなんだ」

「それは知りません」内川が表情を歪めて顔を背ける。

「何も知らないでバイクを貸すのは、迂闊《うかつ》だと思うけどねえ」

「いや、でも、軽い調子で言ってきたから」内川が腿《もも》の間に両手を挟みこみ、背中を丸めた。そのまま固まって、必死に考えている様子である。

「例えば、どこへ乗って行くとか、何に使うとか、そういう話はしてなかったか？」

「いや、特には……一つだけ心配で、お願いしたことはありますけど」

「何ですか」

「路駐はしないようにって。最近、バイクも路駐は煩いでしょう？　車じゃないんだから、どうでもよくないですか？　簡単に停められるのがバイクの利点なのに」

「そういう決まりなんだから、文句言うなよ」

「何か、前にもオートバイの路駐で切符を切られたことがあって、気をつけてるって言ってましたよ」

「それ、いつのことだ？」

「いや、詳しくは知らないけど……最近の話みたいでしたよ」

「よし」言いながら沖田は苦笑した。あの強盗事件に加わった実行犯の中で「陳」という名前は出たが、それが本名かどうかすら分からず、身元の特定は不可能だった。当然逮捕状も取れなければ、正式な指名手配もかけていない。しかし違反切符を切られたということは、免許証は持っているはずだ。そこから辿《たど》っていけば、正体が分かるかもしれない。

「頑張れば、ヒントは出てくるもんだな。仕事でも、ちょっと頑張ればいろいろなアイディアが出てくるんじゃないか」

「仕事のこととか、言われたくないんですけど」

内川がぼそぼそと文句を言ったが、沖田は簡単に受け流した。これで大きな手がかりが手に入ったのだから——二輪の駐車違反をして摘発された陳という中国人を捜せ。

第八章

陳志幸という中国人の住所が割れたのは、西川が沖田と一緒に、朝食とも昼食ともつかない食事を摂《と》っている最中だった。署の近くのファミリーレストランに足を運んだのだが、ランチタイムには少し早い。仕方なく、グランドメニューからハンバーグ——ランチに比べると割高だ——を頼む。何となくリズムが狂うな、と思いながら食べ始めたところで、所轄の刑事課から電話がかかってきたのである。西川はうんざりして、テーブルに置いた携帯を沖田の方に押しやろうとしたが、あっさり無視されてしまった。食事ぐらい、しっかり食べさせて欲しい。生活のリズムを作る基本なのだから——心の中でぶつぶつ文句を言いながら、西川は電話を手にした。

背広の内ポケットから手帳とペンを引き抜き、情報を書き取る。駐車違反で摘発された時の住所は高輪《たかなわ》……免許証の記載住所とは違っていた。

それにしても失敗だ。記録によると、陳が駐車違反で摘発されたのは青山の宝石店強盗事件の後である。何故《なぜ》この時、名前が上手《うま》くつながらなかったのか……それにしても陳も、無知なのか大胆なのか。免許は強盗事件の前に取得したものだが、「気をつける」という感覚がなかったのか。

「どうするよ」頬張《ほおば》ったハンバーグを呑《の》み下して沖田が訊《たず》ねる。「高輪は、ここからだと遠いな。先に大竹に行ってもらうか？」

「そうだな。取り敢《あ》えず偵察だけでもやってもらおうか」

沖田が大口を開けて肉の最後の一片を押しこみ、そそくさと立ち上がった。

「鳩山さんと話してくるわ。大竹を出してもらう」

「そうだな」

「ついでに、庄田と三井にも連絡しておくか？　連絡がないのは何もない証拠だろうけど、放置しておいたら可哀想《かわいそう》だぜ。何が起きてるかぐらい、教えておこう」

「余力があったらな」西川はひらひらと手を振った。

「さっさと食えよ。だらだら食ってると、いくら時間があっても足りないぜ」

憎まれ口を残して、沖田が席を離れた。煩《うるさ》い奴がいなくなったから、少し味わって食べるか……と思ったものの、気が急《せ》いて、かえって食べるスピードが上がってしまう。ちょうど食べ終えた時に、沖田が陳の家に行って来た。

「手配は済んだ。大竹が陳の家に行ってくれる」

「庄田たちは？」

「話した。向こうは今のところ、何もないよ」沖田が伝票を取り上げた。

「ちょっと待て。俺の分は――」西川は慌てて財布を尻ポケットから抜いた。

「ああ、ここは俺が出しておく」沖田が上機嫌で言った。

「珍しいな」奢《おご》ると言われれば断る理由はない。沖田の機嫌がいい理由は分かっていた。今、自分たちは上手く溝にはまっている。捜査が転がり始めた時に特有の高揚感——沖田が何よりも愛するのはそれなのだ。

例によって、大竹は静かに待っていた。待てと言われれば何時間でも同じ姿勢で待ち続けられる男で、気象条件ごときには左右されない。今日は風の強い一日で、ともすれば目も開けていられなくなるほどなのだが、電柱に寄り添うようにして、微動だにしない。西川たちを見ても、軽く目礼するだけだった。アパートから視線を外したのはその一瞬だけで、すぐに監視に戻る。

高輪というといかにも高級住宅地の印象が強いが、実は昔からの寺の街でもある。泉岳寺を中心に多くの寺が集まっているせいで、桜田通りや第一京浜を外れると、非常に静かな雰囲気になる。また、細い裏道に入ると、軒を連ねるような小さな一戸建てや、古い——昭和から生き残っているようなアパートがまだ健在だ。陳のアパートもそういう一軒で、白いモルタルの壁に焦げ茶色の屋根という造りが、いかにも古めかしい感じだった。前の道路は車を停《と》めておけないほど狭い。

「どうだ」西川は声をかけた。大竹と話していると、こちらも口数が少なくなってしまう。時々、暗号で話しているのではないかと思えてくるほどだ。

「不在です」

「ノックしたか」

無言で大竹がうなずく。この男がノックしたと言うなら、ノックしたのだろう。陳がいないのも間違いない。

「どうするよ、待つか？」沖田がじれたように訊ねた。

「俺が待ってるよ。お前は少し休んだらどうだ」

「別に疲れてないけどね」

そう、二人とも疲れていない。嫌な予感に支配され、疲れている暇すらない。

嫌な予感——今回も陳は、誰かに雇われたのではないか？

前の強盗事件の時も、陳は雇われていた。あの時は、生田《いくた》という日本人が実行犯の主犯格としてメンバーを束ねていたのだが、彼自身も、別の中国人から依頼を受けただけだった。本当の主犯格の人間は特定できず——犯行そのものについては最後は素直に話した生田は、何かを恐れて主犯格については言葉を濁し続けた。恐らくとうに出国してしまっていたのだろう、と西川たちは結論づけた。最終的に捜査をまとめ上げた強行班の連中も、その部分を深追いしなかった。

陳はたぶん、「傭兵」だった。今回もそうではないのか？　刑事を尾行、あるいは襲おうとするぐらいだから、大きな組織と意図が背後にありそうな気がする。言ってみれば陳は単なるチンピラであり、彼個人の意図であんなことをするとは思えない。

「庄田と三井の方、面倒みてやってくれよ」

「やだよ」沖田が顔をしかめる。「あいつらの口喧嘩《くちげんか》に巻きこまれたら、たまったもんじゃない。それに、向こうの筋はもう考えなくていいんじゃないか」

「だったら、ローテーションでいこう。三人で張ってる必要もないし」

「じゃんけんにしようぜ」沖田が右手を振り上げた。

馬鹿馬鹿しい……大竹など、呆《あき》れたように口を開けたままだ。しかし、公平を期すためにはこれが一番である。

「負けた方二人」

「勝った方だよ」沖田が即座に反論した。

「まあ……じゃあ勝った方で」

西川も手を挙げた。その瞬間、沖田の携帯が鳴る。

「何だよ、こんな時に……」舌打ちして沖田が携帯電話を取り出した。「庄田だよ。泣きついてきたんじゃないか?」苦笑しながら電話に出る。

「はい、沖田――」その顔が瞬時に歪《ゆが》んだ。電話を切ると、いきなり走り出す。

「何だよ!」西川は混乱して、大声で訊ねた。

振り返った沖田が、「新井利香! 新井利香が、テツが入院している病院に向かった!」と叫んだ。

泉岳寺付近から、大友が入院している病院のある神谷町までは、車を飛ばして十分もかからない。だが今は、その十分が無限の長さに感じられた。

「クソ、もっと飛ばせ」助手席に座った沖田が、フロアを蹴飛《けと》ばした。

「焦るなよ」西川は冷静だった。冷静に言うことで、さらに冷静になろうとした。「制服組が詰めてるんだ。それに庄田と三井も後をつけてる。何かあっても十分対応できるさ」

「銃を持ってるかもしれないぞ」

「それは単なる想像だ」

前が空く。西川は思い切りアクセルを踏みこみ、到着までの時間を少しでも短縮しようとした。それでもすぐに信号に引っかかってしまい……サイレンを鳴らしていても、都内では独走できるわけではない。知らぬうちに、「クソ」と吐き捨てていた。

「運転、代わるか?」沖田が言った。ハンドルさばきには自信を持っているのだ。

「代わってる時間がロスになる」西川はハンドルをきつく握り締めた。

泉岳寺から神谷町まで、十分かからず走り抜けた。病院の正面入り口横に車を放置したまま、中へ駆けこむ。看護師から「走らないで下さい!」と忠告されるが、無視して突っ走った。

悪い予感は当たった。どうやってここまで入りこんだのか、利香が沖田の病室の前で制服警官二人と揉《も》めている。庄田とさやかもそれに加わっていた。これだったらフロア全体を閉鎖しておくべきだったと西川は悔いたが、当然そんなことができるはずもない。

「新井さん!」

声をかけると、利香が振り返る。髪は乱れ、目は血走っていた。ぎょっとする風体だったが、それよりも異様な印象を与えたのは、彼女が両手で大事そうに持っているシクラメンの鉢植えだった。血を彷彿《ほうふつ》とさせる赤、そして「寝つく」に通じる鉢植え——見舞いの常識を完全に無視したやり方に、西川は軽い恐怖感を覚えた。

もっとも、その鉢植えのせいで、利香は身動きが取れなくなっているようだった。一抱えもある鉢植えを無事に保っていようとすると、制服警官二人が作る壁を簡単には突破できない。後ろは庄田とさやかに取られ、結果的にその場に釘《くぎ》づけになっていた。

西川は呼吸を整えながら、ゆっくりと彼女に近づいた。

「また援軍ですか」利香が皮肉を飛ばす。「私、そんな大変なこと、してますか」

「その鉢植えは何ですか」

「お見舞いに決まってるじゃないですか」完全に真面目《まじめ》な口調、そして表情だった。

「あまり常識的とは言えないお見舞いですね」

「できるだけ長く寝ついてもらおうとしたら、これが一番でしょう」

利香がにこやかな表情で言った。場合が場合なら、魅力的な微笑と言ってよかっただろうが、西川はぞっとするだけだった。冗談じゃない……思い切って利香の正面に立ち、両手を広げる。

「大友は面会謝絶です。お帰り下さい」

「花ぐらい渡してもいいでしょう」

「縁起が悪い。友人として断ります」

「警察官は警察官同士で庇《かば》い合うんですね」

「違います。あくまで友人としてです」

「あの男のせいで、私がどれだけ辛《つら》い思いをしてきたか、分かりますか！」利香が吐き捨てた。

あまりにも強烈な憤りに、西川は再び彼女に対する疑いを強めた。まさか、本当に彼女がやったのでは……しとめ損ねて、とどめを刺しに来たのかもしれない。あの鉢植えの中に何が隠れているか分かったものではない。

「どうしてもというなら、我々が受け取って届けますよ」

「いえ、会わせてもらいます」

「それは無理です。面会謝絶と言ったでしょう」

「そんな嘘《うそ》は通用しません」

沖田がすっと脇を通り過ぎ、病室に消える。何してるんだと思ったが、当面の敵は目の前だ。全く前に進まない言い合い、さらに無言の睨《にら》み合いをしているうちに、ナースステーションからも人が出て来る。まずい……騒ぎが大きくならないうちに、何とかしないと。

病室のドアが開き、沖田が出て来る。西川の横に立って利香と正対すると、無言で手を伸ばした。指先には、折り畳んだメモを挟んでいる。利香がそれを怪訝《けげん》そうに見下ろした。

「あんたが捜してる杉本の居場所だ」

利香がメモを奪い取った。震える手で広げると、「東京……何で……」とつぶやく。メモに視線を落としたまま、「何で分かったんですか」と訊ねる。

「大友が調べてたんだよ。あいつは、自分が担当した事件の容疑者が出所後にどうしているかも調べている。責任感の強い男なんだ。あんたが考えているような、いい加減な——」

沖田の説明を最後まで聞かず、利香が鉢植えを廊下に落とした。ガラスが割れるような音をBGMにして、いきなり駆け出す。西川は唖然《あぜん》としてその背中を見送るしかなかったが、沖田はすぐに庄田に指示を飛ばした。

「監視を続けろ。何をするか分からない」

顔を蒼褪《あおざ》めさせた庄田が走り出す。さやかも沖田の顔を見てから、すぐ後に続いた。

「お前、今の話は——」西川は途中で質問を呑みこんだ。

「本当だよ。前に会った時、テツもそう言ってただろう。テツはテツなりに、あの一件をフォローしようとしていたんだ」

「それは、警察官の本分から外れてるんだけどな」西川は眉《まゆ》をひそめた。

「そんなことはどうでもいいんだ。テツは、このままだと新井利香が完全に壊れるかもしれないって心配してたんだぜ」

「冗談じゃない。これで何かトラブルになったら、どうするんだ」

「そうならないように、庄田と三井を行かせたんだろうが」

「お前は……」西川は額に手を当て、溜息《ためいき》をついた。「こんなことで人手を取られたら、本末転倒だぞ。そうでなくてもクソ忙しい時に」

「でも、これで一つテツの危険がなくなったと思えばいいじゃないか」沖田が肩をすくめる。「結局、新井利香は杉本に会いたいだけなんだから。テツが引き合わせてくれたと思えば、あいつは今度は彼女にとって恩人になるんじゃないか」

「嫌な予感がするけどね、俺は」西川は捨て台詞《ぜりふ》を吐いた。

「そんなの、動いてみないと分からない。とにかく、このまま放《ほう》っておいていい問題じゃないぜ。それに杉本に会って落ち着けば、彼女だってもう少し理性的に話すようになるんじゃないか。このままだと、まともな事情聴取もできないだろうが。上手くいけば、彼女が全部白状して万々歳で終わるかもしれない」

「そんな簡単にいくわけがない」

確かに、利香の考えや行動は常軌を逸している。先ほどの鉢植えの一件といい……何かに一歩背中を押されれば、大友を殺したいと考え、具体的な行動を始めるかもしれない。だが西川は、心の底では彼女は犯人ではないだろうと思っている。そうでないと、今朝の一件の説明がつかない。それとも、大友を狙《ねら》う線は複数あるのか。

考えにくい。

「ところで、大友の様子はどうだった」西川は話題を変えた。

「急速に回復してるようだ。午前中には、一時間ぐらい事情聴取を受けたらしい」

「そんなに長く？」西川は目をむいた。

「本人も責任を感じてるのさ。根性出したんだろう」

思うと怒りがこみ上げてくる。「だいたい、役に立ちそうな情報は出たのかよ」

「それは駄目だったみたいだが」沖田が肩をすくめる。「それより、俺たちは本来の仕事に戻ろうぜ。陳を捕まえに行くんだ」

「そうだな」

一人現場に居残った大竹に電話をかける。異常なし。五秒で通話を終え、「行くか」と沖田に声をかける。だがその瞬間、沖田はいきなり走り出した。

「おい！」また病院で走って怒られるのに……と苦笑したが、あまりにも真剣な走り方に、思わず後を追い始めた。

「どうした！」

「奴だ！」

まさか……陳？　沖田はエレベーターホールの方へダッシュしている。しかし西川が追いつきそうになったところで、ちょうどエレベーターの扉が閉まってしまった。沖田がボタンを掌《てのひら》で立て続けに叩《たた》いたが、反応しない。「クソ！」と悪態を吐《つ》く沖田を残して、西川は階段へ向かった。五階——エレベーターに敵《かな》うはずもないが、待っていてはますます遅れてしまう。階段を二段飛ばしで駆け下りた。三階分降りたところで、息が上がってくるのを意識する。冗談じゃない、これぐらいで……二階の踊り場に出た時、ちらりと外を見た。そちらがちょうど正面玄関に向いているのだが、一人の小柄な男が、ちょうど駆け出すのが見えた。上からなので顔は分からないが、陳の可能性は高い。間に合わなかったか——諦《あきら》めかけた気持ちを奮い起こし、駆け下りるスピードを上げる。最後は飛び降りて転げそうになり、慌てて踏みとどまる。脹脛《ふくらはぎ》に電流のような痛みが走ったが、何とか堪《こら》えてまた走り出した。

待合室に出たところで、通勤ラッシュ並みの混雑に巻きこまれる。どうして病院はこんなに人が多いのか……身を翻すようにして何とか外に出たが、陳の姿は既に消えていた。どちらへ追うか——陳はどこへでも逃げられたはずだ。病院のすぐ前が桜田通りで、左へ折れて五十メートルも走れば地下鉄の神谷町駅へ辿《たど》り着く。車やバイクを用意していれば、さらに自在に逃げられるだろう。

「どうした！」沖田が追いついてきた。後ろを見ると、額に汗を滲《にじ》ませ、膝《ひざ》に両手を当てて息を整えている。

「逃げた」

「それは分かってる！」

「俺が二階まで降りた時に、もう外へ出てた。間に合わないよ」

「クソ！」沖田が背筋を伸ばし、アスファルトを蹴飛ばした。

「いや……チャンスはある。奴は何度も俺たちの前に姿を見せているんだから、プロじゃない。そのうち絶対に尻尾《しっぽ》を出すよ」

「狙いは何なんだ？　テツなのか？」

「他に考えられないだろう」

「何でテツの家まで行ったんだよ。奴が入院してるかどうかぐらいは分かりそうなものじゃないか」

「取り引き材料が欲しかったのかもしれない」

「まさか」沖田の顔から、一気に赤味が引いた。「優斗を拉致《らち》するとか？」

「ああ。引き換えに、大友に出て来るように要求する」

「冗談じゃない」沖田が右の拳《こぶし》を左の掌に叩きつけた。「そんなこと、させてたまるか」

「こっちにもチャンスがある。さっき言った通り、奴は――」

「プロじゃない」沖田が言葉を重ねた。「だけど、俺たちはまだ奴の尻尾も捕まえてないんだぜ」

「分かってるよ」西川は顎《あご》を撫《な》でた。徹夜の証《あかし》である無精髭《ぶしょうひげ》が掌を刺激する。「しかし素人にしても、ちょっと隙《すき》があり過ぎるな。何であんなに簡単に姿を晒《さら》すんだろう」

「……ダミーか？」沖田が疑わしげに言った。

「陽動作戦をしかけているのかもしれない」

「本当の殺し屋は、別のところで別の作戦を練っている、とか」沖田が答えを引き取った。

殺し屋――考えたくもない可能性だ。日本には、基本的に「プロの」殺し屋など存在しないというのが、警察の基本的な見解である。暴力団の「鉄砲玉」はいるが、それはあくまで暴力団同士の抗争における一時的な仕事に過ぎない。ただし、新エネルギー研究開発の事件では、中国から入国した殺し屋が逮捕されている。

「で、どうするよ。もっと広く網を張る方法を考えた方がいいんじゃないか」沖田の口調は苛《いら》ついて甲高くなっていた。

「そうだな。陳の人定に関しては、当時どの程度進んでいたんだっけ？」

「情報は、途中で強行班に渡したからな……俺もそんなに詳しく調べたわけじゃない」

「そうか。だったら、陳個人のことについても、もう少しちゃんと調べていかないと。免許もヒントになるかもしれない」

「その辺は、お前が考えながらやればいいじゃないか。俺は取り敢えず、奴の家の張り込みに戻るよ。しかし、ガサをかける手は何かないのかね。家を調べれば、必ず何か出てくるはずだ」

「直接の容疑がない。今のところ、怪しいというだけだから」

「そうだな……」沖田が両手で頬を張った。「だったら根競べだ。そっち、よろしく頼むぜ」

「ああ……車はお前が持っていってくれ。あった方がいいだろう」

キーを放ると、沖田が右手を伸ばしてさっとキャッチした。ホール脇に停めた車に向かって歩き出したが、すぐに振り返って、「警察が駐車違反しちゃいかんよな」と言った。

　こいつは何でこんなに余裕があるんだ？　西川は首を捻《ひね》りながら、桜田通りに向かって歩き出した。そうしながら、陳を追いこむ方法を考え始めている。

「大友は今も狙われているというのか」峰岸が頬を引き攣《つ》らせた。

「陳が見舞いに来たとは思えませんけどね」

西川は冗談を言ったが、峰岸にはまったく通じていない様子だった。眉間《みけん》に深く皺《しわ》が寄っている。しかし西川は、あくまで峰岸一人を意識において話すことにした。そうしないと、捜査一課での立ち話なので、いつの間にか周りに他の刑事たちも集まって来て気持ちが散ってしまう。

「取り敢えず、病院と大友の自宅の警戒を強化すべきだと思います」

「分かった」事態の深刻さを実感したのか、峰岸が真顔でうなずいた。巨漢がそうすると、妙な重みがある。

　現場指揮官の説得に成功したので、西川はひとまずほっとした。自席に戻り、鳩山にも状況を報告する。

「ややこしいことになってきたな」

　この人は……鳩山が深刻そうにうなずいたのを見て、西川はかすかな頭痛を覚えた。ややこしいのは最初から同じではないか。

「警戒強化をお願いしました。あとは、何とか陳を追いこむ方法を考えるだけです」

「青山の事件では、最終的に強行班が担当したんだったな」

それぐらいは覚えているわけか、と西川は思った。当時の担当の班長は……延原《のぶはら》か。

あの事件には、あまりいい記憶がない。追跡捜査係が担当する事件の典型だった。発生から一か月後に応援に入ったのだが、それぐらいだと、担当する刑事の感覚では事件はまだ「熱い」。これからという時に、本来は「凍りついた」事件を担当する追跡捜査係が出張ってきたら、自分たちの能力を疑われていると感じてもおかしくないだろう。最終的には担当する延原たちに事件を引き渡したのだが、向こうにすれば馬鹿にされたような気分だったに違いない。事件の全容を解き明かして報告した時の、延原のむっとした表情が忘れられなかった。

延原はその後の異動で、二十三区の西側を担当する第二機動捜査隊に栄転している。管理職としての道を順調に歩んでいるといっていいだろう。電話で話すのは何となく躊躇《ためら》われたが、仕方がない。自席について受話器を取り上げ、第二機動捜査隊に電話を入れた。

予想と違い、延原は平然としていた。当時の屈辱の記憶は、数年経《た》ってあっさり消えていたようである。

「面倒な事件をやってるそうだな」

「ええ。かなり大変です」

「相変わらず、他人の仕事に首を突っこんでるわけだ」

露骨な嫌味――こちらに対する恨みはやはり消えてはいないようだ、と西川は気持ちを引き締めた。ここは下手に出るしかない。

「すみませんね、何分、仕事なもんで。いつもご迷惑おかけしています。その節は、本当にお世話になって」

「何がお世話かね」

相変わらず皮肉めいた口調だったが、一応笑ったのでよしとしよう──西川は本題に入った。

「実は、あの時の事件で、名前が挙がっていたけど捕まらなかった陳という男がいましたよね──陳志幸」

「ああ」

「こいつのことがどこまで分かっていたか、教えてもらえますか」

「奴、また何かやったのか?」延原が声を潜めた。

「まだ具体的な容疑は詰め切れていません。ただ、一瞬だけお目にかかりましたよ」

「何だと」延原の声に力が入った。「逃がしたのか?」

「すみません、こちらの力不足で」素直に謝りながら、正確には「脚力不足」だと内心で思った。もう少しスピードとスタミナがあれば、エレベーターで降りる陳を捕捉できたかもしれない。

「ふざけた野郎だな」延原が吐き捨てる。「まだ日本にいるのか」

「延原さんも、出たとは思ってないでしょう? 人定できていないんだから、出国の記録を調べようもない」

「そうだな。もう少し生田をしっかり叩いておくべきだった」生田は日本人の実行犯である。「奴、本当は陳のことをもっと詳しく知ってたんじゃないか？」

「具体的に、どこまで話してたんですか」生田が犯行を自供した後、西川たちは身柄を引き渡してしまった。

陳という男に対する延原の説明は、「友人」を自認していた内川のそれと重なるものだった。中国から日本の大学へ留学。日本語を学びながら経済学を勉強していた――というのは内川の説明とほぼ合っている。しかし金が続かなくなってバイトに追われるようになり、大学へは行かなくなってしまった。そのうち、中国人マフィアとの関連ができて道を踏み外し、様々な悪事に手を染めるようになった――というのが生田の説明だった。しかし自分の身元が特定できそうな情報は話していない。仲間も信用していなかったのだろう。

「陳は、あちこちのワルに、アルバイト感覚で手を貸していたんでしょうか」

「ああ。それと、不思議な運の持ち主ではあるな。はっきりしないが、生田が知っていた限りでも、陳がかかわったのは窃盗、強盗、中国人同士での恐喝事件……五件以上あるらしい。それなのに一度も捕まってないんだから、悪運はあるんだな」

「首謀者の人定もできませんでしたよね」

「そう。あの筋トレ馬鹿、結局自分が一人で罪を引っ被《かぶ》っただけじゃないか。間抜けな奴だったな」

西川は思わず声を上げて笑ってしまった。生来の犯罪者とも言える生田は、筋トレに命をかけていた。西川たちが身柄を確保した場所も、ジムである。トレーニングウエア姿の男を逮捕した経験は、後にも先にもあの時だけだった。

「生田は、本当に詳しいことは知らなかったんですかね」

「結局、バイト感覚で集まった奴ばかりだったからな。それでも捕まった時のことを想定して、仲間のことは何も知らないように口を合わせておくのが普通だ。ワルにはワルの仁義があるんだろう」

「首領を割り出せなかったのは痛かったですね」

「チンピラの陳はともかく、それはあの事件の唯一の失敗だな」

そもそも自分たちの手で犯行グループを割り出せなかったことは、彼の頭の中では「失敗」の範疇《はんちゅう》に入らないようだ。あの事件では、生田は完全に単なる中国人の手先だった。リクルートされ、以前一緒に土蔵破りをした中国人たちと組んで強盗に走っただけで、自分の意思はほぼ介在していなかった。問題の「首領」が何者なのかも、本当に知らなかったようである。単に金で結びついた仲ということか……非常にビジネスライクだ。

「陳とかかわりのある人間、誰かご存じないですか」

「それが分かってれば、とうに割り出している。日本人で関係があったのは、大学時代の友人やバイト先の人間ぐらいだ。この辺、生田には結構本当のことを話していたようだが、大学時代の友人も、関係は薄かったみたいだな。留学生同士の間でも浮いていたし、日本人の友だちも少なかったようだ。それにあの事件が起きた時には、奴が大学にいた時代から何年か経っていた」

「そうでした……ところで、内川という男をご存じないですか？　町田市役所に勤めているんですが」

「聴いたことのない名前だな」延原が警戒した口調で言った。一応片づいた事件ではあるが、後で自分が知らなかった情報が埋もれていると知ったら気分が悪いだろう。ミスをしたのでは、と怖くなるものだ。

「三田にある『カーサ・デ・ロッソ』というイタリア料理店は？」

「陳がバイトしていた店だな？　そこには何度か聞き込みにいった」延原の反応は敏感だった。

「熱心に働いていたみたいですね」

「そうなんだが……」延原の声が急に淀《よど》んだ。何か、失敗を指摘されたような感じ。

「どうかしましたか」西川は静かに突っこんだ。

「いや、その店は、中国人グループの溜《たま》り場だったんだ」

「チャイニーズマフィア？」

「そこまではいかない。単なるチンピラ連中だな」

「イタリア料理の店ですが……」

「中国とイタリアの共通点を知ってるか？　飯が美味《うま》いことだ」

「しかし、中国人がイタリア料理の店に集まるっていうのは、違和感がありますね」

「そもそもオーナーが中国人なんだよ。といっても、もう日本に二十年ぐらいいる人だけどな」

「チンピラの親玉じゃないんですか」

「いやいや」延原が即座に否定した。「そういう人じゃない。真面目に商売をして、税金もきちんと納めて、今まで問題を起こしたことは一度もない。元々、残留孤児子弟や留学生の面倒をよく見ていた人で、そういう人たちが店を利用したりバイトをしたりしていたんだが、どうしたって悪い奴は混じってくるだろう？　その店でトラブルがあったわけじゃないが、一時は大分雰囲気が悪くなったそうだ。十年ぐらい前には、警察に相談したこともあったらしい」

「ということは、だいぶ日本に馴染《なじ》んでいるんですね」普通、在日の外国人は警察に頼りたがらない。トラブルを恐れてのことだが、そのために彼らのコミュニティの中だけで解決してしまい、表に出てこない事件もある。一種、国の中に国ができる感じで、いいことではないのだが……。

「基本的には面倒見のいいオヤジだよ」

「会えば何か分かりますかね」

「どうだろう。俺たちが話を聴きに行ったのも、かなり前の話だからな。今現在、何か情報を持っているかどうかは分からない」

「つい最近も、陳があの店に行ったようですよ。客としてですが」

「だったらまだつながりがあるかもしれない。話を聴く価値はあるな」

「ええ」どうしてこの男は、こんなに前向きになっているのだろう。今は部署が違い、青山の強盗事件も過去の物になっているはずなのに。怒り出すのを覚悟の上で聞いてみた。

「やっぱり、一人だけ捕まっていない男のことは気になりますか？」

「それもあるが、大事なのは大友を撃った人間を捕まえることだろう。陳が関係しているなら、絶対に見つけ出して叩け」

「延原さん、大友と何か関係ありました？」

「嫌な思いをさせられたことなら、何回かあるよ。あいつが悪いわけじゃないが……ただ、あいつが手伝いに来ると、こっちの不手際がばれることが多いんだよな」

「ああ」大友の仕事は、自分たちのそれと似ている。難しい事件の現場にいきなり投入され、しがらみや決まりきった視点に関係なく捜査を進める――手伝われた方からすると、まるで自分たちの価値を全否定されたように感じられるだろう。「まあ、あいつに痛い目に遭わされた人は、少なくないですよね」

「しかし、それとこれとは関係ない。刑事が撃たれたら、犯人は必ず逮捕しなくてはいけないんだ。それが警察の絶対的なルールの一つだ」

　ここにも一人、熱い男がいた。

「カーサ・デ・ロッソ」のオーナー、王炎彬《おうえんひん》は、単なる「レストラン経営者」というより「実業家」というべき存在だった。イタリア料理店のオーナーというだけでなく、雑貨店や中華の食料品店など数軒の店を都内で経営している。普段は赤坂にある個人事務所から、各店に指示を飛ばしているようだった。

五十手前ぐらいの、血色のいい男だった。腹は出ているが、何故か太った感じはなく、一見して愛想のよさが印象に残る。事務所は素っ気無い造りで、金の臭《にお》いは感じられなかったが、かなり儲《もう》けているのは間違いない。赤坂でこの広さの事務所を維持していくだけでも、相当の費用がかかるはずだ。

「秘書でも置いているかと思いましたが」

西川の言葉に、王は大声で笑った。

「秘書ではなく、愛人とでも言いたいのでは?」日本語の発音は滑らかで、完全に第二の言語として習得しているようだった。

「いやいや……」西川は「艶福家《えんぷくか》」などという言葉を思い浮かべていた。

「ビジネスで一番金がかかるのは、人件費です。特にうちのようなサービス業は、人件費が全《すべ》て。お店の人を削るわけにはいきませんが、私の周りには、そんなに人がいても仕方がない」

王は自分で立って、コーヒーを用意してくれた。普段、聞き込みに行く時は、なるべく相手の供応を受けないようにしているのだが、今日だけはコーヒーが必要だった。徹夜明けの午後、疲労はピークに達している。王が用意してくれたコーヒーは、エスプレッソをお湯で割った物のようだった。独特の焦げ臭い香りが少しだけ残っている。苦味も十分で、眠気を吹き飛ばす効果が期待できそうだった。

二人は、L字型に置かれたソファで、斜め向かいの位置に座った。王はソーサーを持ったまま、カップの握りを摑《つか》んでいる。西川が話を切り出すまで、口をつけるつもりはないようだった。

「古い話になりますが、十年ほど前にそちらのお店で勧めていた――」

「店というのは、『カーサ・デ・ロッソ』のことですね」王がいきなり話の腰を折った。

「ええ」

「十年前には、あの店しかありませんでした」

「その後に、事業を拡大したわけですね」

「そうです……はい、失礼しました。『カーサ・デ・ロッソ』の話ですね」

「あそこで働いていた、陳志幸という男性のことを覚えていますか？」

「ああ、陳君」王がうなずいた。「覚えていますよ。うちでアルバイトしてくれた、最初の中国人の学生」

「そうなんですか？」

「ええ。今はそれぞれの店で増えましたけど、彼が最初。よく働いてくれましたよ。熱心過ぎて、大学の勉強の方が疎かになっていましたけど」からからと乾いた笑い声を上げる。

「本人も、イタリア料理の店を出すのが目標だったようですが」

「ああ、それ、私の影響かも」王が笑いながら言った。「レストラン経営のこと、よく話しました。儲かる商売だと思ったんでしょうねえ。彼はイタリア料理が好きで」

「中国の人がイタリア料理好きというのも不思議な感じですが」

「中国とイタリアは、シルクロードの東の端と西の端じゃないですか。一本の道でつながっているんです。それに、食の豊かさという点では、私はイタリアを尊敬していますよ。残念ながら、中国料理はデザートではイタリア料理に負けてますね」

「ええ」えらく話好きな男だ——西川は警戒を強めた。こういうタイプには二種類いる。本当に話好きなのと、本題に入らないように、別の話題で埋め尽くそうとするのと。後者でないことを祈った。

　王がいきなり舌を突き出し、人差し指で触れた。

「二十歳前後は、人間の舌の傾向が決まる最後の年齢です」

「ああ、そう言いますね」

「その時期に美味い物を食べると、一生虜《とりこ》になるんですよ。陳君にとって、それがイタリア料理だったんでしょうね。彼は胡麻油《ごまあぶら》ではなく、オリーブオイルを選んだ」

「分かります。で、彼はどんな人間とつき合っていたんですか」

　王が言葉を切り、西川の目をまじまじと見た。本音を探っているような……嘘をつく必要もない。西川は一気に質問をぶつけた。

「あなたの店――『カーサ・デ・ロッソ』には、一時あまり素行のよくない中国人が集まっていたと聴いています」

「残念ながらそれは事実です」王が肩をすくめた。「問題が起きたわけではないですが、雰囲気は悪くなりました」

「何か悪事の相談をしていたとか？」あっさり認めたのは、正直さの発露だと判断する。

「それはない」王が愛想のよさをかなぐり捨て、いきなり真顔になった。「そんな話が聞こえてきたら、二度と店には入れません。警察に突き出します」

正義感ではなく商売を守るためだろうが、毅然《きぜん》とした態度に嘘はない、と西川は判断した。王は悠然と足を組み、ようやくコーヒーを口にした。西川も釣られてコーヒーを飲む。薄皮が剝《は》がれるように、少しだけ眠気が引いた気がした。

「警察に相談したこともあったそうですね」

「あの時は、神経質になっていたと思います」王が肩をすくめた。「実際に何かあった時に相談してくれ、と言われました。考えてみれば当たり前のことです」

「陳さんも、そういう人たちとつき合いがあった？」

「外でどうかは知りませんけど、店の中では話をしたりしていましたね」

「そのことについて、陳さんと話したことは？」

「注意はしました」王が認める。「分かった、とは言ってましたけどね」

「実際のところはどうだったんでしょう」

王が顎を引いた。表情に力が入り、両の眉《まゆ》が寄る。

「若い人は、つい悪い方に流れがちです。それだけ誘惑が大きいからでしょうね。金とか、女とか……」

「分かります」西川はうなずき、先を促した。

「当然、一人の人間の変化も分かりますよ。服装や髪型、口の利き方……人は、簡単に影響されますからね」

「ええ」

「結局、うちのアルバイトも辞めたのですが……」

「何か問題があったんですか」

「いや、彼の方で『辞める』と言ってきたのです。そう言われたら、私の方では引き止める理由は特にありませんでした」

「仕事の面では有能だったんじゃないですか？　フロアマネージャーまで勤めていたそうですね」

「それとこれとは……別の話ですね」王が肩をすくめた。

「彼には逮捕歴はありませんよ」

「悪いことをすれば必ず逮捕されるわけでもないでしょう」王の目が細くなった。「警察が全能でないことは、私も知っています」

「陳さんは何をしていたんですか」

「それは、あなたの方がご存じでは？」

「私たちが摑んでいるのは、彼が青山にある宝飾店の窃盗事件に絡んでいたらしい、ということだけです。でも、他にも事件に絡んでいるとは思います」

「例えば」

「誰かを殺そうとした」

「まさか」王がつぶやいた。力なく首を振り、コーヒーカップをテーブルに置いて両手を組み合わせる。「物を盗むのと人を殺すのは、全然別の話ではないですか」

「一度壁を飛び越えたら、後は簡単かもしれません。我々は、彼が私たちの仲間の刑事を撃った可能性があると考えています」

「まさか」

王がもう一度つぶやく。ゆっくりと口を閉じると、喉仏《のどぼとけ》が大きく上下した。西川も緊張感が高まってくるのを意識する。この男を完全に信用していいかどうか、まだ分からない。所轄の人間から話を聴いた限りでは、警察の業務にも協力的で、地域の人の信頼も厚いというのだが、人間は誰でも裏の顔を持っているものだ。

「彼は、最近も『カーサ・デ・ロッソ』に顔を見せたはずです。客として……以前のバイト仲間の日本人と一緒だったようですね」

「そのように聞いています」

西川はすっと顔を上げて王の顔を見た。「カーサ・デ・ロッソ」は、あくまで彼が経営する店の一つである。そこへ出入りする客の情報まで、一々チェックしているとは思えない。そんな細かいことを知っても、普通は役に立たないものだ。

——ということは。

「陳は、要注意人物になったんですね」

「我々には、警察はないんです」

西川は一瞬言葉の意味を摑みかね、首を捻った。王が苦笑しながら続ける。

「我々在日の中国人は、あくまで日本の法律に従って生活しています。でも、中国人社会独自のルールもあります。それを破った人間がいれば……」

「勝手に裁くことはできませんよ」西川は釘を刺した。これは非常に危険な兆候である。自警団的発想……日本の中に、日本でない別の社会ができることになるのだから。アメリカのような移民国家では、そういう状況も珍しくはないと聞いているが、その結果あの国に巣食ったのは、暴力による支配である。

「それは、重々承知しています」王が丸い腹の上に両手を置いた。

「ルールを破った人間がいたら、どうするんですか」

「場合によります。それが日本の法律に触れることだったら、当然警察に通報します」

「仲間を売ることになっても?」

「そういう問題ではありません」王が苦笑した。「我々は日本に住んでいるのですから、日本の法律に従います」

「法律に触れなくても、あなたたちのルールに反することもあるんですよね。そういう時は？」

「中国に帰ってもらいます」王がきっぱりと言った。「一種の強制送還ですね。日本に住む我々中国人のコミュニティに適さない人間だと判断したら、日本にいてもらうわけにはいきませんから……つまり、我々には警察はなくても、入国管理局だけはある、という感じでしょうか」

「陳はどうなんですか？　そういうルールに反した？」

「要観察、ということです。何かあったら、強制的に送り返す——それぐらい、悪い仲間とのつき合いはありました」

西川は眼鏡をかけ直した。ここは一つの正念場である。王は、「カーサ・デ・ロッソ」に陳が来たことを知っていた。今現在どこにいるかも摑んでいる可能性はある。

「残念ながら、『カーサ・デ・ロッソ』に陳君が来たことを私が知ったのは、だいぶ後になってからです。若い店員たちは、彼のことを知りませんからね」

西川はひそかに吐息をついた。言い訳かもしれないが、王の説明はそのまま信じるしかないと思う。今は、今後も情報源として使えそうなこの男を大事にしたかった。

「そのことについては分かりました……私が知りたいのは、陳の現在の行方です。彼が立ち寄りそうな場所です」

「いくつか、心当たりが。少し古い情報ですが、お役に立つかもしれません」

王が立ち上がり、自分のデスクの引き出しを開けた。中を漁《あさ》ってメモを引っ張り出すと、デスク越しに西川に差し出す。西川は立ち上がり、メモを受け取った。丁寧な手書きで、いくつかの住所や電話番号が書きつけてある。

「これは？」

「あなたに連絡をいただいて、すぐに調べさせました。私の周りにいる人間は、最近陳君とは接触していませんが、以前の情報をまとめてみました」

「助かります」西川はメモを手帳に挟みこんだ。古いものでも手がかりがあれば、そこから捜査を広げていける。「この件は――」

「はっきりした疑いがあるなら、どうぞ、ご遠慮なく」王が両手を前へ投げ出した。

「言われなくとも、やる時はやりますよ」西川はうなずいた。

「結構です。悪いことは悪いこと。これは世界中どこへ行っても変わりません。そして悪は、罰せられなくてはならない」

「その原則が崩れたら、我々の仕事がなくなります」西川は同意してうなずいた。

事務所を辞去した瞬間、携帯電話が鳴り出した。さやか。定時報告のようなものだろうと考え、気楽な調子で電話を耳に押し当てた瞬間、緊迫した声が飛びこんできた。

「新井利香が自殺を図りました」

「何だって？」思わずきつく電話を握り締めてしまう。「容態は」

「今、病院に向かっています。命に別状はないと思いますが……いきなり手首を切ったんです」

「ちょっと……冷静に報告してくれ」冷静でないのは自分の方だと思いながら、西川は頼みこんだ。

電話の向こうで、すっと息を吞む音が聞こえてきた。やはりさやかも緊迫していたのだと分かり、西川は自分も深呼吸した。こういう時は、まず上の立場の自分が落ち着かなければ……しかし鼓動はなかなか収まらない。

「新井利香は、病院から直接杉本の家まで行きました」

「中野だったな」

「ええ。小さいマンションで、杉本は一人で住んでいるようです」

「仕事は」

「そこまでは分かりません。調べている暇がなかったですから」

「分かった。で、状況は？」

「訪ねて行って、すぐに声をかけたんですけど、杉本が顔を出さなかったんです。会うのを拒否したみたいで……彼女はそのまま、ドアの前に居座りました。二時間」

やり過ぎだ。ストーカー行為と取られても仕方ないぐらいである。西川は携帯を耳に押し当てたまま、階段を――王の事務所は、雑居ビルの二階にある――下りた。外の空気に触れた瞬間、寒さのせいで気持ちが一気に引き締まる。

「で、君らはずっと監視していたのか」

「杉本の家は二階で、外からドアが見えるんですよ。その間、彼女は何度も声をかけて、返事がなくて……杉本も、居座られて困ったみたいで、とうとうドアを開けたんです。ただ、チェーンはしたままでした。すぐに怒鳴り合いになって」

「彼女は怒ってたのか？」

「怒ってたというか、たぶん、自分をコントロールできなくなっていたんだと思います」さやかの声はすっかり冷静になっていた。「杉本は迷惑そうで……話の内容は分からなかったけど、声のトーンだけで雰囲気は分かりました。それで新井利香がいきなり刃物を持ち出して」

「杉本を刺そうとしたんじゃないか」病院へ行った時にも刃物を持っていたはずだ。病室へ入れたら、大友がどうなっていたか──西川は、顔から血の気が引くのを感じた。

「カッターですから、あれで殺すのは難しいと思います。とにかく、杉本はすぐにドアを閉めて事なきを得たんですけど、取り残された新井利香が、いきなり自分の手首に切りつけて。その時はもう様子がおかしいと分かったんで、私たちも突入したんですけどね」

「無事に救助したわけか」

「救助というか、取り押さえました。相当暴れたんで」

「暴れると、出血がひどくなるんだけどな」西川は空いた右手で顔を擦《こす》った。血をまき散らしながら大暴れする利香──想像しただけでぞっとする。

「そうですね。庄田が血塗《ちまみ》れになりました。あれ、スーツとワイシャツは、もう駄目ですね。クリーニングじゃ無理だと思います。新しいの、経費で買っていいんですかね」

「無理だと思うけど、鳩山さんに相談してみろ……でも、君もいいところがあるじゃないか。庄田のことを心配してるなんて」

「してませんよ」さやかが即座に断言した。「みっともないから、このままじゃ仕事できないと思ったんです」

「なるほど……で、君たちは今、病院に向かってるんだな」

「庄田がついて行きました。私は現場に残っています。杉本に話を聴こうと思って……」

「いや、一人で行かない方がいい。大竹を行かせるから、待機していてくれ」

電話を切って、陳の家で沖田と張っている大竹に新たな指示を与えた。大竹は文句も言わずに了承したが、西川はどんよりとした気分になった。沖田の判断──利香に杉本の住所を教えたことは、正しかったのだろうか。結果的に利香を傷つけることになった。ほんの少しタイミングが狂っていたら、今頃彼女は死んでいたかもしれない。大友を守るためとはいえ、もう少し上手い手はなかったのか……西川は立ち止まり、拳を固めて天を仰いだ。俺はいつも後悔している。後悔せずに現役生活を終える警察官など、一人もいない。

第九章

夕方、各地に散っていた追跡捜査係の刑事たちが本部に集まった。同時に多くのことが起こったので、事態を整理する必要があった。

沖田は、わざと遅れて部屋に入った。煙草《タバコ》を二本灰にしないと、どうにも気持ちが落ち着かなかったのである。現在、全《すべ》ての矢印が陳を指しているが、その動向に関する手がかりが一切ないのが痛い。西川が居場所につながりそうな情報を引っ張ってはきたが、一つ一つ潰《つぶ》していくのには時間がかかる。

部屋に入った途端、沖田はぴんと張りつめた空気に気づいた。管理官の峰岸がいる。沖田の椅子《いす》に座り、腕組みをしたまま睨《にら》みを利かせていた——巨体なのでさすがに迫力がある。沖田が近づいて行っても、椅子から立とうとはしない。ここで喧嘩《けんか》してもしょうがないと自分に言い聞かせ、沖田は仕切り板に背中を預けて立った。

鳩山が切り出す。

「現状、陳志幸の追跡に力点を置くことになった。峰岸管理官指揮の部隊が担当する」

おいおい——沖田は溜息《ためいき》をついてから首を横に振った。結局峰岸は、こっちが探してきた情報を持っていくつもりか。もちろんそれが、追跡捜査係の本来の仕事のやり方ではある。追いかけている事件で、何か手がかりを摑《つか》めば、本来の担当部署に渡すだけだ。

峰岸がゆっくりと立ち上がった。背広のボタンをとめながら、ぴんと背筋を伸ばす。柔らかいが芯《しん》のある声で話し出した。

「今回、追跡捜査係の諸君らの頑張りには敬意を表したい。仲間を思う気持ちは、捜査一課――いや、警視庁に共通だと思う。その気持ちを忘れずに、頑張ってくれた結果だと思う」

何言ってやがる、と沖田は白けた気分になった。偉そうな訓示をする立場になったつもりか。

「これまでの捜査結果から、陳という男の存在は看過《かんか》すべきではないと判断するに至った。今後しばらく、陳の捜索に全力を傾注する」

「というわけで、居場所の手がかりになりそうな材料は提供した」

西川が淡々とした口調で報告する。本気で怒ってるな、と沖田にはすぐに分かった。この男は、怒った時ほど冷静になるのだ。そして後で愚痴を聞かされるのは、だいたい沖田である。いい迷惑だ。

「結構だ。当面、捜査本部が中心になって陳の行方を追う。諸君らにもまた協力を依頼する可能性があるので、そういう心づもりでいてくれ」

「指揮下に入るんじゃないんですか」沖田はすかさずクレームを入れた。「こっちも一緒に捜査するもんだと思ってましたけどね」

「必要があれば、協力を依頼するということだ」淡々とした口調で峰岸が言った。「以上、今日のところは取り敢《あ》えずご苦労様。徹夜組もいるようだから、ゆっくり休んでくれ」

一礼して峰岸が去って行った。沖田は仕切り板の隙間《すきま》から彼の背中を見送ったが、見えなくなった瞬間に鳩山に詰め寄った。

「何なんですか、あのオッサンは。うちが集めた材料だけ取り上げて、後は自分の手柄にするつもりですか」

「まあまあ」

鳩山がいつもの台詞《せりふ》を吐いた。「まあまあ」——彼の口から、この言葉を何十回、あるいは何百回聞いただろう。鳩山は結局、自分たちを宥《なだ》めることで給料を貰《もら》っているのかもしれない。そう考えると哀れになり、沖田はそれ以上突っこむ気をなくしてしまった。

だが西川は収まらないようで、立ち上がると沖田に向かって顎《あご》をしゃくった。表に出ろ、か。何も俺に当らなくても、と思いながら、沖田は彼を追った。

廊下に出ると、西川が壁に背中を預けた。直立することにも難儀するほど疲れている様子である。

「へばってるか」

「当たり前じゃないか」沖田は脂ぎった顔を両手で擦《こす》った。「徹夜の後で、もう夕方だぞ。いつ倒れてもおかしくない」

「もう一仕事できるか」

「それはいいけど、今勝手に動いたら、峰岸さんが煩《うるさ》いぜ」

「彼が考えていないような仕事をすればいい。また新しい手がかりを探すんだよ」

「何か当てがあるのか」

「生田だよ、生田」

「はあ？　奴はまだ服役中だぞ」

「分かってる。横浜刑務所だったな」

「ああ」

「明日、会いに行こう」

「陳のことか……」沖田は顎を撫《な》でた。「そのことについては、当時、相当叩《たた》いたんだぜ？　今更何か言うとは思えない」

「手持ちの材料はゼロになったんだ。それなら、何でもやってみた方がいいじゃないか」

「分かった」沖田はうなずいた。西川にしては珍しく、積極的な提案である。それに沖田としても、このまま峰岸のやることを指をくわえて見ているわけにはいかない。

「とにかく、打ち合わせしよう。新井利香のこととか、こちらで面倒を見なくちゃいけない問題もある」

「それ、うちの話なのか」

「お前が住所を教えたから、変な話になったんだぞ」

「ああ……まあな」沖田は目を瞬《しばた》かせながら、うなずいた。あれは大友を厄介事から救うために仕方なくやったことだが、結果的に一人の女性を傷つけてしまったのは事実である。今後のフォローを考えると、頭が痛い。

部屋へ戻ると、沖田はまず、庄田に説明を求めた。

「新井利香の容態はどうなんだ」

「命に別状はありません」

庄田の様子を見た限り、とてもそうは思えなかったが……ワイシャツの襟や胸元に飛び散った血が生々しい。

「本当かね。かなりの出血だったんじゃないか」

「搬送が早かったから大丈夫です」庄田が自分を納得させるように言った。

「その後、どんな様子だ」一番聞きたいことである。

「落ち着きました」庄田があっさり言った。

「もう？　自殺騒ぎを起こしたんだぜ。そう簡単に落ち着くわけがないじゃないか」沖田は目を見開いた。利香が自殺を企てたと聞いた時には、自分の責任を感じると同時に、「さもありなん」と思ったものだが……彼女のようなタイプは、最終的に誰かを破滅させる。その「誰か」が自分であってもおかしくはない。

「何か、一気に吹っ切れたみたいでした。『もう、あんな人はどうでもいい』って言ってました。憑《つ》き物が落ちたっていうのは、ああいうことですかね」

「男と女のことは、そんなに簡単じゃないんだぜ」沖田が非難すると、庄田の耳が赤くなる。「あれだけ執着して探していたのが、一回会っただけで気持ちの整理がつくわけがないだろうが」

「でも、別人みたいになってましたよ」

「見る目がないね、お前は」

「沖田さん、それは偏見です」珍しくさやかが庄田のサポートに回った。「杉本も、同じように言ってます」

「二人は何を話したんだ？」

「ろくに話してないはずです——新井利香が一方的にまくしたてたようですけど、杉本の話だと、ああいう風になった後は、いつも冷静になるそうです」

「ああいう風って？」

「自殺未遂、です」さやかが声をひそめる。「昔から自傷癖があったみたいですね。自分の体を傷つけることで、気持ちを落ち着ける……いいことじゃないですけど。以前にも同じようなことがあったそうです」

「でも、落ち着いたらまた、執念深い性格が出てくるんじゃないか」沖田はまだ心配だった。

「それは分かりませんけど、しばらくは大丈夫だろうっていう話です」

「まさか杉本は、新井利香から逃げるために姿を隠したんじゃないだろうな」騙《だま》した女の一人に過ぎないと思っていたはずが、ストーカーまがいになってしまったら……杉本にしても、新たな人生をやり直すためのマイナス要因になるはずだ。

「本人に言わせれば、そういうことらしいですよ」さやかが皮肉に唇を歪《ゆが》めながら言った。

「認識の相違ってことでしょうね」

「これで大友の安全は確保できたのかね」沖田は顎を撫でながら言った。

「どうでしょうね」さやかが膝《ひざ》のところに置いた自分の手を見下ろしながら言った。「それこそ男と女のことだから、何とも言えないでしょう」

「まあ、そうだな」いったい誰がフォローすればいいのか。利香は地雷のようなものであり、思わぬ時に踏んで吹き飛ばされる──自分も気をつけなければ、と沖田は心に留めた。基本的にこれは民事の問題になるのだが、人の生き死に──刑事事件になる可能性もある。そもそも今回の自殺未遂騒動も、自分の責任ではないか。落ち着いたら一度面会して、じっくり話を聴いてみないと。

西川が、生田に面会する計画を説明した。誰も期待していない様子で、西川が話し終えても反応がない。まあそうだろうな、と沖田も思った。何か新しい情報が出てくるとは思えない。

「じゃあ、今日は解散しよう」鳩山がしんどそうに言った。「徹夜組は、今夜はゆっくり休んでくれ」

成果も出せずにしんどいもクソもない……と思ったが、沖田は言葉を呑《の》みこんだ。最近はさすがに、思ったままを口に出すようなことはしなくなっている。

「庄田、新井利香は今どうしてるんだ？」

「念のため、今日は病院に泊まるそうです。明日、様子を見て退院という運びになるようですけど、病院にいれば、まずは安心じゃないですか」

そういう意味じゃないんだよ、と心の中で毒づく。病院にいたら、事情聴取——話ができないじゃないか。この問題は、先送りにすればするほど面倒になりそうな気がする。かといって、どうすれば彼女の気持ちをリセットできるか、想像もできなかったが。

「じゃあ、解散、解散」西川は利香のことを気にする様子もなく、荷物をまとめ始めた。

「明日、どうする」

「現地集合」

「横浜刑務所、どこだっけ」

「京急の上大岡駅か、ブルーラインの港南中央駅が近い」いつの間に調べていたのか、西川がさらさらと言った。

「じゃあ、そこに八時半。面会の受付開始時刻だ」

「了解」西川が欠伸《あくび》を嚙《か》み殺しながら、さっさと立ち上がった。「じゃあな」

何となく不完全燃焼だった。疲れてはいるが、まだ仕事がし足りない。今日はもっと何かできたのではないか、捜査を先へ進めることができたのではないかという、悔いに近い気持ちが燻《くすぶ》っている。

他に会うべき人間はいないか。大友の息子は無事だろうか。警備に不備はないか……考え出すと、気になる問題が次々と溢《あふ》れ出す。それらに加えて、最近響子と会っていないのでもやもやしている。二人の間の信頼関係に揺らぎはないと思っているが、会わない時間が、男と女の関係に悪い影響を与えるのは間違いない——利香と杉本のように。

まあ……今日はちょっと自分を甘やかしてもいいだろうな。気楽な一人暮らしの楽しみ——ただ腹を膨らませるためだけの食事とビール、それに熱い風呂《ふろ》。今夜は、その他には何もいらない気がしていた。

そんな夜もある。


刑事の仕事は、朝早く始まることが多い。世間的には、夜遅くまで働いているイメージが強いようだが、実際はそれに加えて朝も早いのだ。

さすがに昨夜は早々にダウンしたが、沖田は今朝も六時に飛び起きた。眠い目を擦りながら電車を乗り継ぎ、途中で立ち食い蕎麦《そば》の朝食も終えて、刑務所に到着したのは八時二十分。西川はまだ来ていなかった。あいつの家の方が近いのに、と一人文句をつぶやきながら、沖田は今朝二本目の煙草に火を点《つ》けた。

西川は八時半ちょうどに到着した。沖田は既に煙草を二本灰にしていて、少しだけ苛立《いらだ》ちを感じていた。

「やあ」

「やあ、じゃないよ。遅刻だ」

「約束の時間ジャストじゃないか」西川が迷惑そうな表情を浮かべ、左腕を持ち上げた。わざとらしく時計を覗《のぞ》きこみ、問題ない、と言いたげにうなずく。

「まあ、いいや……とにかく行こうぜ」

「ああ」

数年ぶりに会った生田の変わりように、沖田は一瞬我が目を疑った。生田といえば、無駄に筋トレで膨らませた体にスキンヘッドという悪目立ちするスタイルだったのだが、まず体が萎《しぼ》んでいるのに驚く。服役中はトレーニングなどろくにできないのだから、これは当然だ。それにしても、数年でこれだけ体型が変わるものか……もしかしたら、あの体はステロイドによって作られたものかもしれない。中途半端に伸びた髪にも違和感があった。

「久しぶりだな」沖田は、自分が主導権を取って始めることにした。

「どうも」生田がぺこりと頭を下げた。昔から、見た目は凶暴でも気は弱い男である。探るように切り出してきた。「何か……ありました？」

「特にないよ。あんたと雑談をしようと思っただけだ。もしかしたら、俺たちが困っている問題で、いいアイディアを出してくれるんじゃないかと思ってね」本当は、刑務所での暮らしぶりでも話題に乗せて、リラックスさせるべきなのだが、生田はこれが初めての服役ではない。慣れたものだろうと考え、沖田はいきなり本題に切りこんだ。

「いや、アイディアって……」生田の表情が曇った。「こっちは刑務所の中ですよ。世間からは隔絶されてるんですから」

「ああ、刑務所の情報が欲しいわけじゃない」沖田はひらひらと手を振った。「あんたが昔つるんでた、陳っていう男がいただろう」

「ええ」警戒するように生田が目を細める。

「結局奴は、手配できなかったんだけど、どこにいるか、知らないか」

「いや、まさか」生田が苦笑した。「俺、ずっと刑務所なんですよ。外の情報なんか、知るわけないでしょう」

「刑務所に入る前の話だよ。その頃もずいぶん聴かれたと思うけど、陳の居場所に思い当たる節はないのか？」

「いや……あの頃も話しましたけど、基本は携帯だけでつながってたんで」

「住所も知らないのか」

「基本、そんな感じです」

「あのな、今さら隠しても何にもならないぞ。お前は服役中なんだから、何か喋《しゃべ》ってもマイナスにはならないだろう」

「いや、そんなことは」

生田がうつむく。刑務所内のネットワークはどの程度緊密なのだろう、と沖田は訝《いぶか》った。例えば、今日二人の刑事が訪ねて来た情報は、刑務所内部に流れるのだろうか。そうだとすると、刑務官が情報を提供していることになってしまうのだが……そんなことはないはずだと信じたかったが、刑務所のような極限状況では、何が起きてもおかしくない。

「なあ、もう少しちゃんと思い出してくれないかね」沖田は身を乗り出した。生田の顔が歪んで見える。「陳のことで、話してないことがあるだろう？　そもそもあいつ、どんな人間だったんだ」

「どんなと言われても……」生田が首を捻《ひね》る。「ただの兵隊だし」

兵隊という言葉を、沖田は重く受け止めた。替えの利く人間……倒れても死んでも、スペアはいくらでもいる。

「お前の印象ではどうなんだよ」

「まあ、ちょっと……危ない奴かな」

「どんな風に」

「刃物みたいな奴。目つきが悪かった。切れると何するか分からないタイプですよ」

「だったら、相当扱いにくかったんじゃないか」

「でも、仕事はちゃんとやってましたからね」

何が仕事だ、と沖田は白けた気分になった。ああいうのは「仕事」とは言わない。あくまで「犯罪」だ。背筋を伸ばして生田との距離を広げ、一呼吸置く。これは本当に、役立つ情報は持っていないようだ。単に、宝飾店を襲うために集められた人間。プライベートな話をしなかったのは、互いに警戒していたせいもあるだろう。一人が捕まっても、仲間のことを知らなければ警察に話しようがない。

「お前、本当に何かないのかよ」沖田はつい感情的になって、声を荒らげた。依然として、目の前の生田が惚《とぼ》けているのでは、という疑いは消えない。今さら失う物など何もないはずなのに……それとも、あるのか？　生田自身が、陳に弱みを握られているとか——例えば家族のことなどで。

その疑問をぶつけてみたが、生田は肩をすくめるだけだった。

「あ」

突然西川が声を上げた。沖田はびくりとして横を向き、彼の顔を凝視する。何かに気づいた様子だったが、まだはっきりした情報にはならないようで、眉間《みけん》に皺《しわ》を寄せたまま、顎に手を当てている。

「何だよ」

「いや……」

単なる思いつきだったのか？　沖田がもう一度生田に向き直ろうとした瞬間、西川がもう一度「あ」と声を出す。

「何なんだよ。何か思い出したのか」

答えず、西川が身を乗り出す。生田は明らかに警戒している様子で、表情が硬い。どうもこの男は、情に訴える沖田よりも、理詰めで攻めてくる西川の方が苦手な様子である。

「あんたのボス……劉《りゅう》のことだけどな」

西川の言葉に、生田は反応しなかった——だが、不自然に顔が強張《こわば》り、肩がすっと上がったのを沖田は見逃さなかった。明らかに、触れて欲しくない話題だったのだ。劉は前回の強盗事件の時に、「首謀者」とされた人間である。ただし生田も、彼に関する情報はほとんど知らなかった——少なくとも知らない振りをしていた。

西川は手を抜かなかった。生田の反応に気づいたのか気づいていないのか、一気にまくし立てる。

「あの男はどうした？　お前は結局、パクられた後も、劉については『何も知らない』で押し通したよな。あれは本当だったのか？　劉が怖くて口をつぐんだんじゃないのか」

「あの……」

生田が恐る恐る口を開く。間の抜けた口調で、西川に話しかけた。

「あの、それ、何かの冗談ですか？」

「冗談言ってる暇はないんだけどな、こっちは」苛立った口調で西川が答えた。「俺は何となく分かってるんだけど、お前の口から聴かせてくれないか」

生田が引いた。明らかに何か疑っている。警戒するように目を細め、腕組みをした。以前鍛えた名残ということか、二の腕の筋肉が盛り上がるのが、服を着たままでも分かった。

西川はそれを気にする様子もなく、さらに突っこむ。

「こういう時は、協力するのが普通じゃないのかな。黙ってたことが、お前の今後に不利になるかもしれない。非協力的な態度を取ったことになったら、満期までお勤めするかもしれないぜ。懲役八年……まだ今後、大変じゃないか」

「おい、何なんだよ」沖田は小声で言って、西川の肘《ひじ》を小突いた。明らかに生田と西川の間には、共通の意識がある。自分だけが置き去りにされたようだった。西川がちらりと横を向き、沖田に冷たい視線を送ってきた。たまに見せる、「何でこんなことも分からないんだ」と言いたげな、冷ややかな表情。苛つくのだが、本当は同時に何か見落としているのでは、と心配にもなる。

西川が、生田と正面から向き合った。眼鏡の奥から射るような視線を投げかけ、衝撃的な一言を口にする。

「もしかしたらあんたのボス、劉は、もう逮捕されてるんじゃないのか」

「クソ、何なんだよ！」沖田は思わず街灯を蹴飛《けと》ばした。爪先《つまさき》から鋭い痛みが脳天まで突き抜けたが、それでも怒りは収まらない。

事実関係は明白だ。

刑務所内でもニュースはチェックできるので、生田は自分のボスだった「劉」という中国人が逮捕されたのを知っていた——結局生田は、劉の正体を知っていて明かさなかったことになる。こいつの責任は必ずまた追及してやる、と沖田は決めた。

「劉」は、沖田たちの極めて近くにいた。大友が捜査で重要な役割を果たした「新エネルギー研究開発事件」の首謀者の一人。「一人」というのは、あの事件では複数の筋があったからだ。言ってみれば、新しいエネルギー技術を巡る、中国とロシアの静かな戦争のようなものである。もちろん、もう片方の当事者であるロシア人グループも摘発されていた。

確かに驚きの事実だ。いや、驚くほどのことはないか……要するに劉は、生粋の犯罪者なのだろう。外国人というと、すぐに犯罪に走るようなイメージがあるのだが、それは偏見に過ぎない。多くの外国人は、日本で真っ当に仕事をして金を稼いでいる。その後、その国と日本の架け橋になっている人も少なくないし、日本に永住する道を選ぶ人もいる。むしろ、劉のような少数のプロの犯罪者が、数多くの事件にかかわっていると言うべきだろう。この構図は日本と同じだ。要するに、どんな社会にも一定の割合で悪は存在する。

西川は顎に手を当てたまま、ぶつぶつ言いながら歩き始めている。沖田は煙草に火を点け、何とか頭を冷やそうと意識しながら、慌てて西川の後を追った。考え事をしている時は、歩くのが遅くなりがちだが、西川は逆に速くなる。刑務所の北側を迂回《うかい》して港南中央駅へ向かうのかと思ったら、そのまま真《ま》っ直《す》ぐ歩き続けた。港南中央の交差点で信号待ちになったところで追いつき、「地下鉄の方が早いぜ」と声をかける。西川がゆっくり顔を上げ、「時間が欲しいんだ」と答えた。

「何の時間」

「考える時間に決まってる」乱暴に眼鏡を取り、沖田を睨む。

「だったら何も、歩きながらでなくてもいいじゃないか。どこかでコーヒーでも飲もうぜ」沖田としては、公園でも十分だった。狙《ねら》いは西川のショルダーバッグ。あの中には、西川が自宅で詰めてきたコーヒーが入っている。その美味《うま》さは沖田も認めざるを得ないのだが、西川は自家製コーヒーに関しては、妙にケチで、簡単には人に飲ませない。

「とにかく駅まで出よう。それまでに考えをまとめる」西川は譲らなかった。

「俺が何も考えてないみたいじゃないか。こういうのは、二人でアイディアを出し合って考えるのが効率的なんだぜ」

「それは相手による」

「おい──」

信号が変わって、西川はさっさと歩き出してしまった。しばしば西川は、自分の殻に閉じこもる。むっとする瞬間だが、本気を出している証拠でもあった。

上大岡駅へ向かう県道二十一号線は、広々とした真っ直ぐな道路だった。空が高い。よく晴れ上がった冬の午前中ともなれば尚更《なおさら》だ。背の高いビルが二棟、駅の方向に見えている。一つはタワーマンションのようだが……最近どこの駅前でも、こういう高層マンションを見かけるようになった。高所恐怖症の沖田には縁のない世界だが。

駅に近づいて行くと、県道沿いに賑《にぎ》やかな商店街が姿を現す。自分好みの商店街だな、と思いながらちらちらと周囲を見渡すと、すぐに喫茶店に気づいた。雑居ビルの前に看板が出ている。地階だった。今時珍しいサンプルケースも……ナポリタンが美味そうだった。

西川は既に店の前を通り過ぎていたので、声をかける。

「あったぞ」

振り向いた西川が、ぎこちなく体の向きを変えて戻って来た。沖田に向かってうなずきかけると、勝手に階段を下りて地階の店に向かった。

何となく予感がしていたのだが、いかにも沖田好みの店だった。気取った気配がまったくない、昭和の雰囲気が色濃い喫茶店。グリーンの椅子の背もたれはクッションがよく効いており、長居するにもよさそうだ。喫煙可、というところでまた点数が上がる。

沖田は素早く煙草に火を点けた。西川は完全にそれを無視して手帳を広げ、細かい字で何か書きつけ始めた。それから携帯を取り出し、メールを打ち始める。普段、沖田が煙草を吸い始めると嫌そうな顔をするのだが、今日はまったく気にならない様子だった。メールを送信し終え、西川が携帯をテーブルに置いた。

「お前、朝飯は食ったのか」唐突に質問する。

「食べたよ」

「じゃあ、コーヒーで……」

「もう頼んだ」

「いつの間に？」西川が目を見開く。

この男は、集中すると周りの状況が見えなくなる。沖田は苦笑して、煙草を灰皿に押しつけた。一息ついて、一番聞きたい質問をぶつける。

「劉の件、どう考える」

「陳と劉の件、だ」西川が訂正した。「俺は、あの二人は今でもつながっていると思う。例の青山の事件から、新エネルギー研究開発を巡る一件まで、全部」

「今回、陳の名前は出てないぞ」

「鉄砲玉かもしれない」

「ちょっと待てよ」沖田は即座に否定した。「鉄砲玉っていうのは、ちょっと意味が激《はげ》し過ぎないか」

「……もしも大友を撃ったとしたら、間違いなく鉄砲玉だろうが」西川が声を潜めて言った。

「でも、青山の一件とこの一件では、事件のレベルが違い過ぎる。青山の方は、強盗事件と言っても、たまたま警備員を怪我《けが》させただけだからな。俺の感覚では、あれはあくまで『窃盗』だ」

「その辺は陳を捕まえて聴いてみないと分からないが……」西川が不安そうに唇を舐めた。

「俺は、嫌な想像をしたんだ」

「というと？」

「陳には、命令が下されたんだと思う。それが——」

「大友を始末しろ、か。だけど、どうしてだ？」

「劉にとって、大友が危険人物になったとか」

沖田は二本目の煙草に火を点け、その可能性を吟味した。大友は優秀だ。一種の「人たらし」タイプであり、その能力は特に取り調べで発揮される。もう一つの特徴が、「無意識過剰」だ。何というか……自分がやっていることをまるで意識していない。例えば、大友はもてる。あれだけのイケメンだから当然と言えば当然なのだが、本人はそれをまったく自覚していない。それは仕事の面でもよく見受けられる。肝心なことは外さないが、大きな穴を意外と簡単に見逃していることもあるのだ。特に、自分に関係のある問題が見えなくなっていたりする。

今回も、そういう可能性がないとは言えない。知らないうちに相手の急所に突っこんでしまい、しかもまったく気づいていないとしたら……劉にとって、大友は一方的な危険人物になっていたのではないだろうか。

「テツは鈍いところがあるからな。自分では、どれだけ危ない立場にあるか、分かってなかったんじゃないか」

「自分でも知らないうちに、危険なところに足を突っこんでいたかもしれない」

「だけど、変だぜ」沖田は口から煙草を引き抜いた。「劉は逮捕されている。それなのに、どうしてまだテツが狙われるんだ」

「考えられるのは、一度出された抹殺指令がまだ生きている、ということだ」

「劉は拘置されていて、指令の取り消しができないとか？　おいおい、漫画じゃないんだぜ」沖田は笑いながら煙草を吸ったが、あながちあり得ない話ではない、と思い直した。「大友鉄という刑事の動向を調べ、始末しろ」。その指令が絶対の物だとしたら、どうなるだろう。例えば陳が、劉に対して盲目的な忠誠心を抱いていたとしたら——劉が逮捕されたことは、大友を狙うさらに強い動機になるかもしれない。それまでは大友の捜査を妨害するためだったのが、復讐《ふくしゅう》に変わる。

「だったら話は簡単じゃないか」沖田は努めて楽天的な気分になろうとした。「劉に電話を渡して、陳に命令させればいい。それで大友は安全だ」

「だけどそれじゃ、陳は捕まらない」西川が反論した。

「それについては、劉を揺さぶって吐かせればいいんじゃないか。さすがに奴は、陳の居場所を知ってるだろう」

「そう上手《うま》くいくといいんだが」西川が口をつぐむ。コーヒーが運ばれてきたのだ。

二人はしばらく黙ってコーヒーを啜《すす》った。苦味と渋みの勝ったコーヒーだったが、その方が目が覚める。沖田は、煙草の煙が染みた目を両手で擦り、意識をはっきりさせようとした。陳を止めることはできるかもしれない。だが、それで満足して終わりにしてはいけないのだ。人を銃で撃っておいても逃げ切れるとなったら、世の中殺し屋だらけになってしまう。

「捕まえるぞ」

「分かってる」西川は静かに言った。コーヒーを一啜りし、ゆっくりと顔を上げる。「まず、劉に会わないと」

「強盗の件でも訴追《そつい》できるかね」

「それは分からない」自信なげに西川が首を横に振った。「ただ、今はそのことは考えなくていいんじゃないか」

「奴は今、どういう状態なんだっけ」

「まだ留置場にいるはずだ」

「だったら調べやすいな」沖田は顎を撫でた。煙草を揉《も》み消しながら、また峰岸の顔を思い浮かべる。「だけど、峰岸さんに妨害されるかもしれないぜ」

「面倒臭い。何も言わないでやろう」

沖田は目を細めた。峰岸のやり口に対して西川が快く思っていないのは分かるが、普段は積極的にルールをはみ出そうとする人間ではない。

「どうせすぐにばれるぞ」西川が無茶をすれば、沖田は自然に引きにかかる——その逆のパターンが圧倒的に多いのだが。

「ばれたらその時はその時だ。とにかく劉に話を聴いて、吐かせよう。その後で、陳を説得させる方法を考えないと」

「本当に、陳が劉の鉄砲玉だったら、な。そこはまだ、確証が取れないところだぜ。いきなり劉に話を持っていっても、認めるとは思えない」

「もう一押し、何か材料が必要か……」西川が天井を仰ぐ。その時、彼の携帯にメールの着信があった。慌てて飛びつき、内容を確認する。

「どうした」

「いや……劉がどこにいるか、確認していたんだ。やっぱりまだ留置場だな」西川が携帯をテーブルに置いた。

「どうする。他に材料を探すにしても、今のところは手がないんだよな」

「今、考えてる」西川が眼鏡を外してテーブルに置き、腕組みをした。目を閉じ、口を引き結んで、沈思黙考の姿勢に入る。

沖田は三本目の煙草に火を点けた。煙が漂い出したが、西川は気にする様子もない。それだけ集中しているということか……。

今のところ推測できているのは、劉が、青山の事件の影の首謀者とされる「劉さん」らしいということだけである。生田の証言だけが頼りだが、これは嘘《うそ》ではないはずだ。生田にすれば、積極的に情報提供することはなくとも、聴かれて嘘をつく理由もない。むしろ、こちらが強烈に揺さぶったことで、将来を考えて正直に話したはずである。だったら、この件に関する劉の容疑を詰めて、こちらに引っ張ってくるか……いや、それも追跡捜査係の仕事ではない。どうあっても、極秘に話を進めるのは無理だ。

今一番大事なのは、陳の身柄を確保することだ。そうすれば今後大友の身に危険が及ぶことはなくなるし、陳の責任も追及できる。そのためには劉を利用するのが一番だ――結局、結論はそこへ戻ってくる。

「正面から行くか」西川が静かな口調で言った。

「それしかないな」

「結果的に、誰が劉を落としてもいいじゃないか。まず、話を聴いてみる。そして陳を説得するように話を持っていく」

「俺らがやれればベストだが、峰岸さんに持っていかれても、よしとするか」沖田は膝を叩いた。納得したわけではないが、今は面子《メンツ》よりも大事な問題がある。

「まず、所轄に行くけどな」西川が財布を取り出し、伝票の横に百円玉を五枚、積み重ねた。「ばれないうちは、勝手にやろう」

「案外ワルだよな、お前」沖田は五百円を自分の財布にしまい、代わりに千円札を出した。

「お互い様だ。だけどこれは、手柄がどうこういう問題じゃないからな」

「分かってるよ。自分が手がけた事件は、最後まで面倒みたいだけだろう」

「というより、大友のためだ」

こいつ、こんな臭い台詞を吐くタイプだったかね……沖田は西川の目を正面から見た。極めて真面目《まじめ》な表情──友を思う気持ちに変わりはない、ということか。

劉は台場署に留置されていた。刑事課と留置管理課に事情を話し、面会を了承される。既に三度逮捕されており、特捜本部の取り調べも、当初ほどはきつくなくなっているようだった──というより、打つ手がなくなっていると言うべきか。

沖田は、特捜本部を仕切っている係長の永橋《ながはし》を廊下に連れ出し、密《ひそ》かに相談した。

「この件、本当は峰岸管理官の指揮下にあるんですが……」

「追跡捜査係お得意の暴走か」永橋が皮肉っぽく言った。

「いやいや、通常の業務内の話でして……」沖田は苦笑した。永橋は、捜査一課の係長の中でも特に常識人で通っているから、逸脱行為を嫌う。「ここで何か分かれば、峰岸管理官に引き渡すつもりですから」

「で、お前たちがここにいるのを、峰岸さんは知ってるのか」

「まだ話してません」

「大丈夫なのか?」永橋が眉《まゆ》をひそめる。「峰岸さんは縄張り意識が強い人だぞ。怒らせると面倒だ」

「分かってます。ただ、追跡捜査係は、端緒《たんしょ》を摑むために独自の捜査をしていいことになってますからね。何か分かったら担当に引き渡す、という原則は変えません」今回の件では、その原則も揺らいでいるが。誰もが勝手に綱を引き合っている。

「それならいいが、俺のところに厄介事を持ちこまないでくれよ」

「それは大丈夫でしょう」

本当に大丈夫かどうかは分からないが、今はそう言わざるを得なかった。真面目な永橋を心配させることもない。この件が立件されれば、永橋のところでも一つ仕事が増えるのだが、永橋はそういうことでは文句は言わないだろう。いろいろな事情が複雑に絡んだこの事件は、簡単には終結しないのだ。特捜本部の解散は、まだまだ先になるはずである。

「ま、正当な業務なら、こっちには止める権利はないからな」

「すみませんねえ。できるだけ手短に済ませますんで」沖田は下手に出て素直に頭を下げた。こういう常識人は、味方につけておくに限る。

西川と合流して、台場署の取調室を借りた。警視庁の中ではまだ新しい署なので、取調室も清潔で、特有の臭《にお》い——汗や涙の臭いはまだ染みついていない。煙草の臭いもなし。最近の風潮を反映して、作られた時から禁煙だったのだろう。昔の取調室は、逮捕された犯人が煙草を吸える貴重な場所だったのだが。

　さて、劉はどういう男なのか。沖田は永橋から事前に情報を収集せず、クリーンな状態で面会に挑んだ。大物犯罪者であるのは間違いないのだが、こういう取り調べに当たっては、先入観はない方がいい。

　劉光祖《こうそ》は、中肉中背の男だった。五十八歳。白いワイシャツにグレーのズボンという格好で、少しだけくたびれて見えた。それはそうだろう。勾留《こうりゅう》生活が一か月以上も続けば、どんなに精神的に強い人間でも疲弊してくる。そのせいもあってか、「大物犯罪者」には見えなかった。どちらかと言えば、誠実そうなタイプである。日中を股《また》にかけて稼ぐビジネスマンだが、絶対に冒険はしない、という感じ……ローリスク・ローリターンなどという言葉が脳裏に浮かぶ。

　沖田は気持ちを引き締めていた。永橋いわく、「たぬき」。中国人に対してこういう表現が当てはまるかどうかは分からないが、取り調べではのらりくらりが多かったという。そしてあらゆる容疑に対して、今も否認を続けている。

　この事件は複雑で、傍目で見ていただけの沖田は、未《いま》だに全容が把握できていない。極めて簡単に要約すれば、日本の会社が開発したメタンハイドレートの採掘技術を、中国側とロシア側が取り合った、という事件である。その途中に無理な恐喝事件が発生し、死ななくていい人間が一人死んだ。

劉は、採掘技術の研究者にアプローチして、技術を売り渡すよう求めていたことは認めたが、それ以外については否認を続けている。そして研究者と接触していたことに関しても、「ビジネスの範囲内だ」と犯意は否定し続けている。実際この件については、「輸出不可」の情報ではないので、広く解釈すれば商談と認めることもできる。検察側も苦心して、最初の逮捕に関しては、情報を狙うロシア人対策で窃盗事件を画策したとして「窃盗」、二度目の逮捕では自分を脅迫した人間を殺させたとして「殺人教唆」を適用し、さらに自分の部下を不法滞在させていたとして三度目の逮捕を強行していた。しかしいずれの逮捕でも証拠が固まらず、最初と二番目の容疑に関しては処分保留になっている。三度目の逮捕だけは立件できそうだったが、これで実刑を下すのは難しいだろう。実行犯はそれぞれ自分の犯行を認めているので、殺人事件での立件もできそうだったが、「劉に指示された」という証言はない。よほどの恐怖政治を行っていたのか。

劉本人は、長く身柄を拘束されていても、疲れている以外は特にダメージを受けていない様子だという。いずれは釈放されると踏んでいる節もあるようだ。沖田も、かなり無理がある捜査だという印象を受けている。言ってみれば産業スパイ事件なのだが、日本ではこの手の事件を裁くための法律が未整備なのだ。だからこそ、しばしば重大な情報が海外へ流出してしまう。

「今日は、全然別件で話を聴きたいと思いましてね」沖田は切り出した。どうやって攻めるか、特に計画は立てていない。行き当たりばったりだが、相手の様子を見ながら徐々に組み立てていくことにしていた。沖田にすれば、いつものやり方である。

「別件という言葉は何度も聞きましたよ。日本の警察は別件が好きなんですね」劉が皮肉をぶつけてきた。

「使える物は何でも使うんで」沖田も皮肉で応じた。「これも、法律的にはまったく問題がないやり方ですから」

「そうですか」

「劉さん、あんた、何でそんなに余裕があるんですか？」

何を言われたのか分からない様子で、劉が目を見開いた。「たぬき」か……惚けている感じではないと判断し、沖田は質問を続ける。

「いや、逮捕されてもう一か月以上が経《た》つでしょう？　普通はもっと、疲れてるもんですよ。それに、これからの裁判のことを考えれば、不安になるのが当然だ。あなたは、まったく平然としてますね」

「あー、裁判はいい機会でしょう」

「どういうことです？」

「警察と検察には、それぞれの役目があるでしょう。裁判所はまた別です。公正に判断を下してくれると信じていますから。言いたいことは裁判で言います」

沖田は一瞬たじろいだ。日本では、裁判における有罪率が高い。一つには、捜査陣の優秀さのためだと自負しているが、もう一つの理由は、負けそうな事件は起訴まで持ちこまないという弱腰の事情がある。しかしこの件に関してはどうだろう。事件そのものがショッキングだっただけに、検察もかなり無理したのでは、と想像できた。あれだけ大きな事件で、首謀者とみなされる人間を起訴できなければ、世間の批判も集まる。見えない「世論」は、現代の警察や検察にとっても大きな敵だ。本当は気にする必要はないし、「世論」の批判を受けても捜査に関して何が変わるわけでもないが、上層部はそうは考えないようだ。彼らはいつでも、評判を気にする。これまではマスコミだけを気にしていればよかったのが、最近はネットでの評判にも注意しなければならなくなった。

「つまり、裁判では全面否認して戦う、ということですか」

「私にかけられた容疑は、全て一方的なものです。到底容認できません。疑いを晴らすためには、裁判が一番適当ではありませんか」

「取り調べだって――」

「あー、警察は、やったという前提で調べますね」

劉が、沖田の言葉を遮った。声を荒らげるでもなく、トーンは一切変わらなかったが、それでも妙に迫力ある感じだった。沖田はそこに、この男の本性を感じ取った。基本的には、絶対に「普通の人間」ではない。人を脅し、屈服させることに慣れている。

劉が静かに体を前に倒す。ほんの数センチほどだが、沖田は圧倒されるような感覚を抱いた。圧迫感。何も言わずとも、相手に恐怖を植えつけるタイプの人間だ。沖田は一つ咳《せき》払《ばら》いをし、気合いを入れ直した。

「大友鉄について、どう思いますか」

「あー、大友さん」劉の顔が綻《ほころ》んだ。「彼は、いい男ですね。日本風に言えば、イケメンというやつですか」

「ずいぶん日本語を詳しくご存じだ」

「私も、日本は長いですから。日本語の勉強を始めた頃が懐かしいですよ。日本語は、本当によく変わりますね。流行語の歴史を調べたら、面白いでしょう」

つい顔が綻びそうになる。自分ではそんなことを意識してもいなかったが、彼の言う通りだ。二十年前の話し方など、今では古臭いだけだ。日本語を母国語にしない人ほど、そういう感覚は強いのかもしれない——危険だ、と自分に警告する。この男も、ある意味大友と同じタイプかもしれない。天性の人たらし。ほんの短い会話でも、相手を自分のペースに引きずりこんでしまう。

「大友について、どう思いました」

「いい男ですね」

「それはもう聴きましたが——」

「あー、顔もそうですが、気持ちのいい男、という意味です。非常に魅力的な方ですね」

「そう言う割には、あいつの取り調べに対して非協力的だったようですが」

「自分のことですから」劉がうなずく。「関係ないことで責められても困ります。自分の身は自分で守らなければいけないでしょう」

「あいつを憎んでいますか?」

「憎む? どうして」劉が目を見開く。「あなたたちも仕事でやっているんでしょう。一々個人を憎んでいたら、大変なことになりますよ」

「それはそうだけど、あいつの踏ん張りであなたは逮捕されたんですよ」

「それも、大友さんの仕事ではないですか」

何なんだ、この落ち着いた態度は……沖田は次第に、冷静さが薄れていくのを意識した。

「のらりくらり」と永橋は言ったが、確かにそういうところがある。馬鹿丁寧に話していて、悪意はまったく伝わってこないが、常に上から見下ろされている感じがした——お前たち小物は相手にならない、とでも言うような。

「大友が撃たれたことは聞きましたか」

「ええ」劉の表情に陰が射《さ》した。心底心配している様子である。「怪我の具合はどうなんですか」

「ようやく意識を取り戻しましたよ」

「あー、そうですか」劉が溜息をつく。

演技ではないか? 沖田はこの男の顔色から本音を読み取ろうとしたが、頭の中に入ってくるイメージは、あくまで知り合いの身の上を案じる男のそれだった。とんでもない演技力の持ち主か、心底大友を心配しているか、どちらかだ。

「あー、私に分かる訳がないですよ」劉が首を振った。「私はしばらく、大友さんには会っていません。話を聞いて、びっくりしました」

「その理由を、あなたに教えて欲しいと思ってるんですがねえ」

「何故《なぜ》私にそれを聴くんですか」劉が心配そうに言った。

「誰があんなことをしたんですかね」

「作戦が上手くいったから？」

「何の話ですか」劉が眉根を寄せる。

「あなた、大友を殺そうとしたんじゃないですか」

劉が薄く口を開ける。しばらくそのままで固まっていたが、やがて低い笑いを零《こぼ》し始めた。喉《のど》の奥というより、腹の底が震えるような笑い。馬鹿にしているのかと沖田は一瞬憤《いきどお》ったが、ほどなく居心地が悪くなってくる。証拠が何もない状態で突っこんでしまったことを強く意識した。この男は自分たちを馬鹿にしている――いや、呆《あき》れている。

「そんなことはありませんよ」軽い調子で否定してきた。

「そうですか？　あなたは、大友に追い詰められた。あいつさえいなければ、自分が逮捕されることはないと思ったんじゃないですか」

「私は逮捕されましたよ」劉が両手を前に突き出した。「しっかり手錠もかけられて。あれは、あまり気持ちのいいものではありませんね」

「そのことで、大友を――」

「あー、これは彼の仕事でしょう?」劉がまた、沖田の言葉を遮った。「仕事なら仕方ないじゃありませんか」

「そんなに簡単に割り切れるんですか」

「割り切るとかそういうことではなくて、私には理解できているんです」

「恨みを晴らすために、大友を殺すよう、誰かに指示したのでは?」

「誰に?」

「陳」言葉を切り、沖田は劉の顔を凝視した。「陳志幸、です。あなたの昔からの知り合いじゃないんですか」

「中国の人間ですか?」

「惚けないで欲しいな」沖田はついに声を荒らげた。「あんたが、青山の宝石店――『ジュエリー・コガ』を襲うように指示した時、あんたの下で働いていた」

「何のことでしょう」劉が眉をひそめた。「私が強盗をしたとでも言うんですか」

「違うのか」

「あー、まさか。私はビジネスマンですよ。右から左へ、あるいは左から右へ物を動かしてマージンを受け取る。そんな、強盗事件なんて――」

「あんたの指示を受けた、と証言している人間がいるんだよ」

「どういうつもりですかねえ」劉が首を傾《かし》げる。「私を貶《おとし》めようとでもしている人がいるんでしょうか。もちろん私も、商売上、人に恨みを買うことはあるかもしれませんが

「あんたは、『ジュエリー・コガ』を襲撃した窃盗団の首謀者だ。その件については、おいおい追及するが――その時使った男の一人が、陳志幸だろう」

「そういう名前の人は知りませんし、強盗なんて冗談じゃありませんよ」劉が静かな憤りを見せた。「何かの間違いではないですか。何だったら、きちんと調べていただいて結構ですよ。いつの事件か分かりませんが、私はまめに日記をつけていますから、それを見てもらえば、アリバイが分かるはずです」

「日記？」

「警察に押収された、私用のパソコンにファイルが入っていますから。この十年の出来事は、それを見れば全部分かります」

「なるほど……で、陳志幸のことは知らない？」

「知らないですねえ」

「この男が、大友をつけ回していたようなんだが」

「それは、私が与《あずか》り知らぬことです……おっと、最近は与り知らぬなどという言い方はしないものですか？」

「無責任な政治家が、よく言い訳に使うね」

劉が穏やかに笑いながらうなずいた。普通、こんな風に言われると緊張を強いられるものだが……この男には関係ないらしい。本当に言葉の意味が分かっているのだろうか、と沖田は訝った。外国人相手に取り調べをする時の難点がこれである。通訳を介してだと正確なニュアンスが分からないし、日本語が堪能な相手でも、自分に都合の悪いことがあると、途端に「分からない」という切り札を出してくる。

「とにかく、何かの誤解だと思いますよ」

陳の表情はまったく崩れていなかった。沖田は妙に意地悪な気分になった。この男は風船のようなものではないか？　演技で自分を膨らませ、こちらに対して有利になろうとしている。針で突けばパンクしそうなものだが、かなり強力な針でないと、傷一つつかないかもしれない。

沖田は、記録用のデスクについた西川に視線をやった。うつむいたまま、静かに首を横に振る。打つ手なし、か……仕方ない。自分たちが少しばかり焦っていたのを、認めざるを得ない。もっと材料を集めて、袋小路に追いこんでから勝負をかけるべきだった。

「俺たちは諦《あきら》めない」効果のない捨て台詞だろうなと思いながら、沖田は言った。「大友を撃った犯人は必ず見つけ出す……強盗事件についても、あんたの責任は絶対に追及してやるからな」

「ご苦労さまです」劉が深々と頭を下げる。顔を上げた時にも、薄い笑みはまったく崩れていない。さながらゴムの仮面を被《かぶ》っているようだった。

第十章

「ヘマした」取調室を出た途端、西川は認めざるを得なかった。やはり性急過ぎたか……もう少し材料を集めてからにすべきだった。

「クソ、うなぎみたいな男だな」沖田が悪態をつく。「あれじゃ、摑《つか》みようがない」

「上手《うま》いこと言ってる場合じゃない。とにかく、奴を追い詰める材料を探さないと」

二人は、特捜本部が使っている会議室に上がり、永橋と面会した。最初彼の顔は期待に輝いていたが、西川の報告が進むに連れ、急速に暗くなっていった。

「一つ、お願いがあるんですが」西川は遠慮がちに申し出た。

「何だ」さすがに、常識人の永橋も無愛想になっていた。

「劉の日記のこと、分かりますか？」

「ああ、奴のパソコンに入ってた日記か？」

「ええ。それを読ませてもらうことはできますか」

「それは構わないが……和訳版を作ったから、読むならそっちの方がいいだろう。だけど、どうするつもりなんだ」

「昔、うちが手がけた強盗事件がありましてね。劉はその首謀者である可能性が高いんですよ。日記で当時のアリバイが確認できるかもしれません」

「それは……どうかな。本当のことが書いてあるとは思えない」永橋が溜息《ためいき》をついた。

「こっちで分析した限り、アリバイ用の『表日記』のようなものじゃないかと思うんだ。プロの犯罪者は、自分の記録を残すようなことはしないだろう」

「それでも、一応」

永橋が若い刑事を呼び、日記をコピーするように命じた。若い刑事は「全部ですか?」と驚いたが、永橋は舌打ちして「紙じゃなくてファイルをコピーだよ」と命じ直した。

「そんなに量が多いんですか?」西川は心配になって訊《たず》ねた。

「プリントアウトしたら千枚以上だ。何しろ十年分だからな」

「それだけの期間、アリバイ作りのためだけに日記をつけ続けたんですか?」西川は首を傾《かし》げた。「まるで逮捕を予想していたみたいじゃないですか」

「プロは用心に用心を重ねるんだよ」

永橋が右手を差し伸べ、二人に座るよう促す。西川と沖田は近くの椅子《いす》を持ってきて、永橋の正面に座った。

「で、さすがのお二人でも簡単には落とせなかったわけか」いきなり皮肉をぶつけてくる。

「力不足です。すみませんね」沖田が白けた調子で謝る。

「誰がやってもやりにくい相手だよ。大友でさえ、難儀していた。相当確実な証拠をぶつけないと駄目だろうな」

「ただ、これは普通の取り調べじゃありませんから」西川は釘《くぎ》を刺した。「狙《ねら》いは、陳志幸という男を捕まえることです」

「そいつが大友を撃った確証はあるのか」永橋はあくまで慎重だった。

「少なくとも、そいつを捕まえれば大きなヒントにはなります」西川は答えた。

「まあ、そうかもしれないが……陳と劉が接触していた証拠はあるのか？　まだ見つけてないんだったら、パソコンと携帯のメールもチェックしておいたらどうだ」

「いいんですか？」やけに物分りのいい態度に、西川は逆に警戒心を強めた。愛想のよさの裏には、大抵何か下心がある。

永橋が両手を組み合わせ、テーブルに置いた。ここだけの話、とでも言いたげに声を潜めて告げる。

「うちがこの件で、大友にどれだけ世話になったか、分かるか？」

「それは、まあ……」

「この事件は、あいつがいなかったらまとまらなかった。うちとしても、あいつが撃たれたのに何もできないのは辛《つら》い。まだこっちの事件を手放せないから、表立って手助けはできないんだが」

「ええ」

「峰岸管理官が率いる部隊の人間以外も、ちょろちょろ動いてると聞いてる」

「そうらしいですね」

「別に誰も、手柄が欲しいわけじゃない。大友のために何とかしたいと思ってるだけだろう。それは俺も同じだ」

「分かります」西川は顎《あご》を引いた。そうやって気持ちを引き締めないと、胸が一杯になって、言葉を失ってしまいそうだった。

「だから、この場で協力できることはするよ。身動き取れない俺たちの代わりに、大友の敵を討ってくれたらありがたい。ばれて管理官が怒ったら、俺がお前らの代わりに謝っておくから」

永橋がにやりと笑う。西川はうなずいて謝意を示し、頤《おとがい》を上げた。ふいに思いついて、言葉にしてみる。

「何だかんだ言って、皆大友が好きなんでしょうね」

「うん?」永橋が首を傾げる。

「あいつは今、刑事じゃない。正確には刑事総務課職員、です。子育てのために一線から引いているのを、快く思わない人間もいますよね。警察はまだ男社会だし、男の子育てに理解が深い職場とは言えない。でも、あいつはやっぱり刑事なんですよ。その能力は認めなくちゃいけない」

「ずいぶん熱弁をふるうね」

「いや、まあ」急に照れて、西川は言葉を呑《の》みこんだ。

「しかし、それこそ大友の魅力なんだろうな。普段一緒に仕事をしていない俺たちも、こんなに強烈な印象を受けるんだから」

「まさに人たらしですね」

「お二人さん、ちょっとあいつを持ち上げ過ぎでは？」沖田が割りこんできた。「要するに、イケメンは印象に残りやすいってことでしょ？」

「その言い方も、十分大友を持ち上げてることになると思うけど」

西川が指摘すると、永橋が声を上げて笑った。

この一件では、何度こういう場面に出くわしたことか。普通、誰かに逆らって捜査をしていれば、遅かれ早かれ壁にぶち当たる。しかし今回の捜査では、そういう場面で必ず「実は俺も……」と励まし、助けてくれる人間がいた。

結局は大友の人徳だな、と西川は思った。自分がもしも撃たれたら、周りの人たちはこんな風に駆け回ってくれるだろうか。撃たれたら、という前提は不謹慎だが……とにもかくにも、気合が入り直した。まだ太い筋は摑んでいないが、やれる、という気持ちが膨れ上がってくる。

劉の「日記」とパソコンのメール解析は難渋を極めそうだった。コピーされた「日記」の容量は十メガ近く。USBメモリで持ち帰らなければならなかった。結局それは後回しにして、携帯電話の解析から始めることにする。もちろん、通話の全記録に関しては、電話会社の手を煩わさないといけないのだが、取り敢《あ》えず直近のものだけを調べてみた。

連絡はメールが中心だったようで、履歴を調べると、電話をしていた相手は十人程度に絞られた。国際通話の相手は三件。「86」から始まる番号ばかりで、中国国内の固定電話にかけていたと分かった。一件は、特捜本部が割り出していた関係先の番号の一つと一致。劉が日本に置いていたのと同じ名前である中国現地の会社、「極亜貿易公司」の番号だった。残りの二件は携帯電話だが、通話先は不明。

国内の通話は八件あった。全《すべ》て携帯電話で、うち五件は彼の会社、極亜貿易公司の社員の電話番号と一致した。残る三件が割り出せていない。西川はまず、この三件の番号について電話会社に問い合わせた。返事を待つ間、パソコンのメールに目を通すことにする。

「こんな風に証拠が残るようなやり方で、重大な連絡を取るものかね」沖田がうんざりしたような口調で言った。

「劉は、その辺が弱点だったみたいだぞ。メールだけじゃなくて、肝心な情報をプリントアウトして残しておくこともあったらしいし」

「間抜けな話だ」沖田が鼻を鳴らす。

「パソコンの普及し始めた時に、もういい年だったからな……うちにもいるじゃないか。何でもかんでもプリントアウトしておかないと気が済まない奴」

「オッサン連中、な」沖田が唇を歪《ゆが》めるようにして笑った。「そういうのは、国籍には関係ないってことか」

「そういうことだ……ないな」西川はまず「陳」の名前で検索をかけたが、見当たらない。

「陳」の英語表記を調べ、「ｃｈｅｎ」でもチェックしてみたが、ヒットしなかった。メールアドレスには、この文字が含まれていない可能性もある。一時的に使うための無料のウエブメールでは、無意味な文字の羅列をアドレスに選ぶ人間もいるのだ。となると、メール本文を全部読んでいかなければならないか……日本語に訳してあるとはいえ、メール全てに目を通していく煩わしさを考えると、ぞっとする。軽く二千通ほどはあるのだ。

「これは、うちの係全員でやらないと駄目だな。それでも、かなり時間がかかる」

「何か、もっと効率的な方法はないのかよ」沖田が文句を言った。「パソコンの前に縛りつけられるのは勘弁して欲しいな」

「まあな……」自分には向いている作業だが、と思いながら西川は言った。とはいえ沖田の言う通りで、ここに時間をかけている暇はあまりない。どうしたものかと腕組みをした瞬間、目の前の電話が鳴った。

電話会社からの連絡だった。不明だった三件の携帯電話の契約者が判明する。それを持って、西川は永橋に報告した。

「二件は見覚えがある」永橋が自分のパソコンで情報をチェックした。

「こんなこと言ったら何ですけど、そもそも携帯の通話状況はチェックしてなかったんですか」

「捜査には直接関係なかったからな」永橋が、申し訳なさそうに言い訳した。「調べておけばよかったかもしれないが……」

「いや、仰《おっしゃ》る通りですよね。そんなに時間に余裕があるわけがない。面倒な捜査なんですから」西川は慌ててフォローした。味方は気分よくさせておかなければ。

「二件は……」永橋が画面を凝視した。「ああ、分かった。店だ」

「店？」

「劉の立ち回り先。一件は確か、赤坂の中華料理屋だったな……これだ、『大王飯店《だいおうはんてん》』のオーナーの携帯電話だな」

「有名な店なんですか？」

「どうかね。俺はグルメじゃないから」永橋が苦笑する。「劉は、この店にはよく行っていたみたいだ。うちも立ち回り先として聞き込みに行ってる。もう一件は――」

「ちょっと待って下さい」閃《ひらめ》きを感じ、西川は背広の内ポケットから名刺入れを取り出した。一枚の名刺――一番最近受け取ったものだ――を引き抜くと、思わず「クソ」とつぶやいてしまう。

「どうした？」

「いや、これはもっと早く気づいておくべきでした」

「というと？」

「俺は、この電話番号の店の持ち主と会ってます」

「どういうことだ」永橋が目を細める。

西川は彼の前に名刺を置いた。「王炎彬」の名前が大きく書いてあり、その下に彼が経営する複数の店の名前と電話番号がある。裏には王の携帯電話の番号――それが問題の電話番号と一致した。

これは……劉が「カーサ・デ・ロッソ」をよく利用していたという事実は、やはり陳とのつながりを示す証拠ではないか。いや、陳というか、王炎彬とのつながりを。王はあくまで真っ当な商売人で、悪とのつながりはないという印象を抱いていたのだが……騙《だま》された？　だとしたら、あの男の演技力も相当なものだ。

事情を話すと、永橋がうなずいた。

「確かその店、中国人がオーナーなんだよな」

「ええ。この店以外にも手広く商売をやっています」

「『カーサ・デ・ロッソ』には、中国人が頻繁に出入りしていた。ただし、うちの刑事たちが見た限り、変な奴はいなかったようだがね」

「表向きはそうかもしれません」

「見落としたとでも？」永橋がまた目を細める。

「そういう意味で言ったんじゃありませんよ」西川は慌てて言い訳した。「外国人のコミュニティのことは、日本人には分かりにくいじゃないですか」

「二人の中国人のつながりね……」永橋が腕組みをした。「もちろん、単なる店のオーナーと客かもしれない。あるいは友人か」

「そうですね……」

これは調べる価値がある。二人の間に関係があったら、陳と劉のつながりもさらにはっきりするかもしれない。

もう一つの携帯電話の番号が残った。麻生和生《あそうかずお》。この男に関しては、永橋も情報を持っていなかった。

「どうする?」

「二つの線を調べます。『カーサ・デ・ロッソ』と麻生和生」西川は宣言した。

「うちから手は貸せないが……」永橋が申し訳なさそうに言った。

「それは何とかします。永橋さんが、峰岸さんの怒りを買う必要はないですよ」

「そんなことは、何でもないけどな」

西川はうなずき、その心がけに対して謝意を表明した。今はそれだけで十分、という感じだった。

王の線はひとまず後回しにして、西川たちは麻生和生という男の調査に入った。住所、中野区。職業不詳。固定電話は持っていないようだった。何度か携帯電話に連絡を入れてみたが、つながらない。

「履歴を見た限り、劉はこの電話に五回電話している――そして、最後に電話した相手もこの男だ」沖田が言った。

「時間から言って、逮捕される直前だと思う」西川は前を行く車をパスしながら応じた。

この時間の首都高はがらがらで、スピードは出し放題である。だが西川は、焦るな、と自分に言い聞かせた。車での移動の時間は、思考のための貴重な時間でもある。安全運転しつつ、考えに集中しろ……沖田との会話は、雑な方向に流れがちなのだが。

「その時の状況を知ってるのは誰かな」沖田がぽつりと言った。

「大友じゃないかな？　奴が引っ張って行ったんだから」

「ちょっと病院に寄ってみるか？」

「大丈夫かな……今日も事情聴取を受けてるはずだ」

「誰かいたら、さっさと尻尾《しっぽ》を巻いて逃げようぜ」沖田が肩をすくめる。「後で当たればいい」

「分かった」

西川は一号線から環状線に入り、芝公園で降りるルートを選んだ。いつも混み合う芝浦ジャンクションも今日は空《す》いており、西川はこれを幸先良いスタートと見ることにした。普段は、ほとんど縁起など担がないのだが。

だが、たまには縁起のことを考えてみるべきだとも思う。今日の事情聴取は午前中だけで、大友は今、病室で一人きりだ。自分たちにとっては縁起のいい状況だが、制服組に加えて、私服の刑事が二人ついている。警戒強化中、ということか……何とか説得して病室に入りこむ。

大友は急速に元気を取り戻しているようだった。点滴の管が一本減っているのに、西川は目ざとく気づいた。何の点滴かは分からないが、いい傾向である。西川が椅子を引いて座り、沖田が背後に立った。

「元気そうじゃないか」

「まだそれほど元気じゃないですけどね」大友が苦笑する。声はかすれていた。「簡単には復帰できないと思います」

「弱気になるなよ。病は気からって言うじゃないか」

「病気じゃなくて怪我《けが》ですよ」突然痛みが襲ったのか、一瞬目を閉じて身じろぎする。

「大丈夫か？」

「すみません、経験したことのない痛みなんで……で、何ですか？　お二人揃《そろ》って来るぐらいですから、見舞いじゃないですよね」

「悪いな」西川はうなずいた。「見舞いで来られるならいいんだけど……ちょっと思い出して欲しいことがあるんだ」

「頑張ります」弱々しく微笑《ほほえ》む。

「劉を逮捕した時のことなんだけどな」

「ええ」

「何か変わった様子はなかったか？」

「追いこむのに、ずいぶん苦労しました」

「君が苦労するぐらいだから、面倒な相手だよな……俺たちも会った」

「奴は、史上最大級のタヌキだな」

沖田が割りこむと、大友が笑おうとして失敗した。痛みが激しくなったのか、ぎゅっと目を閉じ、しばらく呼吸を整えようと努める。今は、息をするのにも苦労しているようだった。

「……沖田さん、冗談はやめて下さい。笑うのが一番苦しいんで」

「おかしいな。俺の冗談は、そんなに受けた例《ためし》がないぞ」

「些細《ささい》なことでも……刺激が少ないと笑うようになるんです」

「じゃあ、黙ってるよ」沖田が右手を左から右へ引き、チャックを閉める真似《まね》をした。

少し場が暖まったところで、西川は質問を再開した。

「逮捕する直前だと思うんだが、奴は電話をかけようとしていたはずだ。通話記録を調べたんだが」

「……してましたね。止めさせましたけど」

「それは正解だった。その後、携帯は調べてないな？」

「ええ。僕は取り調べに専念してましたから」

「麻生和生という男に覚えはないか？」

「麻生和生、ですか……いや」大友がかすかに首を振った。

「劉が最後に電話した相手がその男なんだ」

「電話したというか、かけようとした相手ですか？」

「そうかもしれない。詳しい通話記録を調べれば、実際に通話したかどうかは分かると思うけど」

「逮捕直前に僕が調べていた時も、ずっと携帯を弄《いじ》っていたんですよ。メールを送っていたのか、どこかへ電話するつもりだったのか、分かりませんけどね」

「逮捕直前にメールを送った形跡はなかった」

「だったら、電話しようとしていたんですかね」

「もう一度聴く。麻生和生という男を知らないか？」

「すみません、記憶にないです」

「そうか……とにかく劉が、麻生和生に連絡を取ろうとしていることは分かったから、それでよしとするよ」

「かなり執拗《しつよう》に電話しようとしていましたけど……あ、そうだ」

「何か思い出したか？」西川は身を乗り出した。

「ちょっと待って下さい」大友が目を閉じる。やがて、そのまま話し始めた。「確か劉は、『連絡を取るチャンスはもうないでしょう』と言って、僕がどういうことか訊ねると、『使うなというなら、やめておきましょう』と答えたんですよ。何だか開き直ったみたいな感じでした」

「それが、指令の『中止』だとは思わなかったか？」

「何の中止ですか」

「君を消す指令だ」

大友の喉仏《のどぼとけ》が上下した。一瞬、死の恐怖が蘇《よみがえ》ってきたに違いない。唇を震わせながら目を開けると、「殺されるような真似はしていないはずですけどね」と答える。

「誰を怒らせたかは、意外に分からないものだよ。女関係とか、な」

「それはないですよ」大友が苦笑する。どうやら恐怖は薄れたようだった。

「そういえば、新井利香が入院した」

「そうなんですか」大友が目を見開く。

「杉本の家の前で手首を切ってね」

「ああ……」大友の顔色が蒼《あお》くなる。「そういうことになるんじゃないかと思って、怖かったんですよ。彼女は、思いこみが強過ぎる。そういう思いこみの強さは、一瞬で裏表に逆転することがあるでしょう」

「愛していたはずなのに、突然憎むようになる」

「ええ。僕は、いずれ彼女と杉本を引き合わせるつもりでいたんです。杉本は詐欺師ですけど、騙された方がそう思っていなければ、詐欺は成立しないでしょう？　二人で冷静に話し合えば、何とか再出発できるんじゃないかと思って……杉本も、あの事件で会社を失って、ゼロから出直すことになったわけですし」

「君は甘いと思う」西川は指摘した。

「分かってます。でも、性分なので」

その甘さが、劉の捜査にもあったのだろうか。大友は自分とも沖田とも違うタイプの刑事だ。どこかに緩さがある。それは悪い緩さではなく、どことなく人間的な余裕につながり、相手を安心させるものなのだが。

「自殺を図ってから、また急に変わったみたいだ。憑《つ》き物が落ちたようだって聞いてる」

「それも不自然じゃないと思います。目が覚めたら覚めたで、人生をやり直すこともできると思いますよ」

「まあ……少なくともこれで、君が彼女に危害を与えられる恐れはなくなったんじゃないかな」

「そもそもそんなことはないと思ってましたけどね」

「そうか……」西川は立ち上がった。「悪いな、安静にしてなくちゃいけない時に」

「これも捜査だと思ってますから。僕に協力できることなら、喜んで」大友がうなずいた。

西川もうなずき返し、沖田に目配せする。沖田は無言で首を縦に振った。これ以上質問を重ねれば、大友の負担になると分かっているのだ。

西川は、胸に重い物を抱えて病室を出た。「これも捜査だと思ってますから」。そう、その通り。病室のベッドに縛りつけられていても、大友は刑事なのだ。「刑事総務課職員」というのは、やはり仮の姿に過ぎない。

麻生和生の自宅最寄駅は、京王線の笹塚だった。駅を出て細い道路を北上し、甲州街道を渡ってしばらく歩くと、住所が渋谷区から中野区に変わる。一戸建ての住宅や小さなアパートが建ち並ぶ住宅街で、午後遅い時間、歩く人の姿はあまり見かけなかった。

「普通の街だな」西川は感想を漏らした。自分の住む街にも雰囲気が似ている。

「そういうところにだって、悪い奴はいくらでもいる」

沖田がぼそりと答えた。寒いのか、トレンチコートのポケットに両手を突っこみ、背中を丸めている。この寒さでトレンチコートはないな、と西川は思った。自分はよほどの暖冬でもない限り、一月、二月は必ずウールのコートを羽織る。基本的には家と警視庁の往復という決まりきった毎日なのだが、時には予定していない張り込みや尾行があるので、「念のため」という言葉が頭の中に大きな字で書きこんであるのだ。

「さて、ここだ」西川は足を停めた。ごく普通の、三階建ての小さなマンションである。

「いるかね」沖田が疑問を口にし、腕を突き出して時計を覗《のぞ》きこんだ。「三時半か……勤め人だったら、まずいない時間だな」

「とにかくノックだ。いなければいないで、別の手を考えよう」

「俺が行く」

沖田が先に立って階段を登った。二階の一番階段寄りの部屋。一瞬呼吸を整えると、拳《こぶし》を固めてドアを三回叩《たた》いた。かなり乱暴な叩き方で、中にいる人間が寝ていたら、明らかに激怒する感じだった。

実際、迷惑したようだった。しばらく待って、沖田が二度目のノックをしようとした瞬間、ドアが開いていきなり若い男が顔を覗かせたのだ。グレーのトレーナーの上下という格好で、長い髪はぼさぼさ。腫《は》れぼったい目は、寝不足な日常を想像させた。

「何すか？」しわがれた声は、明らかに熟睡の最中に叩き起こされたためだった。

「警察だ」西川がバッジを示したが、何のことか分かっていない様子だった。

「警察って……何かありました？」

「ちょっと話を聴かせてもらいたくてね。麻生和生さんですね？」

「はい」欠伸《あくび》を嚙《か》み殺した返事は「あい」と聞こえた。

「寝てたのかな？」

「ああ、まあ……寝てました、かね……」首筋をぼりぼりと搔《か》いて、次の瞬間には身震いした。「あの、難しい話ですか？」

「それは、あんたがどう対応してくれるかによる」割りこんできた沖田が脅しをかけた。

「さっさと喋《しゃべ》れば三分で終わるし、喋らなければ長引く」

「何なんすか、いったい」

麻生が精一杯凄《すご》んで見せたが、迫力はなかった。二十五歳の寝起きの男は、猫も怖がらない。

「何でこんな時間に寝てるんだ」西川は訊ねた。ただだらしないだけなのか、昼夜逆転の生活を送る理由があるのか、見極めたい。

「そういう仕事なんで」

「そういう仕事っていうのは、どういう仕事なんだ」

「何なんすか、いったい」じれたように麻生が繰り返した。「俺、警察とかかわるようなことはしてませんよ」

「それはこっちが決めるんだよ」沖田がドアに手をかけ、思い切り引き開けた。蝶番《ちょうつがい》に負担がかかったのか、何かが折れるような硬い音が響く。

「やめて下さいよ」

麻生が抵抗して、ドアを閉めようとした。だが沖田の方が明らかに体重が重い。ドアはびくとも動かなかった。やがて麻生は諦《あきら》め、とにかく自分の体を守ることを優先させることにしたようだ。寒さを何とかしのごうと、両腕で上体を抱くようにする。それでも、サンダルを突っかけただけで裸足《はだし》なので、見ているこちらの方が寒くなってきた。西川は無駄な押し問答を避けて、一番聞きたい質問をぶつける。

「陳という中国人を知ってるか？　陳志幸」

「知ってますけど、何か？」あっさりと認める。悪いことだとは思っていない様子だった。

「どういう知り合いだ？」

「どういうって……たまに一緒に飯を食うぐらいの仲ですけど」

「どうやって中国人と知り合いになるんだ」

「いや、店でたまたま会って……」

「それは、『カーサ・デ・ロッソ』という店か？　三田にある？」

「何で知ってるんすか」麻生が目を見開く。ようやく眠気が吹っ飛んだようだった。

「たまたま、なんだな？」

「ええ、半年ぐらい前に知り合って……面白い奴なんですよ」

こいつの「面白い」は自分たちとは感覚が違うのだろうと思いながら、西川はさらに突っこんだ。

「奴に電話を渡したか？」

「携帯ですか？　渡したって言うか、俺名義で買いましたけど……頼まれたんで」

「頼まれただけで、携帯を買ってやるのか」

「何か、外国人だと携帯を買うだけでいろいろ大変みたいじゃないですか」

そんなことはない。この男も常識を知らないというか……。

「一番最近会ったのはいつだ？」

「三日前かな」

西川は沖田と視線を交わした。沖田は厳しい表情でうなずき、麻生に向かって顎をしゃくる。ぱくってしまえ。西川は静かに首を横に振った。麻生に関しては、どうにも悪気が見えない。電話を買ってやったのも、ただ頼まれたから、という感じだった。

「あの、何かまずいことでもあるんですか」急に不安になったのか、麻生が下手に出て訊ねた。

「大いにまずい。君の立場も非常にまずくなるかもしれない」西川は忠告した。「そうならないためには、しっかり話してもらわないと駄目だ」

「話すって……別に問題はないと思いますけど。金は、陳の口座から引き落とされるようにしたし、今まで何も問題はなかったんですよ？　金もちゃんと引き落とされてるようだったから。請求書は俺の方に回ってきますけど」

「分かった。ちょっと着替えてくれるかな」

「はい？」麻生の顔に不安の色が広がる。

「署まで来てもらおう。ちゃんと話を聴きたいんだ。だいたい、こんなところで立ち話をしてたら、風邪を引くから」

「俺、別に悪いことはしてませんけど――」

「いいから」沖田が一気に玄関に踏みこんだ。「ほら、早く着替えろよ。着替えが決まらないなら、俺が服を選んでやる」

助けを求めるように、麻生が西川の顔を見た。西川としては、無言で首を横に振るしかなかった。ややこしい目に遭いたくなかったら、さっさと着替えて出て来るしかない。そういう判断ができるぐらいには大人だと信じるしかなかった。

麻生は、職業を「ウェブデザイナー」と名乗った。ＩＴ系企業から下請けでサイト作成の仕事を請け負い、それで生計を立てているという。自宅が作業場を兼ねており、そこで仕事をしているうちに、生活リズムが乱れて完全に昼夜逆転してしまったのだという。

そのせいか、近くの所轄の取調室を借りて本格的に事情聴取を始めても、依然として眠そうにしていた。聞けば、寝たのは午前九時。成人男性として十分な睡眠を取ったはずだが、彼に言わせると、「前の日が徹夜」だった。

「体、壊すよ」西川は思わず同情して言った。

「一人でやってると、無理だと分かっていても、ね……仕事を断ったり納期が遅れたりすると、次の仕事が来なくなりますから」

「デザイナーなんて、特別な仕事だから、いくらでも需要がありそうだけど」

「そうでもないです」麻生が首を横に振った。「こんなもん、誰でもできるんですよ」

「センスに関しては、誰でもってわけにはいかないと思うけどな」

「そうですかねえ……美大を出てこんな仕事をしてるのも、何だか情けないです」

「どこかの会社に入ればよかったのに。その方が、福利厚生もしっかりしてるだろうし、昼夜逆転の生活にならなくていいだろう」

「就職に失敗したんですよ」麻生が溜息をついた。「で、しょうがなく一人で」

ストレスの多い生活なのは間違いないようだ。仕事の単価は安い、それ故《ゆえ》数をこなさなければならないが、その分神経をすり減らすことになる。ネットの世界では、どんなに大きなブームでも二年で時代遅れになるから、常に最先端の技術にアンテナを張り巡らせておかなければならない……云々《うんぬん》。楽しみは美味《うま》い料理と酒だけで、暇があれば都内各地の店を食べ歩いている。そのうちの一軒が「カーサ・デ・ロッソ」だった。

「経営者は中国人なんだけど」

告げると、麻生が声を上げて笑った。眠気は消えていないようだが、笑うぐらいの余裕はでてきた様子である。

「インターナショナルな店ってことですか」

「あの店で、何か変なことはなかったか？」

「変って？」

「おかしな連中がたむろしているとか。在日の中国人がよく集まってたらしいんだけどな」

「あー、いたかもしれません」

「陳もその中の一人か」

「いや、彼はいつも一人だったと思うけど。店と馴染《なじ》みだったみたいですよ。だいたいカウンターに座って、店の人と話しこんでたから。一度、テーブル席が満員で、俺もカウンターに座ったことがあって……それで彼と話すようになったんです」

「店の人と、何の話をしてた？」そもそもは陳自身も従業員だったわけだが。

「そこまでは分からないです」麻生が苦笑した。「一々人の話なんか聞いてませんし」

「で、携帯電話の名義を貸した話なんだけど、向こうはどういう理由で頼んできたんだ？」

「だから、外国人だと、携帯も買いにくいからって……」

「その話を真に受けたのか？」この男が嘘《うそ》をついているとは思えないが故に、西川は呆《あき》れてしまった。あまりにも常識がないというか……普通に仕事をしていれば、そんな言い訳がおかしいことぐらいは分かりそうなものだ。いや、違うな、とぴんときた。「金を貰《もら》ったんだろう」

「あ、それは……」麻生が顔を伏せる。困ったように自分の手を見詰めていたが、やがてのろのろと顔を上げた。「貰いましたけど、大したことないですよ」

「いくら」

「五万」

「あのな、それでおかしいと思わなかったのか？　他人名義の携帯が欲しいだけだって分からなかったのか」

「いや、でも、金は欲しかったし。今の俺にとっては五万円も大金なんですよ」

「間の抜けた話だな。その携帯が何に使われたか、想像できるか？」西川は本当に呆れていた。普段なら、こういう風に相手を揶揄《やゆ》したり、謎《なぞ》かけで恐怖に陥れるようなことはしない。そういうやり口は卑怯《ひきょう》だと思うし、後々問題になることも多いからだ。

さすがに麻生も萎《しお》れた。唇を嚙み、蒼褪《あおざ》めた表情になって再びうつむいてしまう。西川はそっと息を吐き、両手を組み合わせてテーブルに置いた。背中を丸めて、小声で話を続ける。

「他に何か知ってることがあったら、今のうちに言っておいてくれないかな」

「俺、何か……やっぱりヤバイんですか？」

「そこは正直に話してくれないと、判断しようがないんだ。もしも、陳が携帯を何に使おうとしたのか知っていて名義を貸したなら、大問題だけど――」

「何も知りませんよ！」麻生が悲鳴を上げるように言った。「ただ、ちょっと金になるから……それだけです」

「分かった。今のところはそれを信じる。とにかく陳について知っていることを、全部話してくれ」

　西川は、麻生は本当に陳とは浅いつき合いだった、と確信した。それで簡単に携帯の名義を貸すのも信じられない話だったが、麻生が金に困っていたのも事実のようである。まあ……これでよしとするか、と西川は一時間に及ぶ事情聴取を切り上げた。帰す時には、念入りに釘を刺す。

「もしも嘘をついていたら、すぐに分かる。そうなったら、面倒なことになるからな。もしも嘘をついていても、今ならまだ訂正できる。どうだ？」

「知ってることは全部話しましたよ」麻生は涙目になっていた。

「分かった。いつでも連絡が取れるようにしておいてくれないか」

　署の出入り口まで送り、しょぼくれた背中が小さくなるのを見送る。沖田が舌打ちした。

「もうちょっと厳しくやってもよかったんじゃないか」

「あれが限界だよ。本当にあれ以上のことは知らないと思う」

「まったく甘いな、お前は……おっと、ちょっと待った」沖田がズボンのポケットから携帯電話を引っ張り出す。「もしもし？　ああ、大竹か。例の件か？」

西川は素早く手帳を取り出した。携帯電話の弱点は、話をしながらメモが取りにくいことである。ここは自分が秘書代わりにならなければ。沖田も心得ていて、すぐに大竹の報告を繰り返し始めた。

「陳が携帯料金の引き落とし用に使っていた口座のことだな？　ああ？……住所が違う？」

西川は緊張を高めた。まだ監視下にあるあのアパート以外にも、家があるというのか？　思わず「アジト」という言葉が脳裏に浮かんだ。沖田が復唱する住所を、すかさず手帳に書きこむ。新宿……近い。西新宿四丁目というから、中央公園の西側、小さな一戸建てが建ち並ぶ、古い住宅街だ。

電話を切った沖田が、「どうする？」と訊ねる。そうしながらも、既に歩き始めていた。何がどうするだよ、と西川は白けた気分になった。こっちの答えなんか、端《はな》から期待してもいないくせに。もっとも、西川も同じ結論に達していた。新しい住所が分かれば、行くしかない。少しでも早く陳を追いこみたいのだ。

「応援はいらないかな」多少弱気に聞こえるのを意識しながら、西川は言った。

「そんなもの、貰ってる暇がない」沖田が覆面パトの運転席に乗りこんだ。西川も助手席に身を滑りこませ、すぐに携帯電話を取り出した。

「どこへ電話するんだ」沖田が神経質そうに訊ねる。

「鳩山さんには報告しないと」

「あの人に何を言っても無駄だろう」沖田が鼻を鳴らす。

確かに役にたたない係長ではあるが、万が一のためだ。何かあった時、「どうしてあいつらがあそこにいたんだ」と誰かが疑問の声をあげたら、話がややこしくなる。

「居場所ぐらいは報告しておくよ。それだけ言えば、あとは大竹の方で何のことか分かるだろう」

「勝手にしろ」

頬杖《ほおづえ》をつく沖田を横目に見ながら、西川は電話をかけた。沖田の殺気がひしひしと伝わってきて、車の中はひどく居心地の悪い空間になってしまったが……鳩山に報告を終え、電話を畳む。一つ溜息をついて気合いを入れ直そうとしたが、何となく気持ちは萎《しぼ》んでいた。ゆっくりとだが陳に近づいているのは間違いないのに……自分たちだけでやれることの限界にも気づいている。沖田は反対しているが、ここはできるだけ応援をたくさん貰って、一気に陳を追いこむ方が効率的だ。

「弱気になるなよ」沖田が、西川の心中を見抜いたように言った。

「なってないさ」

「そうか？　お前、びくびくしてる時は必ず貧乏揺すりをしてるぜ」

確かに。気づかないうちに足が小刻みに上下していた。西川は腿《もも》を思い切り平手で叩き、痙攣《けいれん》のような動きを止めようとした。なかなか止まらない。それを見て、沖田が笑い声を上げた。

「びびるのは分かるけどな」

右手を上げ、人差し指を伸ばし、親指をぴんと立てる。万国共通の、銃のサイン。それを見て西川は、さらに貧乏揺すりが激しくなるのを意識した。常識的に考えれば、陳は既に、大友を撃った銃を処分しているはずだ。犯行の特定につながりそうな凶器をいつまでも持っているほど馬鹿ではないだろう。だが一方で、自分の身を守るための絶対的な武器として、後生大事に持ち歩いている可能性もある。

それは、会ってみないと分からない。分かってはいるのだが、西川は銃のない腰の軽さを頼りなく思った。


陳の住所がある辺りは、ひどく入り組んだ住宅街だった。車のすれ違いもできないような細い道路が、毛細血管のように縦横に走っている。それが碁盤の目のようならまだしも分かりやすいのだが、道路はあちこちで無意味にカーブし、しかも車一台も入れない細い路地も多く存在している。全体に日当たりが悪い感じがするのは、夕方が近いせいもあるが、建物があまりにも密集しているためでもあるだろう。

陳の住所は、三階建ての小さなマンションだった。茶色の外壁が目立ち、周囲の一戸建ての民家からは浮いている感じがする。

「行くぞ」沖田が間髪入れず、階段を登った。西川がドアの反対側につくと、すぐにインタフォンを鳴らす。反応はなかった。電気のメーターは回っている……陳がここをアジトにしているかどうかはともかく、誰かが住んでいるのは間違いない。麻生のように昼夜逆転した生活を送っている人間が惰眠を貪《むさぼ》っている可能性もあるが、何となく今は誰もいないような予感がする。

「外で待ち伏せしよう」西川が誘うと、沖田も素直に従った。

「ちょっと一回りして来る」言い残して、沖田が姿を消した。

一人取り残されると、急に不安になる。やはり銃の存在は、頭の中で大きなウエイトを占めていた。丸腰の自分の前に、武装した陳が突然現れたらどうしたらいいのか……体が凍りつくほどの寒風が路地を吹き抜けているというのに、妙に体が熱い。考えても仕方ないことだと思いながら、自分の流儀に反したやり方に、西川は冷や汗をかき始めた。用意周到、不測の事態を全て潰《つぶ》してからことにかかるのが自分のやり方なのに。今回の件では、大友が触媒になって自分自身もひどく乱れてしまっている、と意識する。こんなことでは駄目だと気合いを入れ直そうとしたが、無駄だった。この状況では、誰でも冷静ではいられない。

沖田が戻って来た。「裏からは逃げられない」と短く報告する。それはそうだろう。この辺は家と家の隙間《すきま》がないほど住宅が密集しており、ベランダに出たら向かいは他のマンションの壁、ということもあり得る。

「ここで張ってればいいか」西川は周囲を見回した。

「そういうこと」

「西川さん！」声をかけられ振り向くと、さやかと庄田がこちらに向かって来るところだった。小走りしていたので、二人とも立ち止まると同時に息を整える。

「どうした」

「鳩山さんに言われて……慌てて飛んで来たんです」さやかが息を弾ませながら説明する。

「ご苦労さん」西川はねぎらいの言葉をかけた。同時に、まだ高鳴っていた鼓動が少しだけ落ち着くのを感じる。相手が銃を持っているにしても、援軍の到着は心強いものだ。

「本人は、中にはいない。確認済みだ。しばらくここで張ることにする」

指示を飛ばすと、二人が真顔でうなずく。ふと思い出したようにさやかが言った。

「鳩山さん、峰岸管理官に報告してましたよ」

「クソ、マジかよ……」沖田がうんざりしたように吐き捨てた。「またあのオッサンが出てくるのか？　結局、何も摑めてないくせに」

「銃を持って応援に来てくれれば、それで十分だ」

西川が指摘すると、他の三人が凍りつく。気をつけていないと、向こうが武装している可能性が高いことを、つい忘れそうになってしまう。

「ここでは、とにかく無理はしないことにする。事故があってからだと遅いからな」

「事故になったら、一種の二重遭難みたいなものだな」

沖田が軽い調子で言ったが、表情は真剣だった。西川はうなずいて、彼の表現に賛意を示した。

「奴が戻って来ても声はかけない。家に入ったところで逮捕する手を考えるんだ」

「その頃には、峰岸さんが現場で仕切ってるかもしれないけどな」

「それでも構わない。怪我人を出さずに、陳を確保するのが優先だ」

西川は周囲を見回した。マンションの出入り口を確実に監視できるポイントを二か所、確保する。二人ずつ張りこんでいれば、まず見逃すことはないだろう。

西川は庄田と組んで、マンションから十メートルほど離れた電柱の陰に身を隠した。体が隠れるほどではなかったが、既に夕闇《ゆうやみ》が街を覆っていたので、向こうからも見えにくいはずだ、と自分を安心させる。

沖田とさやかは反対側。鋭角に折れ曲がった角に身を潜ませている。普通の民家の前なので、何か言われたら面倒なことになりそうだが……そこは、あいつが何とかするだろう。

「陳、どこへ行ったんですかね」庄田が心配そうに訊ねる。

「どうかな。他にも、こういうアジトがあるかもしれない」

「何なんですか？　殺し屋？」

「というか、一種の便利屋じゃないかな。強盗事件に手を貸したこともあるわけだから……汚い仕事で、いいように使われてるだけだと思うけど、本人にそういう意識があるかどうかだな」

ふいに、視界に沖田の姿が入った。ここからは見えない位置に隠れていたはずなのに……西川はすぐに異変に気づいた。自分たちの後ろから誰かが歩いて来ている。そろそろサラリーマンの帰宅時間帯なのに、歩いている人がほとんどいないから目立つのだろう。振り返って確認したいという欲望と戦いながら、西川はうつむいて時間が過ぎるのを待った。

やがて、かすかな足音が聞こえてくる。革のソールの硬い音ではなく、ラバーソールかスニーカーの柔らかい音……耳を澄ましているうちに、靴の持ち主の体型さえ想像できた。小柄で筋肉質、俊敏そうな感じだろうか。動きやすいように、長いコートなどは着ていないはずだ。

一瞬足音が止まる。気づかれたか？　次の瞬間には、相手が走り出す気配がした。西川は思い切って振り向き、相手の姿を視界に納めた。走り去る後姿……。「陳！」と叫ぶ。間抜けなことに、陳が一瞬振り向いた。間違いない。敦美が撮影した男、そして「陳」の免許証の写真と一致する。

「陳、止まれ！」叫びながら、西川は走り出した。間髪入れず、庄田もダッシュする。沖田たちは……裏から回って、正面から抑えたいところだが、この街は複雑に入り組んでおり、裏を走って正面に回りこむのは困難だ。追って来てくれればそれでいい。

陳はスピードを緩めなかった。予想した通り軽い身のこなしで、見る間にトップスピードに乗って西川を引き離していく。足の速い庄田が西川を追い抜き、陳の背中を追い始めた。よし、あいつのスピードなら何とか……西川はひたすら手を大きく振り、腿を高く上げることだけを意識しながら走り続けた。陳も、あのスピードでいつまでも走れるはずがない。必ずどこかで落ちるはずだ。それにこの辺は二十メートルも走れば必ずカーブか角にぶつかる。全力のダッシュを続けるには適していない場所だ。

最初の角を曲がった瞬間、西川は目の前に銃口があるのに気づいた。いや、目の前ではない——実際には五メートルほど離れているのだと頭では分かっていたが、眼前で銃口が大きく口を開いているように見える。反射的に、右へ体を投げ出した。同時に発射音が、鋭く空気を切り裂く。アスファルトに体のあちこちがぶつかり、痛みが全身を貫いた。これでは、撃たれたかどうか分からない。すぐに立ち上がって全身を検《あらた》めたが、取り敢えず出血はないようだった。強打した膝《ひざ》がじんじんと痛むだけである。

すぐに追跡を再開——と思ったが、自分のすぐ近くでひざまずいている庄田の姿が目に入った。左肩を押さえ、苦しげに息をしている。それでも立ち上がろうと足搔いていたが、肩をきつくつかむ指の隙間から血が流れ出ているのに西川はすぐに気づいた。

沖田とさやかが追いつく。二人は庄田が負傷したのに目ざとく気づいて立ち止まったが、西川が「ここは任せろ！」と叫ぶと、すぐに陳の追跡を再開した。

西川は庄田の横にしゃがみこみ、傷を検めた。大した傷ではない……と信じる。コートの肩の部分が破れていたので、そこに指を突っこんで思い切り引き裂く。背広、ワイシャツ、下着……白いワイシャツと下着は真っ赤に濡《ぬ》れていたが、傷自体は小さいようだった。当たったのではなく、かすった感じ。だが、この方が初期の痛みはひどいはずだ。撃たれ、体内に銃弾が入ると、痛みよりも衝撃の方が大きいという。

「かすり傷だ」

告げると、庄田がほっとして立ち上がる。

「被害は服ぐらいだな……一応、救急車を呼ぶから」

「自分、大丈夫ですから。追って下さい」

「ここへ置いておくわけにはいかないよ」

「大丈夫です……自分は残ります。たぶん、すぐに応援も来るし、銃弾を探さないと」

それは極めて大事なことだ。銃弾が見つかれば、大友を撃ったのが陳だと証明できる可能性が高まる。もちろん、こんな状態で、道路にはいつくばって銃弾を探すことなど無理だが……西川はもう一度、傷の具合を確認した。それほどひどくないと確信し、庄田の無事な右肩を叩く。

「あと、頼んだ」

立ち上がって走り出す。陳、お前を逃がしはしない。

第十一章

　峰岸が爆発しないのは妙だな、と沖田はかえって警戒した。またもや追跡捜査係が勝手に動き回り、先に手がかりらしきものに辿《たど》り着いたというのに……現場に到着した峰岸は、沖田を一睨《ひとにら》みしただけで何も言わなかった。もちろん、現場がざわついていたせいもある。発砲現場周辺は閉鎖され、鑑識が人海作戦で動いて既に銃弾を見つけ出していた——ブロック塀の下部、土がむき出しになった場所に食いこんで、ほぼ無傷だったのだ。これは大きな収穫である。硬い物にぶつかって止まると、銃弾がひしゃげて線条痕《せんじょうこん》の分析が難しくなる。

　峰岸への報告は、西川が引き受けてくれた。走り回って汗をかいた西川は、ひどくくたびれて見えたが、それでも気合は十分なようだった。陣を逃してしまったのは痛かったが……緊配の網にも引っかかってこない。

「庄田、大丈夫ですかね」さやかがぽつりと言った。

「お、やっぱり同期のことは心配か」

　沖田がからかうように言うと、さやかが睨みつけてきた。

「撃たれたの、私たちだったかもしれないんですよ」

「……そうだな」確かに、ほんの数メートルの差だった。もう少し早く追いついていたら、ちょうど射線に飛びこんでしまった可能性もある。肩を上下させ、少しだけ緊張感を逃してやった。

鑑識の活動はまだ続いていた。ライトが持ちこまれ、現場は昼間のように明るくなっている。濃紺の現場服を着た鑑識課員たちが、アスファルトに這《は》いつくばって舐《な》めるように調べていた。ぼうっと突っ立っているのが申し訳なく、自分もそこに加わろうかと考え始めた時、西川が戻って来た。

「峰岸さん、激怒してるんじゃないか？」最初にそれを訊《たず》ねた。

「いや、そうでもない」

「変だな」

「パニックになってるんだよ」西川がにやりと笑って小声で続ける。「事態が、自分の手に余るところまできてるんだ。どうしていいか、分かってないんだろう」

「どうしていいかって、やることは一つだろうが。陣を追いこむだけだ」

「それはそうだけど、やり方の問題だ……それより峰岸さん、指揮権を取り上げられるらしいぞ」

「マジか？」沖田は目を見開いた。

「事態の重要性を鑑《かんが》みて、後山さんが直接指揮を執るらしい」

「それは、三段階ぐらい、指揮命令系統を飛ばしてるぞ」

「刑事部長の肝いりだそうだけど、その辺の事情は俺にはよく分からない」西川が首を横に振った。

「俺らはどうなる？」

「後山さんの指揮下に入るんだろうな。だけど今は、誰が頭かは関係ない。とにかく、一刻も早く陳を見つけ出すのが先決だ。銃を持った人間が逃亡しているんだぞ」

「他にもアジトがあると思わないか？」

「あるだろうな」西川がうなずく。「ただ、それを割り出している時間の余裕があるかどうか……地下に潜られたら、かなり難しいと思う」

「クソ」沖田は右の拳《こぶし》を左手に叩《たた》きつけた。「絶対に炙《あぶ》り出さないと……」

「そのことで、ちょっと考えているんだが」

沖田は、素早く西川の異変に気づいた。顔色がよくない。こういう時、西川はだいたい悪巧みをしているものだ。普段はルールを踏み外すようなことはしないのだが、時に沖田でも思いつかないような、大胆な作戦を口にすることがある。

西川の計画を聞いて、まず反応したのはさやかだった。

「危険過ぎませんか？」

「それは承知の上だ。そこまでやらないと陳は誘《おび》き出せない」

「いや、ちょっと待てよ」沖田もストップをかけた。「それは、陳が命令を守ることを最優先する殺人マシンだとしての話だよな」

「間違いなくそうなんだ」西川が顎《あご》に力をこめてうなずく。「奴が、危険覚悟で病院まで来たのがその証拠じゃないか。そうでなければ、絶対にどこかに隠れているはずだよ」

「まあ、そうだろうな」沖田は渋々認めた。「もしかしたら、任務を遂行できないと、あいつ自身が危ないとか？　いや、それは変か……命令を発したはずの劉は、身柄を拘束されてるんだからな」

「俺たちが知らない劉の相棒がいるのかもしれない。日本じゃなくて中国に、とか」

「それで、陳の家族が人質に取られてるとか？　それはどうかな……ちょっと想像が飛躍し過ぎてる気もするけど」

「外国人のメンタリティは、日本人には分からないもんだよ……とにかく、陳が大友をつけ狙《ねら》う理由は、この際関係ない。まず捕まえて、それから話を聴けばいい」

「後山さんがその作戦に乗ってくると思うか？」

「採用させる」西川が深くうなずく。「絶対に」

こいつも大事なポイントでは絶対に引かないからな、と沖田は苦笑した。まあ、それでもいい——頑固さがこっちに向いてこない限りは。それに、西川の計画に反対する理由はないのだ。対案があれば別だが、そうでない限り、無闇《むやみ》に反対意見を口にすべきではない。反対のための反対に意味はないのだ。

問題は山積している。どうやって陳に連絡を取るか、それが上手《うま》くいっても、いかに確実に逮捕するか……そういうことを考えるのは、西川の仕事である。だが今日は、自分も必死に頭を絞ろう。これも全《すべ》て、テツのためなのだ。

後山は、「対策本部」を警視庁の本庁に置いた。現場が散らばっているので、結局ここが一番効率がいいのだ。沖田たちは陳の追跡に手を貸そうと思っていたし、一度は峰岸からもそう命じられたのだが、その直後に後山本人から本庁に上がるように指示を受けた。この状況では、峰岸は何も言えなくなるだろう。沖田は、自分が峰岸に少しだけ同情しているのに気づいて驚いた。誰がやっても大変な捜査を押しつけられ、しかもいいところで指揮権を取り上げられてしまう——内心は、後山に対して憤怒の炎を燃やしているだろう。少なくとも、そういう感情を表に出さないだけの分別は持っているようだったが。

本庁に上がり、対策本部に指定された会議室に入った。中では、普段見かけない刑事たちが電話をかけたり、打ち合わせしたりしている。捜査一課だけではなく、とうとう他の課の刑事たちも駆り出されたようだ。後山は沖田たちの姿を認めると、立ち上がって手招きした。その間も、受話器を左手に持って話を続けている。忙しいことで、と皮肉に考えながら、沖田は先頭に立って後山のところまで歩み寄った。「休め」の姿勢を取り、後山が電話を終えるのを待つ。

十秒ほどで受話器を置いた後山が、立ち上がって沖田たちに頭を下げた。キャリアの人間がやることじゃないよな、と思った瞬間、座るように指示された。近くから椅子《いす》を引いてきて腰を下ろすと、後山がもっと近くに寄るように、と手招きした。

「私がここにいるのは、あなたたちと同じ理由からです」秘密を打ち明けるように、小声で言った。

「どういうことですか」沖田は訊ねた。釣られて、つい声が低くなってしまう。

「刑事部長に無理に言って、割りこんだんですよ」

「ということは、我々の行為も正当化されるんですかね」

「沖田、よせ」西川が割りこんだ。

「今までのことを問題視する人がいたら、私が必ず抑えます」

宣言した後山の顔を、沖田はまじまじと見た。眼鏡をかけた顔は、普段は少し頼りなく見えるのだが、今日は非常に強い意志が感じられた。

「捜査はぎりぎりのところにきています……ちょっとお待ち下さい」目の前の電話が鳴り、後山が受話器を取り上げる。数秒ほど相手の声に耳を傾けていたが、すぐに「分かりました」と言って電話を切った。

「線条痕が一致しました」

沖田は思わず吐息を吐いた。これまで少しもやもやしていた視界が、一気に開けた気分である。とにもかくにも、陳が大友を襲ったことは証明されたと言っていい。

「逮捕状はどうするんですか？」沖田は訊ねた。

「これから請求します。当然指名手配しますが、それは表のことであって……」

「確実に捕まえに行く、ということですね」

「ええ。発砲犯が銃を持ったまま逃げているのですから、市民生活の安全を守るためにも、一刻も早く何とかしなくてはいけません。そのためには、緊配して、指名手配をかけただけでは駄目です。もっと効果的な方法で炙り出す必要があります」

後山が西川の顔を凝視した。西川が、居心地悪そうに体をもぞもぞさせる。

「構いません。何かアイディアがあるなら、話して下さい」状況を察して、後山が促す。

「いや、しかし……」西川がうつむいた。さすがに大胆――危険過ぎると思っているのだろう。

「おい、話せよ」沖田は西川の肘《ひじ》を小突いた。「さっき俺たちには話したじゃないか」

「だったら私にも聞かせて下さい」低いが鋭い声で、後山が迫った。「この際、どんな作戦でも構いません」

「手続き的に、いろいろ問題があると思います」西川が遠慮がちに言った。

「構いません」

三度目の「構いません」。後山は相当追いこまれている、と沖田は判断した。焦ったり、必死になったりするようなタイプには見えないし、実際そうなのだろうが、今回ばかりは事情が違うだろう。額には汗が滲《にじ》み、眼鏡の奥の目は必死である。普通キャリアは、個別の案件に関してはこれほどのめりこまないものである。最終的には、全体を見渡す視野を持たなければならないからだ。

「いろいろ問題がある計画だということを、最初に頭に入れておいて下さい」西川が慎重に切り出した。

「結構です。話して下さい」後山がかすかに身を乗り出す。

まだ遠慮がちに、しかしはっきりした口調で西川が説明を始めた。最初の段階で——いわば見出しを話した時点で、後山の眉間《みけん》に皺《しわ》が寄る。その皺は、西川が話し終えるまで、消えることがなかった。

「——以上です」

「最初にこれだけははっきりさせましょう。大友さんをこの計画に使うわけにはいきません」

「いや、そこが要諦《ようてい》なんです」西川が食い下がった。「きちんと説明すれば、大友も納得してくれると思います」

「駄目です。これ以上彼を傷つけるわけにはいかないし、まだ動かせません」後山が首を振った。

「しかし、ここが計画の最大のポイントなんです」西川は引かなかった。「これができなければ、やる意味はありません」

「それは分かりますが、私の立場では容認できません」

「だったら、この話は聞かなかったことにして下さい」西川は強硬な態度を崩さなかった。

後山も腕組みをしたまま、西川と睨み合った。結構似たような二人じゃないか、と沖田は思った。基本、四角四面で融通が利かない。そういう人間同士が対立したら、会話はあっという間に膠着《こうちゃく》状態に陥る。

「あー、ちょっといいですかね」沖田は割って入った。

「お前は黙ってろ。これは俺の計画だ」

西川が釘《くぎ》を刺したが、無視する。珍しく頭に血が昇って、冷静な判断ができなくなっているのだ。

「要は、大友を使わなければいいんですよね？」後山に念押しする。

「そういうことです」後山がうなずく。

「だったら、身代わりを使えばいい。簡単な話じゃないですか」

「そうは言っても、命の危険があるんですよ」後山が抗議する。「指名はできません」

「はい、じゃあ、立候補制で」沖田は手を挙げた。「俺ならあいつと体格も似てるし、何とかなるでしょう」

「沖田……」西川が情けない声を出した。

「へ、しっかりしろよ」沖田は思わず西川をからかった。「無事に済むように綿密な計画を立てるのがお前の仕事じゃないのかよ。何かあったらお前を恨むから。それでいいんじゃないか」

「しかし……」

「しかし、じゃないんだよ」沖田は声を荒らげた。「これは最初で最後のチャンスかもしれないんだぞ。それが分かってるから、お前だってこんな乱暴な計画を立てたんじゃないか。俺は分かってそれに乗った。それでいいじゃないか」

「分かりました。その気持ちを買いましょう」

「参事官！」西川がはっと顔を上げた。

「本当は、私がやるつもりでした」後山が打ち明ける。

「それはあり得ませんよ、参事官」沖田は呆《あき》れて言った。「指揮官がそんなことをしたら、現場が混乱するだけです」

「そう思って、行き詰ったんです」後山が認めた。

「じゃ、俺が志願すれば全て解決ですね」沖田はもう一度手を挙げた。「後は細部を詰めて下さい。そういうことを考えるのは、俺の役目じゃないんで。こっちは言われた通りに踊りますよ」

「覚悟はありますか」後山が念押ししてきた。

「覚悟がなければ、最初から志願しませんよ。参事官こそ、いいんですか？　この計画を押し通したら、仮に成功しても大問題になる。あなたのキャリアは台無しになるかもしれませんよ」

「そんなことよりずっと、大事なことがあるんです」

「男ですねえ」沖田は笑いながら立ち上がった。「漢字の漢と書いて『おとこ』と読ませるってやつですか？」

二人が不思議そうな視線を向けてきた。西川が気を取り直したように「どこへ行く？」

と訊ねる。

「ちょっとトイレだ。逃げ出す気はないよ」

本当は、一瞬だが逃げ出したくなった。自分は、数年前の自分とは違う。あの頃だったら、多少無謀と思えた計画でも躊躇《ためら》うことはなかったはずだ。

今は状況が違う。自分には響子と啓介がいるのだ。沖田の身に何かあれば、二人は深く傷つく。去年、ちょっとした失敗で足を骨折した時にも、彼女がどれだけ心配してくれたことか……もしも自分が死ぬようなことになったら、二人の今後の人生は大きく狂ってしまうだろう。それを承知で危険に身を投じる権利が自分にあるのか。もっと自分たちのことを考えて、無茶しないようにすべきではないのか。

だが、言ってしまった言葉は取り消せない。こんな任務を積極的にやりたがる人間はいないのだし、自分がやるしかないのだ。ここは西川を信用するしかない。あいつならきっと、安全な作戦を考え出してくれるだろう。

「びびったか」

声をかけられ、思わず顔を上げる。西川が険しい表情で立っていた。

「多少は、な」沖田は肩をすくめて認めた。

「響子さんのことを考えると、無茶はできないよな」

「俺も柔になったもんだよ」沖田は自嘲《じちょう》気味に吐き捨てた。

「それが普通だ。こんな時に、平然としていられる人間はいない」

「お前も思い切ったもんだよな。後山参事官も……あの人も馬鹿じゃないか？」

西川が慌てて周囲を見回す。トイレの近くの廊下に誰もいないのを確認して、低い声で言った。

「責任の重さを感じる瞬間はあるよな」

「ああ。後山さんは、今回の件ではずっと責任を感じてたんだろう。自分がテツを引っ張り出さなければ、こんなことにはならなかったんだからな」

「この作戦を成功させることでしか、責任は果たせないと考えている」西川が自分に言い聞かせるようにうなずいた。

「だけど、成功しても只《ただ》じゃ済まないぜ」沖田は、心底後山の身の上を案じていた。こういう特殊な作戦の場合、上層部の判断が必須になる。下が勝手に動いたら、上手く成功しても後々問題になるのは当然だ。一番上の人間——それこそ総監の決裁をもらってからでないと、作戦行動は始められない。しかしそこへ行くまでの間には、障壁が何枚も存在するだろう。後山が了承していても、捜査一課長、刑事部長ら現場トップの人間が諸手《もろて》を挙げて賛成するとは思えない。会議を重ねている間に、陳は手の届かない場所へ逃げてしまうだろう。

それでは駄目なのだ。だから後山は覚悟を決めた。

「これで後山さんが処分でもされたらどうする？」沖田は、答えの出ない質問を西川に投げかけた。

「俺たちが就職の世話でもするか」

「馬鹿言うな。住む世界が違うだろうが」

「心配するなよ」西川が沖田の肩を気安く叩く。「あの人はあの人で、自分の面倒ぐらい見られるはずだ。俺たちが心配することはない」

「そういうことにしておくか……で、決行は？」沖田は壁から背中を引き剝《は》がした。

「明日だな。リアルに見せかけるためには、それぐらいの時間の余裕が必要だ」

「そうか。だったら俺は、最後の晩餐《ばんさん》でも楽しませてもらおうかな。お前に昼飯、一回貸しだったよな」

「縁起でもないこと、言うな」西川が渋い表情を浮かべた。

「ああ、失礼。あれだ、NASAの宇宙飛行士が、出発直前に食べる食事みたいなもので。だいたい、ステーキと卵らしいぜ。アメリカ人は、そんな物ばかり食ってるんだな」

「そんなこと、何で知ってるんだよ」西川が苦笑した。

「どこかで読んだんだ。それぐらい、いいだろう？」

「分かった、分かった。決行前には俺が奢《おご》るよ。この前の昼飯のお返しもしないとな」

「よし、それで決まりだ」沖田はにやりと笑った。「俺はちょっとだらけてる。何か用事があったら呼んでくれ」

「分かった」

うなずいて、西川が去って行く。その背中を見送りながら、沖田は携帯電話を取り出した。通話履歴をスクロールして、響子の電話番号を呼び出す。一応、話ぐらいはしておくべきではないだろうか。何も知らずにいきなり……では、彼女が可哀想《かわいそう》だ。いや、やめておこう。万が一とんでもない事態が起きても、西川が必ず収めてくれるはずだ。

あいつは相棒なのだから。

計画を遂行するまでには、大きな壁があった。まず、どうやって陳をおびき出すか。そのための方法は一つしかないのだが、相手が簡単にこちらの要求を呑《の》むとは思えなかった。それでも今は、頼るしかない。

目の前の劉は、平然としていた。テーブルの上には、充電を終えた彼の携帯電話。沖田は劉と対峙《たいじ》したまま、言葉を捜していた。どう説得するか……結局、正面から切り出しかないと覚悟を決める。

狭い取調室の中には、他に西川しかいない。外では後山が控えて、マジックミラー越しにこちらの様子を窺《うかが》っている。何かあればすぐに助けに入る予定になっているが、そうなる前に何とかしたかった。こういうのはあくまで、現場の人間である自分たちの役目だ。

「一つ、お願いがあるんですがね」

「私に、ですか」劉が表情を変えずに言った。「今の私に、何ができるわけでもない」

「いや、あんたなら、電話一本で何とかできるはずだ。人の命を奪うとか、逆に救うとか」

「あー、滅相もない。人の命とは、ずいぶん大袈裟《おおげさ》な話ではないですか」

「あなたは、大友殺害の命令を出したはずだ」

「まさか」劉が声を上げて笑った。「何故《なぜ》私がそんなことを？」

「それは、あんたに説明してもらわないと分からないな」沖田は一気に言葉をラフにした。

「だけど今は、その件について責任は問わない」

「ほう、それはずいぶんルールを逸したやり方ですね」

「ルールなんかどうでもいいんだよ」

沖田は拳をテーブルに叩きつけた。乾いた音が取調室の中に響いたが、劉は臆する様子もない。今回は、多少脅そうが何をしようが、こちらの要求を呑ませなければならないが、脅しは通用しそうにない。この男は、手首を切り落とされても、平然と傷口を見ているような男かもしれない。

沖田はペースを変えた。

「警察として頼みがあるんだ。陳に連絡してくれ。奴は、あんたの命令なら聞くだろう」

「陳という男には、心当たりはありませんけどねえ」劉は依然として惚《とぼ》けている。

「あんたが逮捕される直前に連絡を取ろうとしていた相手、それが陳なんじゃないか。電話番号の解析から、それは明らかになっている。惚けても無駄だ」

「あー、覚えていませんねえ。あなたも、一か月も前に誰と話したかなんて、覚えていないでしょう」

「とにかくあんたは、陳と話そうとした。それは殺害命令の取り消しだったかもしれない。でも、大友があんたに電話を禁じたことで、取り消し命令が効かなくなった。陳は一か月以上も大友をつけ回して、とうとう命令を果たしたんだ——ただし、大友は死んでいない。だから、命令はまだ生きていると考えるべきだ」

「あー、想像力豊かな話ですね」

「何だと？」

「あなたは、想像で物を言っているのではないですか」

完全に向こうのペースになっている。沖田は腕組みをして、劉を凝視した。顔には何の変化もない。大友は苦労しただろうな、と改めて同情する。この男の弱点は……簡単には傷つかないタイプに見える。頭にあるのは、常に取り引き。プラスかマイナスで計算することしか考えていないのではないか。

「王を知ってるな？　王炎彬。『カーサ・デ・ロッソ』のオーナーだ」

「さあ、どうですかね」

「あんたは何度もその店に行っている。今、彼から詳しく事情を聴いているところだ。あの店は、在日中国人コミュニティの中心でもあるようだな」

「あー、あの店ですか」突然納得したように、劉がうなずく。「確かに、何度か行ったことがあります。ワインの品揃《しなぞろ》えが豊富でした」

「彼は、喋《しゃべ》るよ」

「王さんが？　何を？」

「あんたとの関係」

沈黙。劉は微動だにしなかったが、一瞬だけ携帯電話に視線を落とした。沖田はそれを見逃さなかった。

「携帯が気になるようだな」

「ビジネスが途切れてしまいましたのでね。謝らなければならない相手、たくさんいます。携帯は、私の仕事の命綱です」

「多少便宜を図ってもいい」

「警察がそういうことをしたら、まずいのでは？」

「何も、あんたの自由を完全に奪うつもりはない」

「そうですか。だったら、保釈を認めてもらえるとありがたいですね。始末しておかなければならないことがたくさんあります」

「それも検討してもいい」

劉が一瞬目を見開いた。次の瞬間には、軽い笑い声を漏らす。

「あー、警察はそこまで追いこまれているんですか」

「刑事を撃った人間を捕まえないと、我々の面子《メンツ》は丸潰《まるつぶ》れなんでね。今はそれが最優先だ」

沖田は、マジックミラーに目をやった。その裏で、後山は何を考えているのだろう。予《あらかじ》め、最大限の譲歩をしてもいいと打ち合わせはしてあったが、彼にしても忸怩《じくじ》たる想《おも》いだろう。大きな犯罪を解決するために、より小さな犯罪を見逃す——効率的とも言えるが、警察官の考え方としては百パーセント間違っている。

ただ、それが全てではないのだ。打ち合わせをしたわけではないが、後山も自分も、今は警察官の倫理とは別の倫理に従って動いている。後で非難されるかもしれないが、それは承知の上だった。

「一つ、提案させてもらえますか」西川が立ち上がった。沖田の脇に陣取って劉を見下ろす。

「警察から提案とは、面白いですね」

「陳を逮捕すれば、我々は今回の殺人未遂、銃刀法違反、その他について調べることになる。しかし陳は、あなたとの関係については喋らないような気がします。殺人未遂の共犯としてあなたを処分できる可能性は極めて低いと思う」

「ほう」

「陳に関して調べることの中には、青山の強盗事件も入っています。こちらにとっては、千載一遇のチャンスなんですよ。しかしその件でも、あなたの責任は問いません」

「私はそもそも、そんな事件には関係していない」劉の表情がいきなり強張った。

「あなたには、幾つも顔があるんでしょうね」西川が言った。「今は、日中を股《また》にかけるビジネスマンだ。でもそれ以前には、ずいぶん乱暴な犯罪に手を染めていたんでしょう。そうやって手に入れた金を、今のビジネスの元手にしたんですか？　一種のマネーロンダリングですよね。そして我々は、それを証明できる——証明しようとすれば」

「だから？」

「証明しないでおくこともできます」

「ほう」

「あなたが現在かけられている容疑……話の大きさの割には、大したことはありませんよね。それは、警察と検察も苦慮している証拠です。ただ、青山の強盗事件に関しては別です。あなたは実行部隊ではなく、元締めの人間ですから、立件されれば罪は重くなる。実刑は免れないでしょうね」

「あー、なるほど」劉が両手を組み合わせた。西川と沖田の顔を交互に見て、薄い笑みを浮かべる。「これは一種の司法取引ですか？　日本には、そういう制度はないと思いますが」

「ありませんね」西川も微笑《ほほえ》んだ。

「ということは、取り引きは成立しないのでは？」

「劉さんよ、あんた、日本には長いよな」沖田は割りこんだ。

「かれこれ二十年ぐらいになるでしょうか」

「だったら、胸先三寸という言葉を知ってるな？」

「まあ、何となく」劉が咳払《せきばら》いをした。

「俺たちは、やらないと決めたらやらない。それを信じてもらうしかないな」

「警察は信用できませんよ。それは万国共通です」

「だったら、こう言い換えてもいい。やると決めたらやる。陳は遅かれ早かれ捕まるし、奴が捕まらなくても、あんたの強盗事件への関与を立件するのは難しくない。既に証言も得ている。あの件では、俺たちは全力で捜査するよ。そして必ず実刑に持ちこむ。日本人の実行犯は、八年の実刑判決を食らって服役中だ。当然あんたも、何年かは食らいこむことになる。そうしたら、どうなるかな。日本の刑務所は、アメリカなんかと違って、外との接触は非常に限定されているんだ。仮に八年間、娑婆《しゃば》から断絶したらどうなるだろうな。あんたには、今まで築き上げてきたものがあるだろう？　あんたの帝国は間違いなく崩壊するよ」

「陳を捕まえれば、私との関係を詮索《せんさく》するだろう」劉の表情が強張る。

「聴かなかったことにしておきゃいいんだよ」沖田はにやりと笑った。「そんなことは、何とでもなる。俺たちは、とにかく大友を撃った人間が欲しい。実行犯の身柄を取れれば、法の権威は保たれる」

沖田は言葉を切り、劉の様子を観察した。額に薄く汗が滲んでいる。頭の中で必死に計算しているのは分かった。現在逮捕されている一件のせいで、既に一か月以上、世間から遮断された状態が続いている。初公判後に保釈される可能性を見越して、何とかビジネスの建て直しを考えているのだろうが、強盗事件の容疑で逮捕されれば、保釈はまずなくなる。警察の言うことを信用して、保釈の可能性に賭《か》けるか……劉が唇を舐めた。

「それで、私に何をしろというのですか」

落ちた。沖田はにやりと笑いそうになるのをこらえて、顎を引き締め、淡々と要求を伝えた。劉はずっと真剣な表情を維持したままで、沖田の言葉に耳を傾けていた。

「見事なものでした」取調室を出ると、後山がうなずきかけてきた。

「本当は、ああいう取り引きはしたくなかったんですがね」沖田は額の汗を拭《ぬぐ》った。「胸《むな》糞《くそ》悪いですよ。あの強盗事件は、今でも引っかかってるんだから」

「なるほど……だから何なんですか？」

「はい？」

「犯罪者との約束なんて、何の当てにもならないでしょう。そんなことは、向こうだって分かっているはずですよ」

「参事官……」沖田は呆れて後山の顔を見詰めた。「それじゃ、強盗事件を捜査しないというのは……」

「そんな約束は、いつでも反故《ほご》にしてよろしい」後山がうなずいた。

「それは信義に反するんじゃないですか」西川も反論した。

「ああいう手合いに対しては、信義もクソもないんです。ワルはワルらしく、とことん叩いて地獄に落としてやらないといけません。陳の事件に関しても、当然立件を目指しますよ。強盗事件と二つ合わせれば、かなり長期間、刑務所に叩きこんでおくことができます」

「また、警察官に対する報復を狙うかもしれませんよ」西川が忠告した。

「そんな気持ちにもなれないほど、へし折ってやればいいんです。人間は、永遠に突っ張ってはいられませんからね。それは、どんなに心が強い犯罪者でも同じです……では、計画を進めて下さい。決行は明日の夕方とします」

後山が一礼して去って行った。その姿を見送ってから、沖田は思わず漏らした。

「あの人、相当なワルだな」

「ああ、少なくとも肝は据わってる」

「珍しいタイプだよな。あんなに冒険するキャリアはいないだろう」

「俺たちも負けていられないな」

「分かってるさ……さて、これからどうする？」

「明日の準備だ」西川が言葉を切り、沖田の顔をまじまじと見た。「お前が死なないようにしないとな」

その夜のうちに、劉は陳に電話をかけた。余計なことを言わず、正確に情報が伝わったかどうかを確認するために、通訳が同席する。つながらない——居場所を察知されるのを恐れて、当然電源は切っているだろう。だが劉は、それを予想していたようにメッセージを残した。陳は一時間に一回は電源を入れてメッセージを確認しているはずだ、と言って。貴重な情報であり、これをきっかけに陳の携帯の追跡作業が始まったが、上手くいかなかった。それでも構わない、明日は必ず陳の身柄を抑えられるはずだ、と沖田は自分を納得させた。

やるべきことは多く、今日は徹夜を覚悟した。鳩山が気を利かして、「帰っていい」と言ったのだが、とても一人で家にいる気にはなれない。それに家にいれば、響子に電話してしまいそうだった。いや、電話するのは問題ないのだが、迂闊《うかつ》に明日の計画を喋ったらまずい。人に明かせば気持ちが折れてしまいそうだった。

明日は雪だという天気予報を聞いて、西川が満足そうな笑みを浮かべる。

「何が雪でいいんだよ」

「とにかく、いいんだ。大き目のダウンジャケットを用意しないとな」

西川は一人準備に追われており、詳しい計画を沖田に説明しようとしなかった。とにかく沖田は決めた時間に現場にいればいい、とでも考えている様子だった。

一人放置されたような気分になり、沖田は半分不貞腐《ふてくさ》れたような気分でさやかを食事に誘った。とはいっても、ただ飯を食べるだけでは面白くない。「カーサ・デ・ロッソ」を視察するつもりで三田まで出た……が、オーナーが警察に呼ばれているせいか、店のシャッターは下りている。

「クソ、ついてないな」

「しょうがないですよ」さやかが慰めた。「だいたい、あそこで食事するのは無理でしょう。落ち着かないと思いますよ」

「ま、そうだな……今夜は酒を呑むわけにもいかないし、どうする？」

「この辺で、つけ麺《めん》が美味《おい》しいお店があるって聞いたことがありますけど」

「つけ麺って……女性が食べるものじゃないだろう」

「最近はそうでもないですよ。私だって、一人で立ち食い蕎麦《そば》屋に入ることもありますし」

「そういう時、惨めにならないか？」

「誰かに指摘されない限り、そんなこと、ないです……だから今は、ちょっと惨めですけどね」さやかが沖田を睨んだ。

「ああ、悪かった。飯を奢るから、勘弁してくれ」

さすがにつけ麺という気にはなれなかった。最近沖田は、夜はなるべく米を食べるようにしている。数年前までは、呑んだ後の締めでラーメンということも多かったのだが、最近はそういう不健康な食生活を改めるように気を配っていた。そのためには、早い時間にしっかり食べるのがいい。腹が膨れてしまえば、酒もそんなに呑まずに済むし。

この辺は基本的に大学生の街なので、安くてボリュームのある飲食店はいくらでもある。

何となく見当をつけて、都営浅草線三田駅の近く、第一京浜沿いにある洋食屋に入った。内装に油が染みこんだような古い店だったが、遅い時間にもかかわらず若い客でごった返しているので、味には期待できそうだった。

一瞬、西川に言った「ステーキと卵」が頭に浮かぶ。膨大なメニューを眺めると、「薄焼きステーキ」と「卵焼き」があった。これでも「ステーキと卵」の組み合わせには違いないのだが、自分が本当にこういう物を求めていたのか分からなくなり、結局オムライスにした。さやかはチキンライス。

あまりにも客が多いので、煙草《タバコ》を吸う気にもなれない。ぼんやりと客の会話に耳を傾けながら、明日に思いを馳《は》せる。嫌な想像が頭を駆け巡った。万全の防御態勢は取れるはずだが、本当に万全と言えるのだろうか。それに、あそこを「戦場」にするのは気が進まない。陳の持っている武器があの拳銃《けんじゅう》だけかどうかも分からないのだ。もしもライフルでも持っていたら、遠くからの狙撃《そげき》が可能になる。明日は現場一帯を封鎖する予定だが、封鎖範囲の外側に陳がいたらどうなるのか。またも追いかけっこが始まり、結果的に逃してしまうのでは、という嫌な予感が募る。こちらは何度も失敗しているのだし。

だいたい、最小限の人員しか配せないのも不安だ。これまでの経過から、陳がやたらと鼻が利き、警戒心の強い男だということは分かっている。自分が追いつめられていることを、敏感に感じ取ってしまうのだ。こちらの作戦に気づかれないようにするには、できるだけ少ない人数で臨むしかない。

それと、劉の態度だ。彼が電話をかけるところに立ち会った通訳によると、こちらが要求した台詞《せりふ》を喋っただけで、余計なことは一言も言わなかったそうだが、もしかしたら劉と陳の間には、二人にしか分からない符丁のようなものがあるかもしれない。言葉を発するタイミングとか、無言の時間の長さとか。

「沖田さん、冷めますよ」

指摘され、目の前のオムライスに初めて気づいた。胃の中は完全に空っぽなのに、料理に気づかないほど他のことに集中していたとは……沖田は苦笑してスプーンを取り上げた。型実に美しいオムライスである。卵に焦げ目がまったくなく、濃い黄色が目に鮮やかだ。型抜きしたように完璧《かんぺき》な紡錘形で、真ん中には縦に赤く太いケチャップの帯。オムライスに寄り添うように置かれたパセリの緑が、この図を完成させていた。

「美味しいですよ、これ」チキンライスを一口食べたさやかが、嬉《うれ》しそうに言った。

確かに……大振りに切った鶏肉《とりにく》がごろごろしているのでボリューム満点だ。他の具は、タマネギとマッシュルームぐらいか。だがチキンライスは、ごちゃごちゃ具を増やさない方が絶対に美味《うま》い。沖田もオムライス――中身はさやかのチキンライスと同じはずだ――を一口頬張《ほおば》って驚いた。チキンライスというと、「ケチャップをまぶしつけた焼き飯」になってしまい、べちゃべちゃした物が多い。もちろんそれはそれで味わいがあるのだが、この店のチキンライスは別格だった。全体にはからっとした仕上がりで、所々に感じる焦げが香ばしい。それほど濃くないケチャップが味をまとめあげている。卵とのバランスも完璧だ。

最後の晩餐としてこれは素晴らしいな、と考える。いやいや……何も俺は死にに行くわけではないのだから、縁起でもないことを考えてはいけない。

食べ終えると、沖田はすぐに立ち上がった。店を出た瞬間、さやかに「お前、帰っていいぞ」と告げる。

「いや、でも……」さやかが躊躇った。

「明日は長くなる。体力を温存しておけよ」

「沖田さんはどうするんですか」

「俺は、適当に」沖田は肩をすくめた。そう、適当に時をやり過ごすしかない。何をしても緊張するのだから、今からそういう環境に身を置いてもいいだろう。追跡捜査係に泊まりこみ、明日に向けて徐々に緊張感を高めていく。「駅まで一緒に行こう。どっちだ?」

「三田駅です……三田線の方の」

自分も三田線で行くか……日比谷で降りれば、警視庁までそれほど遠くはない。内堀通りを一人で歩く時間は、考え事にも適しているだろう。だが、密閉空間である地下鉄の中で、さやかとしばらく一緒に過ごすのが、わずかに鬱陶《うっとう》しくあった。できれば早く一人になりたい。

「俺はJRで行くから」

さやかがぴくりと眉《まゆ》を上げた。最寄りの田町駅から山手線に乗っても、警視庁の近くまではたどり着けない——それぐらいのことは彼女にも分かっているのだ。だが、そこから先のことは分かるだろうか。大事な作戦を前にして、一人きりになりたいと願う気持ち。口達者なさやかだが、刑事として——人間としてはまだまだ経験が足りない。

だが彼女は、何も言わなかった。何も言わない以上、こちらの気持ちは分かっているだろうと判断する。結局彼女とは、店の前で別れた。沖田は一人、第一京浜を横断して田町駅へ向かう。巨大なオフィスビルの前で足を止め、ワイシャツの胸ポケットから煙草を取り出して火を点《つ》けようとして迷った。駅のすぐ近くであるこの辺りは、遅い時間になっても行き交う人でざわついており、煙草が吸いにくい。だいたい駅の近くには喫煙所があるものだが……しばらく歩き回ってみたが見つからないので、結局煙草は諦《あきら》めた。それに今は、喉《のど》に刺激を与えるより、もっと優しい物が欲しいのだと気づく。

とはいえ、最も必要な優しさ——響子に会えないのは分かり切っているのだが。

何が何でも、一人でやりきらなければならないこともある。愛する人をそれに巻きこんではいけない。

予報通り、朝から雪になった。時折激しく降ってはやみ、また降り出す悪天候。沖田にとっては最悪の空模様だったが、西川はほっとした表情を浮かべていた。

「何でそんなに雪が嬉しいんだ」霞が関の官庁街を白く染める雪を窓から眺めながら、沖田は文句を言った。

「雪が降ってれば、フードを被っても自然だ。フードを被《かぶ》れば顔が隠れるし、もっといいこともある」

「何だよ、それ」

「ヘルメットだ」西川が頭をすっと撫《な》でた。

「ヘルメットを被った上にフード？　何でそんなださい格好をしなくちゃいけないんだ」

「ヘルメットをむき出しにしてたら、すぐに気づかれるだろう。フードを被れば目立たない」

「えらく頭のでかい奴だと思われるんじゃないか」沖田は皮肉を吐いた。

「格好なんかどうでもいいんだよ、不自然にさえならなければ」西川が首を振る。「防弾チョッキと、特殊加工した車椅子、それにヘルメットで、だいたい急所は守れる」

「顔はどうなるんだ、顔は」沖田は、自分の顔の周りにぐるりと円を描いて見せた。

「人の顔に当てるのは難しい。的としては案外小さいからな」

「一番肝心なところじゃないかよ……」

「正面から来るとは思えない。大友も、後ろから撃たれてるし」

「それはそうだけどさ」

「怖いのか」西川が挑むように言った。

「お前に意地張っても仕方ないから言うけど、怖いに決まってるだろう」

「だったら——」

「やるって言い出したのは俺だ」沖田は低い声で宣言した。「とにかくお前たちは、一発で相手を捕まえてくれよ。それと俺も、銃は持っていくからな」

「ああ」

「用意ができたら呼んでくれ。俺は王の顔でも拝んでくるから」結局王は逮捕はされなかった——容疑を確定するのが難しい——が、夕べから厳しい監視下に置かれている。

「構わないけど、気をつけろよ」

「何が」

「王は劉以上にタヌキだ。俺もすっかり騙《だま》された」

「西川先生、人を見る目がないんじゃないのか？」

「お前みたいな人間とつき合っているんだから、そうかもしれないな」

沖田はにやりと笑った。こういう台詞が出てくるようなら大丈夫。西川は普段の自分を取り戻している。


この作戦の最初の問題は、大友を実際に動かすかどうかだった。陳は病院を監視している可能性がある。できたら一度車に乗せて、どこかですり替える方がより確実に騙しやすいのだが、医師団は強硬に反対した。外へ出すのは絶対に駄目。命の保証ができない。そこまで言われると、どうしようもなかった。結局他の病室に移して、大友が元々入っていた病室は空にする。仮に陳が部屋を覗《のぞ》いても、「退院した」と勘違いされるように……もっとも沖田は、陳は病院には来ないのではないかと予想していた。リスクを減らすためにも、直接自宅へ向かうはずである。

沖田は既に車椅子に乗せられていた。丈の長いベンチコートを着こみ、病院内にもかかわらずフードを被っている。看護師や入院患者とすれ違う度に奇異な視線をぶつけられるのが痛かったが、これればかりはどうしようもない。ひたすらうつむいたまま、やり過ごすしかなかった。

裏口から駐車場に出た途端、舞い上がる粉雪が目に入った。思わず体を硬くし、襲いかかってくる寒さを何とか押し返そうとする。車椅子を押してくれる捜査一課の刑事は、慎重に沖田を車に向けて誘導した。車椅子対応のミニバンが用意されている。

後部のハッチゲートが開くと同時に乗降用のスロープが下ろされ、沖田は車椅子に乗ったまま車内に入った。慣れないのでかすかな恐怖を覚えたが、中に入ってしまえば何ということはない。車椅子も固定され、普通のシートに座っているのと変わりない感じになった。

車には他に、三人が乗りこむことになっている。捜査一課からは運転手役と車椅子を押してきた刑事、それに庄田だ。庄田は珍しく自分から志願して手を挙げていた。

「お前、怪我《けが》は大丈夫なのか」後部座席に座った庄田に声をかける。

「かすり傷です。利き腕でもないですし、大丈夫ですよ」

「変な意地を張ってるんじゃないか？　自分が撃たれたから、復讐《ふくしゅう》とか」

「いけませんか?」庄田が低い声で言った。「落とし前は自分でつけます」

「あ、そう」沖田は半分呆れて言った。「大丈夫か？　そういうの、お前のキャラじゃないぞ」

「それは自分でも分かってます」

にわかに心配になった。普段の自分と違うことをやろうとすると、だいたいろくなことにならない。緊張や焦り、怒りが、本来の能力を半分ほどにも削ってしまうのだ。

しかし庄田の言い分も理解できる。一歩間違えば死ぬような経験をした後は、無理にでも頑張らないと、その恐怖に長い間苦しめられるものだ。

病院から大友の自宅がある町田まで、一時間半と読む。首都高も東名高速も通行止めにはなっていなかったが、さすがに雪でスピードは出せなかった。その間、沖田はほとんど何も喋らなかった。他の刑事たちは忙しく連絡に追われていたのだが、沖田は敢《あ》えて携帯の電源も切って集中するよう努めた。何か用があれば、庄田経由で言ってくるだろうと考え——いつの間にか眠ってしまったのには自分でも驚いた。車椅子は決して座り心地のいいものではないし、気持ちは緊張でささくれ立っていたのだが、それでも疲労感が上回ったようだ。実際、夕べもほとんど寝ていないのだし……目が覚めたのは、車が東名高速を降りたところだった。横浜町田インターチェンジにつながる国道十六号は、雪のせいでいつも以上に渋滞していたが、何とかやり過ごして、国道二四六号線から町田街道に入る。ここをずっと北上して、跨線橋《こせんきょう》で小田急線を越えると、すぐに大友の家に着く。都心部よりも雪の降りが激しかったのか、路肩には既に雪が積もり始めている。場所によっては、アスファルトも薄《うっす》らと白くなっていた。スリップする車がいたりして、町田街道も所々で渋滞している。沖田は気が逸《はや》り、胃にかすかな痛みを感じ始めた。

家が近づくと、沖田は準備を始めた。一度車椅子を離れ、狭い車内で身をよじるようにしてベンチコートを脱ぐ。防弾チョッキを着こみ、西川が用意してきたジェット型のヘルメットを被った。シールドはなし。そのため視界が妨げられることはないのだが、顔面が完全に無防備なのはやはり恐怖だった。これだと、後ろから撃たれる方が安全だな、とも思う。後頭部はヘルメットが守ってくれるし、車椅子の背もたれ部分には鉄板をしこんでいるから、背中も安全だ。それにここには、数十人の刑事が潜んでいる。捜査一課、所轄、機動捜査隊。全員が頼りになる連中だ。

装備を着用し終えたところで、車が大友の自宅に着いた。小さなマンションで、入り口付近には雪の吹きだまりができている。そういえば、スロープがないな……これはまずい。スロープがなければ、一度降りて自分の足で歩くか、誰かに車椅子ごと持ち上げてもらうしかない。仮に後者の状況になったら、陳は警戒して何もしないのではないだろうか。

実際、この計画にはほとんど時間的な猶予がない。車を降りてマンションのロビーに入るまでのほんの数分——実際には二分ほどではないか。そこで何も起きなかったら計画は破棄、全てやり直しになる。

最初に車椅子を押してくれた刑事が、助手席から外へ飛び出した。庄田は陳に顔を見られている恐れがあるので、車内で待機。後部ハッチゲートが開いて寒風が吹きこみ、一瞬で車内の温かい空気を追い出してしまった。沖田は身震いして、ベンチコートの前をかき合わせた。後ろ向きに、ゆっくりと傾斜を降りる。大した角度ではないのだが、普段経験していない動きなので、どうしても不安がつきまとった。車椅子を支えてくれる刑事が、耳元に口を寄せてささやいた。

「下ろしたら一度離れる。ハッチを閉めなくちゃいけないから」

「そりゃそうだ」

「戻って来るまでの時間が危ない」

「わざわざ教えてもらわなくても、十分びびってるよ」

そう……陳が狙うならそのタイミングだろう。一人になった瞬間に、背後から撃つ。あの男には、「卑怯《ひきょう》」などという考えはないはずだ。

久しぶりにアスファルトの上に降り立つ。牡丹雪《ぼたゆき》が舞い、視界は最悪だ。この状況が陳にとっていいのか悪いのか……撃って当たらない、というのがこちらには一番ありがたい。当たった。

一人になった瞬間、背後に異様な殺気を感じる。それがコンマ何秒かの間に最高潮に高まったと思った瞬間、銃声が鳴り響いた。それと同時に、背中全体を痺《しび》れさせるような激しい衝撃が走る。車椅子に仕込んだ鉄板と防弾チョッキが被弾を防いでくれたのだが、陳は今度は大友の時のような失敗は犯さないつもりのようだった。続けて二発、三発目の銃声が響く。衝撃を感じたのはいずれも背中。沖田はショックで唖然《あぜん》としながらも、予《あらかじ》め頭に叩きこんでおいたシナリオに従って動いた。体重を左側にかけ、車椅子を倒す。すぐに這いつくばって、陳に狙われにくい姿勢を取った。続いてベンチコートの隙間《すきま》に手を突っこみ、銃を摑《つか》み出す。背中に広範囲に痺れと鈍い痛みが残っていたが、怪我はないと判断した。ベンチコートのフードをはね上げ、ヘルメットを強引に脱ぐ。雪と寒風が襲いかかってきたが、視界は良好になった。

いた。黒いナイロンジャケットに黒いジーンズ姿の陳は、白が支配する景色の中でひどく目立つ。阿呆《あほ》が……所詮《しょせん》素人ということか。こういう時は天候に合わせて白い服を着てくるものだ。陳は拳銃をジャケットの内側に突っこみ、すぐに踵《きびす》を返して走り始めた。逃がすか。この網から逃げるのは不可能だ。沖田は一気に立ち上がり、車椅子を飛び越して走り始めた。奴は俺の獲物だ。誰にも渡さない。

第十二章

やられたか？　西川は一瞬で、顔から血の気が引くのを感じた。銃声三発。イヤフォンをきつく耳に押しこみ直し、報告を待つ。

『背中側から発砲』

『三発、車椅子《くるまいす》に命中！』

視界の悪いこの雪の中で？　クソ、何という腕だ。だいたい、どこに隠れていた？　西川は自分の読みの甘さを恥じた。発砲する前に身柄を抑えられるのでは、と予想していたのである。大友の家の周辺に住む人たちは一時間前に避難させ、周辺も立ち入り禁止にしていた。そこへ陳が近づいて来れば、簡単に網にかけられる――沖田を危険な目に遭わせることもあるまいと思っていたのに、その読みはあっさり外れた。いったいどこに隠れていたのか、あるいはどこから入りこんで来たのか。

だが今は、そんなことを考えている余裕はない。作戦は第二フェーズに入った。

『追尾開始！　ただちに身柄を確保！』

珍しく大声で叫ぶ後山の声が耳に飛びこんでくる。どうしても現場で指揮を執ると言い張って、今は大友の部屋に入りこんでいた。

大友のマンションの斜め前にある民家の庭先に隠れていた西川は、すぐに飛び出した。陳の背中を視界に入れる。全力で走っている様子だが、アスファルトが雪で薄《うっす》らと白くなっているので、それほどスピードは出ない。

『不審車両を捜索、発見次第その場で待機！』

また後山の指示が飛ぶ。これは当然だと西川は思った。陳がここまで電車を乗り継ぎ、歩いて来たとは思えない。どこかに逃走用の車両を用意してあるはずで、それを押さえれば遠くへ逃げるのは阻止できる。

車椅子を盾代わりに這《は》いつくばっていた沖田が、いきなり立ち上がってダッシュした。重い防弾チョッキを着こんでいるのだが、それにもめげずにほぼ全力疾走だ。西川は沖田の後ろから追う格好になった。こちらは身軽なのだから、絶対に沖田に先んじなければならない。そもそもあいつも、直撃ではないとはいえ、背中に三発も受けている。無理はさせられない。

近くの民家に潜んでいた刑事たちが一斉に飛び出し、陳を追い始める。陳が殺気に気づいたのか、後ろを振り向いて顔を引き攣《つ》らせた。よし……西川は心の中でひそかにガッツポーズを作った。奴は焦っている。これまで、どんな状況でも焦りは見せなかったのに——すっと相手に近づき、撃つ。逃げる時も素早く、尻尾《しっぽ》を摑《つか》ませない。だが今は、どうしようもない状況に追いこまれていることを理解しているだろう。

『不審車両確認。ナンバープレートが隠されている。これより監視に入る』

よし、逃走手段も排除したか。奴も焦っているだろう。それが逆効果にならないといいが——と西川も焦り始めた。一番怖いのは、陳が近くの民家へ逃げこんで、住人が人質に取られることである。避難させることができたのは、大友のマンションの周囲の住人だけで、それほど広範囲ではない。危険が拡大する前に捕まえないと……陳が小さな交差点を左へ曲がった。その後を、刑事たちが一列になって追跡する。さながら中距離のレースのようだった。ペースを乱して飛び出した選手を、他の選手が必至に追い上げて行く——。中に一人、異常に足が速い刑事がいた。列の最後尾から追い上げて全員を追い抜き、一気に陳へ迫る。あれは間違いなく陸上の経験者だろう。一人でも追いつけば、制圧できるチャンスは広がる。

だが陳は、ただ逃げるつもりではなかった。いきなり立ち止まると、振り向き様に発砲する。刑事たちの足並みが乱れた。状況が分からずその場に立ち止まる者、アスファルトに身を投げて危険から逃れようとする者……陳が薄らと笑みを浮かべるのが見える。上手《うま》く刑事たちを足止めしたと思ったのだろう。すぐに踵《きびす》を返して再びダッシュしようとしたが、その瞬間、その場で固まってしまう。

「動くな！」と声を張り上げたのは、いつの前にか陳の前に回りこんでいた庄田だった。右手を真《ま》っ直《す》ぐ上げ、拳銃《けんじゅう》で陳に狙《ねら》いをつけている。両手で保持できないのは、左肩に痛みが残っているからか。

「庄田、撃つな！」西川は反射的に叫んだ。庄田は、陳だけではなく他の刑事たちとも対《たい》峙《じ》している格好になる。下手をしたら同士打ちだ。

庄田もそれは分かっているようで、陳に狙いを定めたまま、動けなくなってしまった。陳が迷わず、左側の道路に飛びこむ。あそこを曲がって少し行けば大通り……慌てて刑事たちが追跡を再開する。

西川は、角を曲がった瞬間に嫌な音を聞いた。激しいブレーキ音、続いて何かがぶつかる大きな音……慌ててダッシュすると、車にはね飛ばされた陳の体が宙を舞い、アスファルトに叩《たた》きつけられるところだった。背中から落ちて大きくバウンドし、その場で動かなくなってしまう。ドライバーが慌てて飛び出してきたが、シフトレバーを「P」に入れるのを忘れたのか、車がゆっくりと動き出してしまう。大慌てで車に戻り、ドアを開けて上半身を突っこんで車を停《と》めた。

急に静かになった。倒れたままの陳の体に雪が降り注ぐ。まさか、死んでしまったのでは……西川は軽い吐き気を覚えながら、ゆっくりと陳に近づいた。その脇を、誰かが猛ダッシュして追い越して行く。沖田だった。陳の傍らに立つと、いきなり銃口を向ける。西川は極度の緊張に襲われ、「やめろ！」と叫ぶのも忘れてしまった。

「死ぬなよ、この野郎！」沖田が叫ぶ。「死んだら殺してやる！」

この場にいる全員が、少しずつ正気を失いつつあるようだった。

陳の受け身の技術は確かだった。病院に運びこまれたが、怪我《けが》は右肘《ひじ》の骨折だけ。頭も打っておらず、事情聴取に差し障りはなかった。とはいえ、治療を終えたのは午後九時で、今日はもう長い時間の取り調べはできない。それでも、肝心なことだけはどうしても聴いておかねばならなかった。

西川は志願して、陳の取り調べを担当した。日常会話程度の日本語には不自由しないようだったが、念のために通訳をつける。沖田も取り調べに参加したがったが、頭に血が昇ったままなので遠ざけた。ここから先は微妙な話になるので、沖田の怒りでぶち壊しにするわけにはいかない。代わりに後山が、自分も取調室に入ると言い出した。西川は逡巡《しゅんじゅん》したが、後山が引く気配はなかった。仕方なく、「なるべく口出しなしでお願いします」と釘《くぎ》を刺す。キャリアの参事官に平然とこんなことが言える自分に驚いた――自分もまだ正気に戻っていないのかもしれない、と思う。

警視庁に一番近い所轄、千代田署の取調室を借りることにした。実行犯が逮捕できたので、今後大友狙撃《そげき》事件の捜査本部はここに置かれることが決まっている。

初めて直接対面した陳は、ごく普通の男だった――少なくとも顔は。柔和な表情で、アスファルトに叩きつけられた時に怪我した額に大き目の絆創膏《ばんそうこう》が貼《は》られているせいか、弱々しい感じもあった。小柄で痩《や》せ型の体型は、体操選手などのアスリートをイメージさせる。そう言えば、あの「受け身」は、体操の技のようでもあった。衝突の衝撃を身を丸めて吸収し、空中でバランスを保ちながら、最もショックの少ないタイミングとフォームで着地する――簡単にできることではない。

「警視庁捜査一課追跡捜査係の西川と言います。名前からお願いします」

「――陳志幸」日本語風の発音だった。イントネーションを聴いた限り、普通の会話には差し障りがないようである。

西川は立て続けに住所、年齢、職業を確認した。住所は、「カーサ・デ・ロッソ」近くの例のマンション、年齢は三十二歳、無職。今はいろいろなアルバイトをしている、というのが本人の淀《よど》みない説明だった。

そこまでが準備運動。西川は一つ吐息を吐いて本番に入った。

「今日、拳銃を四発発射したことは認めますね？」

「発射……」陳が眉間《みけん》に皺《しわ》を寄せた。

「拳銃を撃ちましたね？　四回」西川は右手で銃の形を作って説明した。

一瞬躊躇《ためら》った後、陳が素早くうなずく。

「誰を狙って撃ったんですか」

陳が口角を上げる。笑ったわけではなく、顔が引き攣ったようだった。追いつめられたと意識している証拠に、目の端が小刻みに痙攣《けいれん》している。

「誰を撃ったんですか」西川は静かに質問を繰り返した。この男は持たない。必ず落ちる、と確信する。確実にターゲットに近づくプロ意識は持っているかもしれないが、基本的には気の小さい男なのではないか。

「質問を変えます」西川は答えを待たなかった。こういうタイプは、早いうちに徹底して追いこんでしまうに限る。「誰に頼まれましたか」

「知りません」

「質問を変えます」

短い間で二度目の同じ台詞《せりふ》。陳の目に戸惑いが走る。西川は構わず続けた。

「昨日、誰から電話を受けましたか？　午後八時頃ですが」

「知らない」

「そういう言い方はやめましょう。あなたが夕べ、携帯の電源を入れて留守番電話を確認していることは分かっている。その時にメッセージを聴きましたね」さすがにその時点では、居場所までは特定できなかったが。

「知らない」感情の見えない否定。

「そのメッセージの内容は以下の通りです」西川は手帳を広げた。昨日劉が中国語で残したメッセージは、正確に記録されて日本語に訳された。

「大友鉄が明日の午後退院する。そのまま自宅へ戻るので、もう一度狙え」

西川は通訳に目配せした。少し緊張気味の通訳が、中国語に訳していく。陳の顔色は、一貫して真っ青だった。

「さて、これはどういうことですか。誰かがあなたに、大友鉄を狙うよう指示した。そしてあなたは指示通り、今日の夕方、大友の家の前にいました。そして大友に向けて拳銃を三発撃った。事実関係は明白です。言い訳はできない」

「何も知らない」

「否定すればするだけ、話が長引くんですよ。あなたが発砲したことは、先ほど行ったパラフィンテストの結果でも明らかです。銃も見つかっています……で、どうするのかな？　情状を考えた方がいいと思うけど」

陳が困惑の表情を見せた。「情状」に引っかかっているのが分かったので、通訳を頼む。説明すると陳が納得したようにうなずいたが、西川は、中国語に「情状」に当たる概念があるのだろうか、と疑念を感じた。

「素直に全部話して反省すれば、それなりに配慮されるということです。これが中国だったらそうもいかないかもしれないけど、ここは日本だ。簡単に死刑になるようなことはない。刑期を終えれば、社会復帰できる可能性もあります」

陳は自分の言葉を理解しているはずだと確信していたが、西川は再度通訳を依頼した。話を聞いているうちに、陳の背筋がゆっくりと伸びてくる。助かりそうだ、と思い始めたのかもしれない。もちろん、まだまだこれからだが……強盗事件についても、西川は諦《あきら》めていない。

「あなたが大友を撃ったのは間違いない。問題は、自分の意思でやったのか、誰かの指示を受けてやったのか、だ。まったく違う話になる。自分で企んだとしたら、全部責任を負わないといけないんですよ」

「命令されただけだから」吐息のように小さな声で、陳がついに認めた。

「劉に？」

無言でうなずく。その名前を口にすると、何か悪いことが起きる、とでも信じている様子だった。

「どうして大友を撃たなければならなかったんですか」

「それは……」陳が唇を舐《な》める。額に汗が浮かび、絆創膏が剝《は》がれかけていた。

「言えない？　何の説明もなしに、いきなり誰かを殺せと言われても従うのか？」

陳が無言でうなずく。もう一歩で全部吐く、と西川は確信した。

「大友は何をやったんですか？　何をやったと劉は信じていたんですか」

「劉さんを邪魔した」

それはそうだろう。劉は逮捕されたのだから。

「何を邪魔したんですか」

「大友は、ビジネスを潰《つぶ》した」

「それは、違法だからだ」

「劉さんは、大きなビジネスを始めようとしていた」

「メタンハイドレート採掘技術を盗もうとしたんでしょう？」

「それだけじゃない」陳が首を振った。「もっと大きな、大金が入るビジネスのきっかけになるから」

「資源関係で？」

西川はかすかな混乱を感じていた。メタンハイドレートに関するビジネスは、今後の日本の資源政策さえ左右しかねない。それ以上のビジネス？　陳がうなずき、続ける。

「シェールガス」

「ああ」

「中国は、世界最大のシェールガス生産国になる」

西川はちらりと後山の顔を見た。無表情。驚いた様子がないことで、西川は彼が何か知っているのでは、と疑念を抱いた。少なくともシェールガスの現状については詳しそうだ……だが、それだけではない何かがある。とはいっても、ここで突っこんで聴くべき話ではなかった。気を取り直し、取り調べを再開しようとした途端に、後山が口を開く。

「シェールガスの開発は、中国にとって確かに国家目標でしょうね。アメリカの技術供与を受けて、三百億立方メートルのガスをシェールから生産する目標が既に立てられている。現在は、国内企業が探査権を落札して、本格的な開発の準備が進められています」

後山が一度言葉を切った。通訳してもらうつもりのようだったが、陳は後山の言葉をしっかり理解した様子だった。それまでと打って変わって、やけに自信に溢《あふ》れた表情でうなずく。

「中国のシェールガス採掘に関しては、外国企業にも門戸が開かれています。日本企業も例外ではない。劉は、自分もそこに一枚噛《か》もうとしていました。日本の企業を中国に進出させ、自分は仲介料を稼ごうと計画していたのです」

「参事官、それは……」西川は戸惑いながら訊《たず》ねた。初耳である。

「劉にすれば、ビッグビジネスです。メタンハイドレートに関して、NSシステムという新しい技術を手に入れれば、それが強力な交渉カードになり、彼は資源フィクサーとして存在感を増します。そうすれば、シェールガスのビジネスでも、ライバルに対して優位に立てる。ただしそれは、彼が自由に動ければ、の話です。逮捕され、服役するようなことになれば、これまで積み上げてきたものが全《すべ》て無駄になる。彼にすれば、それはどうしても避けなければならなかった。だから、深く突っこんできた大友が目の上のたん瘤《こぶ》になったんです。目の上のたん瘤は分かりますか？」

後山が自分の眉《まゆ》の上を人差し指で示した。陳は「分からない」と言いたげに首を振ったが、後山は構わず続ける。

「とにかく彼にとって、大友は危険人物になったんです。大友自身は、その時点ではシェールガスのことなど知らなかったはずですが……何とか排除する手がないかと、劉は最初、あなたに彼を監視させましたね？　あなたは彼を尾行し、結果的に女性刑事を一人傷つけた。それだけでも大変な犯罪です……しかし身の危険を感じた劉は、エスカレートした。大友を殺害するよう、あなたに指示を出したんですね」

「しかしそれができないまま、劉は逮捕されてしまった」後山に主導権を渡しては本末転倒だと、西川はすかさず口を挟んだ。「逮捕された後も、大友の殺害指令は生きていたんでしょう？」

「生きて？」陳が首を傾《かし》げた。

「取り消し命令がない限り、大友を殺す、ということです。それは、劉が逮捕されていようがいまいが関係ない。それであなたは、時間はかかったものの、大友を撃った。成功はしなかったが」

失敗、とは言いたくなかった。大友が撃たれ、死線を彷徨《さまよ》ったのは間違いないのだから。しかも彼は、貴重な時間を奪われた。

「あなたは、最初の銃撃後も大友の動向を探り、とどめを刺そうとした。昨日、劉から念押しするように指示がきたのが、最後の後押しになりましたね」

陳がうなずく。顎《あご》から垂れた汗が、テーブルに極小の水溜《みずたま》りを作った。エアコンが効き過ぎているわけではない。外はまだ雪だし、西川は肌寒ささえ感じている。

「あれは、嘘《うそ》でした」

「嘘？」陳がはっと顔を上げる。

「だいたい、どうして逮捕されている人が電話できると思います？」

「保釈されたという話で……」

「我々がそう言わせたんです。他の指示も、全て我々が作った台詞だったんです——あなたを誘《おび》き出すために」

「まさか……」陳のこめかみに血管が浮き上がる。

「いや、あなたは、我々が書いたシナリオ通りに動いただけですよ。あなたが今日撃ったのは、大友ではない」

陳が大きく目を見開いた。その拍子に絆創膏が完全に剝がれ落ち、乾き始めた傷が露《あらわ》になる。

「あれは囮《おとり》です。あなたはそれに引っかかっただけだ」

「まさか……」繰り返し言った陳の唇が震え始める。

この男の妙なプライドのような物が、西川は気になり始めた。本人は、冷徹な殺し屋を気取ってでもいるのだろうか。それにしては穴が多いし、アマチュア的に甘い所も目立つのだが……。

「一つ、確認させて欲しいんですが」西川は静かに切り出した。「あなたはどうして、劉の命令に従ったんですか？　青山の強盗事件の時から組んでいるにしても、ここまで義理を果たす必要はないはずだ」

「義理？」

通訳が説明しようとして、一瞬口をつぐんだ。これは多分、中国語では上手く説明できないに違いない。西川は「彼の命令を聞かなければならない理由があったんですか」と言い換えた。単なるビジネスだとは考えにくい。

「それは……逆らえないから」陳が力なく言った。

「どうして」

「中国の家族が……借金があって」

「劉に？」

陳が無言でうなずく。何という話だ……西川は頭を抱えたくなった。要は借金のかたに、鉄砲玉として使われる人生だったというのか。

「あなたね……」西川はこめかみを揉《も》みながら言った。「最初は、日本に真面目《まじめ》に勉強しに来たんでしょう？　何でこんなことになったんだ？　家族の借金はいつから？」

「俺を日本に行かせるために」

「え？」

「俺を留学させるのに、金が必要だった。劉さんが貸してくれた」

「それは、返せばいいだけの話でしょう」陳の家族は裕福だと聞いていたが、裏にはこんな事情があったのか……。

「父親が……働けなくなった。病気で」

「だったら、あなたが働いて返せばよかった」

「仕事を手伝えば、借金はなしに……棒引き？」

正答を求める学生のように、陳が西川に訊ねる。西川はうなずき、彼の言い回しが正しいと認めた。こんな言い方まで知っているのだから、日本語の勉強だけはきちんとしていたと認めざるを得ない。

「自分の仕事を手伝えば、借金は棒引きにする、と劉さんは言った」

「もうとっくに、借金はなくなっているんじゃないか？　それぐらい危ない橋を何度も渡ってきただろう」

陳が力なく首を振る。それを見て西川は、これは単純な悪の転落の図式なのだと思い知った。一度でも悪に手を染めれば、絶対に抜け出せなくなる。予想外の大金を稼いで深みにはまることもあるだろうし、仮に良心に目覚めたとしても、自分には引き返す権利はないと思いこんでしまうかもしれない。

「とにかくあなたは、劉に命じられるまま、危ない橋を渡った。他にもあるはずだけど、今は聴かない。まず、今回の大友銃撃の件だけに絞ります。あなたは、大友鉄を撃った。認めますか？」

陳が固まった。頭の中では、様々な計算が走っているに違いない。だが、途中経過がどうであれ、計算結果は常に同じになるはずだ——有罪。

「一つだけ、言っておきます」後山が低い声で言った。「日本の刑務所は、中国の刑務所よりは快適だと思いますよ。中国の刑務所では、収監者千人に対して、看守が一人しかいないとも言いますよね。そんな状況では、何が起きても不思議ではないでしょう。それに、衛生面でも劣悪だ。そういうところへ入りたいですか？　あなたは、中国でも様々な犯罪に手を染めてきたでしょう。日本で裁かず、中国へ送還する手もあります。その際、我々は、中国の捜査当局に最大限協力するつもりですよ」

言葉を切って、陳の顔を真っ直ぐ見詰める。鼻の下に汗が浮いており、体が小刻みに震え始めた。ふいに、後山が短く笑う。

「あなたは馬鹿ではないでしょう。日本と中国、どちらの刑務所の方が楽か、考えればすぐに分かるはずだ。どうですか？　あなたは日本文化にも慣れたはずだ。最後に刑務所の日本文化を経験してみてもいいでしょう。後悔しないためには、そうした方がいい」

ひどい参事官だ、と西川は呆《あき》れた。この人は、ある意味沖田よりも乱暴である。普段見せている馬鹿丁寧な仮面の下に、相手を屈服させるためなら手段を選ばないという本音を隠していた。

ひとまず取り調べを終えた後、西川は後山の背中を追って廊下を歩いていた。横に並びたくないのは、彼の真意が読めないからである。今後もこの男に指揮を執らせておいて、大丈夫なのだろうか。

後山がいきなり立ち止まって振り向いた。

「少し話をしましょうか」

「何についてですか」

「いろいろと」

「私も参事官にお聞きしたいことがあります」

「結構ですよ」

後山がうなずいた。ちらりと上を見上げ、「会議室A」の看板を見つけると、勝手にドアを開ける。照明のスウィッチが入るかちりという音が聞こえ、柔らかい灯《あか》りが廊下に漏れ出してくる。西川は、本能が「危険だ」と告げるのを聞いたが、どうしても確かめたいこともある。

この件は、事前に防げたのではないか。

後山に続いて会議室に入る。ドアを押さえていた後山が手を離すと、ドアがゆっくりと閉まる。だだっぴろい会議室には寒気が満ちていたが、後山はエアコンのスウィッチを入れるつもりもないようだった。西川はちらりと周囲を見回したが、スウィッチは見当たらない。

後山が、巨大なテーブルの窓側に陣取った。西川は向かいに座ったが、あまりにもテーブルの幅があり過ぎて、間延びした感じになってしまう。かといって、隣に座る気にもなれない。距離を我慢することで、西川は妥協した。後山が両手を組み合わせ、そっとテーブルに置く。表情のない顔からは、何も読み取れなかった。

「聞きたいことというのは？」

「先ほど、劉がシェールガス絡みのビジネスを予定していたという話をしましたよね？あれは本当なんですか」

「本当です」

「それが事前に分かっていれば……」

「分かっていました」

後山があっさりと認めたので、西川は少しだけ気が抜けた。

「その事実をもっと先に持ち出していれば、劉を屈服させられたんじゃないですか？　あの男は、面子《メンツ》よりも商売を大事にする男です。今も容疑を否認しているようですが、否認すればするほど、外へ出るのが遅くなると言えば、立派な取引材料になったと思います」

「それでは駄目なんですよ」

「はい？」

「そういう駆け引きは大事かもしれません。容疑を認めさせるために、相手の弱点を突く……他のケースだったら、私もそうするように指示していたかもしれません」

「今回は違うんですか？」西川は首を傾げた。どうも彼の言い分は、西川の想像を超えている。

「違います」後山の口調は依然として静かだった。「トップ同士のつながりというのは、分かりますか？」

「ええ、まあ……トップ同士といってもいろいろあるでしょうけど……」

「私どもの世界には、いろいろと嫌らしい人間関係がありましてね。大学時代の人脈を、実社会に出てからも引きずっていくんです。私が言うのも何ですが、日本の最高学府に学んだ者の気概かもしれません」

「その気概は理解できますよ……理論上は。実感はできませんが」

西川はせめてもの反発として皮肉を吐いた。後山は気にしてもいない様子だった。

「私たちの学校の卒業生は、各界のトップにいます。それが、同期や先輩後輩、ゼミのつながりなどで、いつまでも深く結びついているんです。こういう関係は、他の大学に比べても、圧倒的に強いでしょうね」

「それが……」

「時には、悪い方に影響することもある。いや、半分ぐらいは悪いことかもしれませんね」

読めてきた。西川はうんざりした気分になったが、その中にかすかな救いをも見出《みいだ》し始めていた。

「仮説ですが、聞いていただけますか」

「どうぞ」

後山が両手を前に差し出した。それからすっと引っこめる所作は、優雅さを感じさせる。

そういえばこの男の実家は、茶道の家元だと聞いたことがある。

「劉がシェールガスビジネスのパートナーにしようとしていた日本企業……劉は、そこに深く食いこんでいたんじゃないですか。日本側の企業も、この件に関してはかなり本気になっていたはずです。メタンハイドレートもそうですが、シェールガスも、今後の日本の資源ビジネスにとって重要な柱ですから」

「仰《おっしゃ》る通りですね」後山の声にはまだ余裕があった。

「今後、中国でビジネス展開を期待していた日本企業として、劉は極めて重要なパートナーでした。劉も、中国政府に深く食いこんでいたんでしょう。日本側の企業は、今後新たなエージェントを探すのに苦労するでしょうね」

「対中国ビジネスの場合、政府に食いこんでいる人がいるかいないかで、ずいぶんやりやすさが違いますからね」

「となると、仮に劉が逮捕されれば、ビジネス自体が頓挫《とんざ》する可能性がある。それで、劉を逮捕しないよう——逮捕した後は早く釈放するように、プレッシャーをかけてきたんじゃないですか」

後山の目に、一瞬だけ凶暴な光が宿る。百戦錬磨の西川にしても怯《ひる》むほどだった。

「それは……いつだったんですか」

「逮捕後です。劉が危険な立場にあるという情報は、逮捕直前まで表には漏れていませんでしたからね」

「参事官に対して、直接圧力があったんですね？」

後山が無言でうなずく。眉間に皺を寄せ、内心の怒りを必死で押さえこんでいるようだった。

「早く釈放するように、と」

「言葉は違いますが、そういうことです」

「その件、特捜本部では出たんですか？」

「いえ」

「握り潰したんですか」西川は目を見開いた。

「その言葉は、こういう場面で使う物ではないと思いますが……まあ、そういうことです」

「それで何か不都合は？」

「何かと頼れる相手を一人なくしたぐらいですね」後山が肩をすくめた。

「それは大きな損失じゃないですか」

「どうでしょう……ただ私は、自分のなすべき仕事をしただけです。あなたもご存知のように、警察官には実に多くの人が接触してくる。お願い事であったり、脅しであったり様々ですが」

「キャリアの人は、そういう状況を上手く受け流しているのかと思いました」あるいは、時には利用する。

「そういう人もいます。それに、一概に否定すべきでもない」後山がうなずいた。「ただ、絶対に譲れない線はあるんです。私は、自分の中にある、そういう線を守りました。それが今の立場の私の仕事だと思うし、後悔はしていません」

「分かりました」西川はうなずいた。

「私が何か隠していたと思っていますね？」からかうような口調で後山が訊ねた。

「いえ……」

「構いませんよ。いきなりシェールガスの話が出てきたら、おかしいと思うでしょう。おかしいと思ったあなたの能力を、私は評価します」

西川は口の中で「どうも」ともごもごと言った。人に褒められて、これほどすっきりした気分になれないのは初めてだった。それは多分――自分が後山を疑っていたと、彼に知られてしまったから。

「とにかく、この件はこれで終わりにします。今後問題になることもありません」

「後は――」

「そうです」後山が顎に力を入れてうなずいた。「劉を逃がしてはいけません。最後まで追いこむんです。彼の犯した罪を、一つたりとも見逃してはいけない」

「問題の会社の方は大丈夫なんですか？　またちょっかいを出してくる可能性はないんですか」

「勝ち馬に乗る、という言葉の反対は何でしょうね」

「どうでしょう……泥舟から逃げる、ですかね」

「叩かれる人間を擁護するには、大変なパワーが必要ですよ。誰でも名前を知っている一部上場企業が、中国人の犯罪者を庇《かば》うとは思えませんね。劉は元々、強盗事件を企てるような荒っぽい犯罪者なんです。資源ビジネスのフィクサーにのし上がったとしても、根は変わっていないでしょう」

「分かりました」西川は顎に力を入れてうなずいた。この男には覚悟がある。重い重圧を一人で背負い、戦ってきた。それに応《こた》えないのは、人として間違っている。「追跡捜査係としては、今後も参事官の指揮に従うことになると思います」

「結構です。私からの具体的な指示は一つだけですけどね……徹底的にやって下さい」

廊下に出ると、沖田が待っていた。不満そうな表情で腕組みをし、背中を壁に預けている。後山に向かって会釈すると、後山は馬鹿丁寧に頭を下げ、「あとは二人でどうぞ」と声をかけて去って行った。

「何なんだよ、二人で秘密の話か」沖田が唇を尖《とが》らせて抗議した。

「お前、嫉妬《しっと》してるのか」西川は笑いを噛み殺した。

「そんなんじゃねえよ。自分だけ取り残されたら気分が悪いだろうが」

「そりゃそうだ」もっとも、取調室にいなかった沖田を、先ほどの話し合いに巻きこむことはできなかったが。一から話をしなければならない。西川は順序だてて、後山との話し合いを説明した。

「なるほどね」沖田が感心したように言った。「キャリアの中にも、男はいるんだねえ」

「キャリアだろうが何だろうが、警察官は警察官だからな」西川は、小さくなる後山の背中を見送った。男でも女でもない。警察官としての矜持《きょうじ》が感じられる背中だった。

陳が逮捕されたことで、大友を中心に湧《わ》き上がっていた熱はあっという間に引いた。犯人を捕まえるまでは、それこそ全員が必死になっていたのだが、終わってみれば「そんなことはもう過去」という雰囲気である。

しかし、後山にとってはここからが本番だった。銃を持った逃亡犯を追い詰めるためとはいえ、劉に非合法な協力を強いた上に、住宅街での発砲事件になってしまったのだから、捜査手法としては明らかに間違っている。

批判に対して、後山は飄々《ひょうひょう》と対処していった。一度、西川は心配して「大丈夫ですか」と訊ねたのだが、彼は「クソ食らえってやつですよ」とあっさり答えたものだ——満面の笑みを浮かべて。

「肝の据わった男はいるもんだね」

鳩山が感心したように言ったのを聞き、西川は沖田と顔を見合わせて苦笑を交わした。結局このオッサンは、今回も何の決定もしなかった——まあ、いつものことだが。

大友は、銃撃されてからちょうど一か月後に退院した。既に二月。まだしばらくは自宅療養が必要、ということだった。

それを聞いて、西川は沖田を誘い、大友の退院を見届けに行くことにした。

「何か意味、あるのか？」沖田が首を傾げる。

「いや、何となく」

「そうか」一瞬反発しかけた沖田が、すぐに黙りこんだ。彼自身、今回の一件についてはいろいろと考えることがあるようだった。

退院には、刑事総務課の人間が二人、つき添っただけだった。後は家族だけ。撃たれた直後、病院を埋め尽くす勢いで刑事たちが集まって来ていたのが嘘のようだった。

「何だよ、皆冷たいな」沖田がぶつぶつと文句を言った。

西川は感想を漏らした。「皆忙しいし、片づいた事件のことは、いつまでも引きずっていられない」

「だいたい僕は、嫌われてますから」大友が苦笑した。荷物は既に片づいている。部屋の空気を入れ替えようと、窓辺に寄ってカーテンを引いたが、窓のひんやりとした感触に怖《お》じ気《け》づいたのか、何もせずに窓から離れる。

「空気の入れ替えは、病院の方でやってくれると思うよ」西川は言った。

「すみません、癖なんで」大友が頭を下げる。「一日一度は、部屋の空気を入れ替えないと、気分が悪いんですよ。なあ、優斗？」

優斗が真面目な顔つきでうなずき、西川に顔を向けると、「毎日夕方に窓を開けてました」と打ち明ける。

「毎日来てたのか？」西川は目を見開いた。「いろいろ忙しいだろう？」

「大事なことだから」優斗がぽつりと答える。

「優斗、お前、ちょっといい子過ぎるだろう」沖田が茶々を入れた。「子どもなんてのは、もっとわがままでいいんだよ」

「申し訳ありませんが、うちの教育方針をねじ曲げないでいただけますか？」

聖子が割って入り、病室の空気が凍りついた。沖田が愛想笑いを零《こぼ》したが、それも一瞬のことで、すぐに口をつぐんでしまう。柄の悪い連中と優斗を一緒においておけないと思ったのか、聖子が「タクシーを摑まえておきますから」と言い残し、優斗を連れて出て行った。刑事総務課員二人が、かなり大量になった荷物を持って後に続く。残された三人は、何となく正三角形を描くように立った。

「まさか、自分が狙われているとは思いませんでした」大友がぽつりと言った。

「最初のきっかけは、例の騒ぎを起こした赤坂の強盗事件だったらしい」西川は説明した。

「あの時君は、逃げ出した犯人グループを見た。現場には何人も刑事がいたけど、顔まで見たのは君だけだった」

「何の手がかりにもなりませんでしたけどね」

「向こうはそうは思わなかったんだ。あの後、現場が混乱する中で、劉は君の名前を割り出したんだ。その後君は、別の事件の捜査に転身したけど、劉にとって君は、要注意人物になったんだよ。だから動向監視をして、最終的には自分の身を守るために殺そうとした」

「ひどい勘違いですよ」大友がぼやく。

「まったくだ」西川はうなずいて同意した。

「で、調子はどうなんだよ」沖田が訊ねる。

「痛みはないんですけど、まだ傷跡が引き攣る感じがしますね。それと、体力が落ちています。歩くのもきついですよ」

「だろうな。もう一生分寝ちまったんじゃないか」沖田がからかった。

「そうかもしれませんね」大友が苦笑した。

「自宅療養はどうするんだ」

「まず、体力を取り戻さないと。ウォーキングから始めますよ」

「ジイさんかよ」沖田が鼻で笑った。

「今は、それぐらい体力が落ちてるんです」大友が真顔で答えた。「体力の回復については心配いらない、と医者は言ってますけどね。普通に生活していれば、元に戻るそうです……休みの間に、一度田舎へ戻ろうかと思ってます」

「お前さん、実家は長野だったよな?」

「ええ」

「向こうの方が空気がいいだろうな」

「それは間違いないです。今の時期は、死ぬほど寒いんですけどね」

二人のやり取りを聞きながら、西川は窓辺に寄った。何となく、不安が胸に入りこんでくる。事件のことではない。この事件はぐちゃぐちゃで、簡単にまとまりそうにないが、それでも何とかするのが警察である。それ以外の不安……この事件が、大友を壊してしまったのではないだろうか。

だが、そんなことを直接は聞き辛《づら》い。西川は振り返り、花瓶が並んだサイドテーブルを見詰めた。

「ずいぶん見舞いが多かったみたいだな」

「そうですね」大友が西川の顔を真っ直ぐ見詰めて言った。「ありがたい話です」

「彼女は？」

「彼女って？」大友が一瞬視線を外した。

「水沼佐緒里さん。彼女とは――」

「何でもないですよ」大友が穏やかな口調で、西川の質問を遮った。「というか、今はそれどころではないですからね」

「息子さんのことを気遣ってるのか」

「難しい年頃なんです」

「俺の経験から言わせてもらえば、子どもなんてのは何歳になっても難しいもんだ」自分の息子、竜彦は素直な方だと思うが。高校生になって自分の世界が広がっているので、極めて自然に親から離れつつあるだけだ。

「そんなものですか」

「自然に何とかなるもんだよ」

西川は大友の前に歩み寄った。痩せたな、と思う。ろくに運動もできず、ずっとベッドに縛りつけられていたのだから当然だろう。

「俺は、今回の一件でいろいろなことを考えさせられた。その中で一番印象に残ったのは、今さらだけど警察はいい組織だっていうことだ」

大友が目を見開く。沖田は呆れたように二人のやり取りを見守っていた。

「もちろん君も知っている通り、いいことばかりじゃない。どうしようもないクソ野郎もいるし、犯罪者さえいる。規則や習慣は硬直していて、何の意味もない物も多い。でも、仲間を思う気持ちは本物だ。君はここにいたから分からないと思うけど、あの時は、警視庁の職員四万人全員が、この捜査に首を突っこんでくるんじゃないかと思ったぐらいだ」

「そいつは大袈裟《おおげさ》だぜ」沖田が反論した。

「だけど、この病院に何人の刑事が来てた？　何をするわけでもないんだぜ。献血が必要なわけでも、事情聴取ができるわけでもなくて、病院にとってはただ迷惑なだけだったと思う。そんなことは分かっていて、皆ここへ来たんだ」

「何だか……僕のせいでご迷惑をおかけして」大友が苦笑した。

「君じゃなくても同じだったと思う。仮に沖田が撃たれたら、君も病院に駆けつけないか？　何ができるわけでなくても、捜査に首を突っこみたくならないか？」

「それは――そうですね」

「そういうの、いいと思わないか？　今時流行《はや》らないかもしれないけど、俺は嫌いじゃない。そういう一体感を感じられる瞬間があるから、刑事をやっているようなものだ」

「分かります」大友の顔に、緩やかに笑みが広がった。「同期や先輩……ありがたいと思います」

「だったら、そろそろ一課に戻ったらどうなんだ」

沖田が驚いたように、「おい」と声を上げた。ちらりとそちらを見ると、「そんな話はまだ早いだろう」と唇を尖らせて抗議してくる。

「分かってるよ」西川はうなずいた。「でも今までも、周りの人間は君に捜査一課に復帰して欲しがっていた。福原本部長然《しか》り、後山参事官然り。現場の人間だって、今みたいにちょこちょこ首を突っこんでくるんじゃなくて、正式な仲間として一緒に仕事するなら、絶対歓迎するさ。君には君にしかない能力があるし、それは警視庁にとって宝なんだから」

「そう言っていただけるのはありがたいんですが――」

「追跡捜査係に来ないか」西川は思い切って口にした。本当は、自分にはこんなことを言う権利はないのだが。「正直に言って、うちはそれほど忙しいわけじゃないから、自分のペースで仕事ができる。体力の回復に合わせて、ゆっくりやればいいじゃないか。それにうちには、君みたいに目がよくて、人の心を解くことのできる人間が必要なんだ。古い事件の関係者は、皆意固地に凝り固まっているから、話を聴くだけでも大変なんだよ」

「ええ」

「君は大きな戦力だ。そして君自身にとっても、効果的なリハビリになるんじゃないかな。もちろん、俺がここでこんな風に言っても、何かが決まるわけじゃない。これからいろいろ根回ししても、実際に人事が発令されるのは何か月か後になるだろう。でも、君さえその気なら、後山参事官も後押ししてくれると思う」

「参事官には、あまり迷惑をかけたくないんですよね」

「君が一課へ復帰するのは、後山参事官と福原本部長の共通の希望だろう」

「それは分かっています」

「だったら――」

「実は、一課へ戻ろうと思っていたんです――撃たれる直前までは。後山さんと、そういう話をしていました」

意外な話だったが、それなら自分の言葉が後押しになる、と西川は思った。

「だったら、初志貫徹でいいじゃないか。すぐに回復するだろうし――」

「今の状態では無理です」大友が西川の言葉を遮った。

「体力的に？」

「ええ。正直、自信がありません。一か月も仕事を離れるようなことは、今までなかったですし……元に戻るには、それなりに時間がかかると思います。こんな状態で捜査一課に行っても、足手まといになるだけですよ。僕は、そういうことは我慢できない」

「仕事しながらリハビリ、でもいいじゃないか」

「それは、中途半端という言葉の言い換えじゃないですか」

西川は黙りこまざるを得なかった。大友の言うことにも一理ある。いかに追跡捜査係が普段は暇な部署であっても、忙しい時は急に忙しくなるのだ。何日も家に帰れないことも珍しくないし、徹夜もしばしばである。今の大友――あるいは自宅療養を終えて仕事に戻った大友が、そういう環境に耐えられるかどうかは分からない。いや、現実には難しいだろう。そして、職場復帰したものの周りの足を引っ張るようなことを、大友が我慢できるとは思えなかった。

「分かった」西川はうなずいた。ここで長々と話すことではないと判断する。「気が変わったら、いつでも言ってくれ」

「お言葉はありがたく受け取っておきます」大友が頭を下げた。小さなバッグをベッドから取り上げ、病室を出て行く。

取り残された二人は、顔を見合わせた。沖田が不満そうに、唇を尖らせる。

「いきなり何だよ。大友の異動について、後山さんと何か話したのか？」

「いや、今思いついたんだ。悪くないアイディアだと思うけど」

「……そうだな。奴がいると、女の子たちが集まって賑《にぎ》やかになるだろうし」

「おいおい」

「冗談だよ」沖田が表情を崩して笑った。「確かにあいつがくれば、うちの戦力アップになるし、いいリハビリにもなると思う。でも、無理だろうな」

「どうして」

沖田が窓辺に寄ってカーテンを引き、思い切って窓を全開にする。寒風が病室内を吹き抜け、西川は思わず身震いした。だが、沖田が何をやろうとしているのかは分かったので、上半身を抱いたまま窓辺に近寄る。見下ろすと、左手の方にある正面の出入り口から、大友が出て来たところだった。優斗が、精一杯背伸びして大友を迎える。

「奴はやっぱり、家族優先なんだよ。だけど俺は、そういう人生があってもいいと思う」

沖田がしみじみと言った。

「お前らしくないな」

「いや……俺だって、最近はそういう感覚が分かるようになってきたんだぜ。あいつには守るべき家族がいる、それで十分じゃないか。復帰するのは何年か先でもいいよ。それこそ優斗が独立した後とか、再婚したタイミングとか」

「それじゃ遅くないか？」

「テツは体力勝負の仕事をしているわけじゃない。あいつが得意なのは、人の心に入りこむことだ。そういうのは、年齢に関係ないと思うね。むしろ年を取った方が、上手くできるんじゃないか」

「そうか……あいつは家族を選ぶか」

「俺は応援するけどな」

「俺も、応援しない理由はない」

西川は、家族三人がタクシーに乗りこむのを見守った。大友の人生は、この事件でねじ曲がってしまったかもしれない。だが、あいつは挫《くじ》けないだろう。今まで大友が守ってきた家族が、今度はあいつを守ってくれるはずだ。

本書はハルキ文庫の書き下ろしです。
本作品はフィクションであり、登場する人物、団体名など
架空のものであり、現実のものとは関係ありません。

Haruki Bunko
ハルキ文庫

と 5-5

刑事《けいじ》の絆《きずな》 警視庁《けいしちょう》追跡《ついせき》捜査《そうさ》係《がかり》

著者 堂場《どうば》瞬一《しゅんいち》

2013年12月18日第一刷発行

発行者 角川春樹

発行所 株式会社角川春樹事務所
〒102-0074 東京都千代田区九段南2-1-30 イタリア文化会館

電話 03(3263)5247(編集)
03(3263)5881(営業)

印刷・製本 中央精版印刷株式会社

フォーマット・デザイン 芦澤泰偉
表紙イラストレーション 門坂 流

ISBN978-4-7584-3791-2 C0193 ©2013 Shunichi Dôba Printed in Japan
http://www.kadokawaharuki.co.jp/[営業]
fanmail@kadokawaharuki.co.jp[編集] ご意見・ご感想をお寄せください。

流れる砂

東 直己

私立探偵・畝原への依頼は女子高生を連れ込む区役所職員の調査。
しかし職員の心中から巨大化していく闇の真相を暴くことが出来るか?
（解説・関口苑生）

悲鳴

東 直己

女から私立探偵・畝原へ依頼されたのは単なる浮気調査のはずだった。
しかし本当の〈妻〉の登場で畝原に危機が迫る。
警察・行政を敵に回す恐るべき事実とは?（解説・細谷正充）

熾火

東 直己

私立探偵・畝原は、血塗れで満身創痍の少女に突然足許に縋《すが》られた。
少女を狙ったと思われる人物たちに、友人・姉川まで連れ去られた畝原は、
恐るべき犯人と対峙する──。（解説・吉野仁）

墜落

東 直己

女子高生の素行調査の依頼を受けた私立探偵・畝原は、
驚愕の事実を知る。自らを傷つけるために、罪を重ねる少女。
その行動は、さらなる悪意を呼ぶのか。大好評長篇ハードボイルド。

挑発者㊤㊦

東 直己

私立探偵・畝原は、飲食店経営の会社の専務から、その父親である
社長をエスパーを自称する男から救ってほしいと依頼された。社長の前で
男の詐称を暴く畝原。だが、そこから連鎖するように事件が起こり始める。

Haruki Bunko

ハルキ文庫

笑う警官

佐々木 譲

札幌市内のアパートで女性の変死死体が発見された。容疑をかけられた津久井巡査部長に下されたのは射殺命令――。警察小説の金字塔、『うたう警官』の待望の文庫化。（解説・西上心太）

警察庁から来た男

佐々木 譲

北海道警察本部に警察庁から特別監察が入った。やってきた藤川警視正は、津久井刑事に監察の協力を要請する。一方、佐伯刑事は、転落事故として処理されていた事件を追いかけるのだが……。（解説・細谷正充）

警官の紋章

佐々木 譲

北海道警察は洞爺湖サミットのための特別警備結団式を一週間後に控えていた。その最中、勤務中の制服警官が銃を持ったまま失踪。津久井刑事はその警官の追跡任務を命じられる。シリーズ第三弾。（解説・細谷正充）

巡査の休日

佐々木 譲

よさこいソーラン祭りで賑わう札幌で、以前小島巡査が助けた村瀬香里の元に一通の脅迫メールが届く。送り主は一年前に香里へのストーカー行為で逮捕されたはずの鎌田だった……。シリーズ第四弾。（解説・西上心太）

密売人

佐々木 譲

警察協力者《エス》連続殺人事件。次の報復の矢は何処へ向かうのか――。狙われた自分の協力者を守るため、佐伯警部補の裏捜査が始まる。シリーズ第五弾。（解説・青木千恵）